MASZYNA
SZCZĘŚCIA

Dla Uly'a i Fii

KATIE WILLIAMS

MASZYNA SZCZĘŚCIA

Przełożyła Anna Klingofer-Szostakowska

EDIPRESSE
KSIĄŻKI

Tytuł oryginału: Tell The Machine Goodnight

Copyright © 2018 by Katie Williams
Copyright for the Polish Edition © 2019 Edipresse Kolekcje Sp. z o.o.
Copyright for the Polish Translation © 2019 Anna Klingofer-Szostakowska

Edipresse Kolekcje Sp. z o.o., ul. Wiejska 19, 00-480 Warszawa

Dyrektor Zarządzająca Segmentem Książek: Iga Rembiszewska
Senior Project Manager: Natalia Gowin
Produkcja: Klaudia Lis
Marketing i promocja: Renata Bogiel-Mikołajczyk, Beata Gontarska
Digital i projekty specjalne: Katarzyna Domańska
Dystrybucja i sprzedaż: Izabela Łazicka (tel. 22 584 23 51),
Beata Trochonowicz (tel. 22 584 25 73),
Andrzej Kosiński (tel. 22 584 24 43)

Redakcja: Zuzanna Żółtowska / Słowne Babki
Korekta: Anna Godlewska, Beata Turska
Projekt okładki: Ellie Game © HarperCollinsPublishers Ltd 2019
Zdjęcie na okładce © Valentino Sani / Trevillion Images
Przygotowanie polskiej wersji okładki: JS Studio
Skład i łamanie: Perpetuum

EDIPRESSE
KSIĄŻKI

Biuro Obsługi Klienta
www.hitsalonik.pl
mail: bok@edipresse.pl
tel.: 22 584 22 22
(pon.-pt. w godz. 8:00-17:00)
facebook.com/edipresseksiazki
facebook.com/pg/edipresseksiazki/shop
instagram.com/edipresseksiazki

Druk i oprawa: Toruńskie Zakłady Graficzne ZAPOLEX
Książkę wyprodukowano na papierze Igepa cream 80 g vol. 2.0
dostarczonym przez ✿ IGEPA Sp. z o.o.
ISBN 978-83-8117-631-6

1

MASZYNA SZCZĘŚCIA

apricity (ang., arch.) – uczucie ciepła na skórze, wywołane przez promienie zimowego słońca

MASZYNA POWIEDZIAŁA, że powinien jeść mandarynki. Wymieniła także dwa inne zalecenia, a więc łącznie trzy. To skromna liczba, zapewniła mężczyznę Pearl, odczytując na głos kolejne punkty listy wyświetlonej na monitorze przed nią: po pierwsze, powinien regularnie jadać mandarynki; po drugie – pracować przy biurku przy porannym świetle; po trzecie – amputować koniuszek palca wskazującego swej prawej dłoni.

Mężczyzna – na oko tuż po trzydziestce, z różowawymi obwódkami wokół oczu i nosa jak u białego królika lub szczura – zbliżył prawą dłoń do twarzy ze zdumieniem. Wnętrzem lewej dłoni, która także powędrowała w górę, nacisnął czubek palca wskazującego prawej, jakby na próbę. „Rozpłacze się?", zastanowiła się Pearl. Po wysłuchaniu zaleceń ludziom zdarzało się wybuchać płaczem. Sala konferencyjna, w której ją umieścili, miała przeszklone ściany z widokiem na kabiny do pracy po drugiej stronie. Na ścianie znajdował się jednak przełącznik służący do zamglenia szkła; Pearl mogła go użyć, gdyby mężczyzna zalał się łzami.

– Wiem, że ostatni punkt może się wydawać nieco lewy – powiedziała.

– Chyba chciała pani powiedzieć: prawy – zażartował mężczyzna (Pearl zerknęła na swoją listę, aby sprawdzić jego nazwisko – był to niejaki Melvin Waxler), a jego wargi uniosły się, odsłaniając zbyt długie przednie zęby. Coraz bardziej przypominał królika. – Rozumie pani? – Pomachał dłonią. – Prawa ręka.

Pearl uśmiechnęła się uprzejmie, ale pan Waxler widział tylko swój palec. Ponownie nacisnął jego koniuszek.

– To skromne zalecenie – dodała Pearl – w porównaniu z niektórymi, jakie widziałam.

– Jasne, zdaję sobie sprawę – odparł Waxler. – Mój sąsiad z dołu usiadł kiedyś do tej waszej maszyny. Kazała mu zerwać wszelkie kontakty z bratem. – Znów nacisnął palec. – Nigdy się nie kłócili, nic z tych rzeczy. Właściwie mieli dobrą relację, przynajmniej tak twierdził sąsiad. Wspierającą. Braterską. – Nacisnął. – Ale zrobił to. Odciął gościa. Przestał z nim rozmawiać, kropka. – Nacisnął. – I podziałało. Podobno teraz jest szczęśliwszy. Mówi, że nie miał pojęcia, że brat go unieszczęśliwiał. Brat bliźniak. I to jednojajowy. O ile dobrze pamiętam. – Zacisnął dłoń w pięść. – Ale okazało się, że tak było. Że był nieszczęśliwy. A maszyna to wiedziała.

– Zalecenia w pierwszej chwili mogą wydawać się dziwne – Pearl zaczęła swoją wyuczoną gadkę z instrukcji – ale trzeba pamiętać o tym, że Apricity posługuje się złożonym systemem obliczeń – uwzględnia czynniki, których my nie jesteśmy świadomi. Liczby to potwierdzają. System Apricity może się pochwalić prawie stuprocentowym poparciem. Dziewięćdziesiąt dziewięć przecinek dziewięćdziesiąt siedem.

– A te trzy dziesiąte procent? – Palec wskazujący wyłonił się nagle z pięści Waxlera. Po prostu nie chciał pozostać w tej pozycji.

– Aberracje.

Pearl pozwoliła sobie zerknąć na czubek palca pana Waxlera, który nie wydawał się różnić od pozostałych czubków palców jego dłoni, lecz według Apricity sam w sobie był aberracją. Wyobraziła sobie, jak koniuszek palca odskakuję od dłoni mężczyzny niczym korek z butelki. Gdy podniosła wzrok, zauważyła, że spojrzenie Waxlera przeniosło się teraz z palca na jej twarz. Wymienili lekki uśmiech właściwy dwojgu nieznajomym.

– Wie pani? – Waxler zgiął i wyprostował palec. – Ten palec nigdy mi się za bardzo nie podobał. Przytrzasnął się w drzwiach, gdy byłem mały i od tamtej pory… – Jego górna warga uniosła się, znów odsłaniając zęby, niemal w grymasie.

– Boli pana?

– Nie boli. Po prostu mam wrażenie… jakby był obcy.

Pearl wystukała kilka komend na monitorze i odczytała informację zwrotną.

– Zabieg chirurgiczny niesie ze sobą minimalne ryzyko infekcji i zerowe ryzyko śmierci. Czas rekonwalescencji jest nieznaczny – tydzień, nie więcej. A jeśli chodzi o kopię pańskiego raportu Apricity – proszę, właśnie wysłałam ją do pana, do kadr i do wymienionego lekarza – pański pracodawca zgodził się pokryć wszystkie koszty.

Warga Waxlera zsunęła się znów do dołu.

– Hm. Wobec tego nie ma powodu, aby tego nie zrobić.

– Nie. Żadnego.

Namyślał się jeszcze przez chwilę. Pearl czekała, starając się zachować neutralny wyraz twarzy, dopóki nie skinął głową, aby kontynuowała. Gdy to zrobił, wystukała ostatnią komendę i z odrobiną satysfakcji wykreśliła jego nazwisko z listy. *Melvin Waxler. Gotowe.*

– Zaleciłam także, aby przydzielono panu stanowisko pracy we wschodnim skrzydle budynku, przy oknie – dodała.

– Dziękuję. To miłe.

Pearl zamknęła sesję ostatnim pytaniem, które miało przybliżyć ją odrobinę do kwartalnej premii.

– Panie Waxler, czy spodziewa się pan, że zalecenia Apricity podniosą poziom pańskiej ogólnej satysfakcji życiowej? – Zwrot ten pochodził z zaktualizowanej wersji jej podręcznika szkoleniowego. Wcześniej pytanie brzmiało: „Czy dzięki Apricity będziesz szczęśliwszy?", lecz prawnicy uznali słowo „szczęśliwszy" za problematyczne.

– Wygląda na to, że to możliwe – odparł Waxler. – Ta sprawa z palcem może spowalniać pisanie na klawiaturze. – Wzruszył ramionami. – Ale w życiu chodzi o coś więcej niż szybkość pisania na klawiaturze.

– A zatem… tak?

– Jasne. To znaczy: tak.

– Cudownie. Dziękuję za poświęcony dziś czas.

Pan Waxler wstał do wyjścia, gdy wtem, jakby tknięty impulsem, zatrzymał się i wyciągnął rękę w kierunku Apricity 480 stojącej na stole pomiędzy nimi. Pearl otrzymała nowy model niedawno, w poprzednim tygodniu; był bardziej elegancki od Apricity 470 i mniejszy, wielkości talii kart. Nowa maszyna miała karbowane brzegi i jasnoszarą obudowę o subtelnym połysku, przypominającym dym w szklanej kuli wróżki. Dłoń Waxlera zawisła nieruchomo ponad nią.

– Czy mogę? – spytał.

Pearl skinęła głową, a on postukał w Apricity koniuszkiem palca, który teraz zgodnie z planem miał zostać amputowany za – na monitorze Pearl pojawiło się już potwierdzenie zarówno z kadr, jak i z gabinetu lekarskiego – nieco ponad dwa tygodnie. Czy Pearl to sobie wyobraziła, czy też pan Waxler zdążył się już trochę wyprostować, jakby z jego barków zdjęto niewidzialne jarzmo? Czy zaróżowieniu wokół jego oczu i nosa teraz towarzyszył zdrowy rumieniec na policzkach?

Waxler przystanął w progu.

– Czy mogę jeszcze o coś zapytać?

– Oczywiście.

– Muszą to być mandarynki, czy wystarczą dowolne cytrusy?

PEARL PRACOWAŁA JAKO TECHNIK DS. SATYSFAKCJI w siedzibie Apricity Corporation w San Francisco od 2026 roku. Dziewięć lat. Podczas gdy jej koledzy przeskakiwali na nowe stanowiska lub do start-upów, Pearl pozostawała w miejscu. Pearl lubiła zostawać w miejscu. Tak wiodła swoje życie. Po studiach została w pierwszej firmie, która ją zatrudniła, gdzie pracowała na nocnej zmianie jako asystentka brokerów handlujących na azjatyckich rynkach. Po urodzeniu syna została w domu, dopóki nie poszedł do szkoły. Gdy wyszła za mąż za swojego chłopaka ze studiów, została z nim, dopóki Elliot nie wdał się w romans i jej nie porzucił. Pearl czuła się dobrze tam, gdzie była, to wszystko. Lubiła swoją pracę, siedzenie z klientami, którzy zakupili jeden z trzystopniowych Pakietów Oceny Satysfakcji Apricity, zbieranie od nich próbek i omawianie z nimi wyników.

Jej bieżące zadanie było typowe. Klient, wybijająca się firma marketingowa z San Francisco o nazwie !Huzza!, zakupił Platynowy Pakiet Apricity po śmierci pracownicy czy też, jak ujął to szef Pearl: „bardzo niewesołych świętach i kiepskim prezencie pod choinkę". Po świątecznej imprezie copywriterka firmy !Huzza! popełniła samobójstwo w holu biura. Nocna ekipa sprzątająca znalazła biedną kobietę, lecz o wiele za późno. Oczywiście rozeszła się wiadomość o jej śmierci, zarówno o przyczynie, jak i miejscu. Styczniowe raporty !Huzza! odnotowały spadek produktywności pracowników i towarzyszący im wzrost liczby skarg kierowanych do działu HR. Raporty lutowe były jeszcze bardziej przygnębiające, a pierwsze tygodnie marca – fatalne.

Dlatego !Huzza! zwróciła się do Apricity Corporation, a poprzez nich do Pearl, którą wprowadzono do biura !Huzza! w SoMa, aby stworzyła plan satysfakcji dla każdego z pięćdziesięciu czterech pracowników firmy. „Szczęście to Apricity". Tak brzmiał slogan. Pearl zastanawiała się, co pomyślałaby o nim martwa copywriterka.

Sam proces oceny Apricity był nieinwazyjny. Jedyną rzeczą, której potrzebowała maszyna do sformułowania zaleceń, był wymaz komórek błony śluzowej pobrany patyczkiem z wnętrza policzka. Było to pierwsze zadanie Pearl w pracy: wręczenie i odebranie patyczka, rozmazanie odrobiny zebranej śliny na chipie komputerowym i umieszczenie go w maszynie. Od tego miejsca sprawę przejmowała Apricity 480, która po zaledwie kilku minutach podawała precyzyjny, spersonalizowany plan satysfakcji. Pearl zawsze to zadziwiało: pomyśleć, że przepis na czyjeś szczęście znajdował się tuż obok resztek bajgla ze śniadania!

Ale to była prawda. Pearl sama poddała się badaniu Apricity i odczuwała jego efekty. Trzeba jednak powiedzieć, że przez większość jej życia smutek był umiarkowaną emocją, nie ciemną chmurą wiszącą nad głową, jak opisywali je inni; z pewnością nie przypominał depresyjnej mgły, nic z tych rzeczy. Smutek Pearl był podobny raczej do smużki dymu ze zgaszonej świeczki. I to urodzinowej. Stabilna, dzielna, zrównoważona: tymi słowami określano ją od dzieciństwa. I przypuszczała, że tak też wyglądała: ciemne włosy przystrzyżone równo wokół uszu i szyi w kształt czepka pływackiego; przyjemne rysy twarzy, lecz nie nazbyt ładne; szczupły tors i zaokrąglone uda oraz pupa, jak u jednej z tych dmuchanych waniek-wstaniek. Właściwie Pearl wybrano na stanowisko technika obsługującego Apricity, ponieważ wprowadzała, jak ujął to jej szef: „rodzaj przytulnej atmosfery, jakby ktoś otulił cię kocem od czubka głowy".

– Rzadko się pani martwi. Nigdy nie poddaje się pani rozpaczy – ciągnął, podczas gdy Pearl siedziała naprzeciwko niego i lekko szarpała mankiety żakietu, który kupiła specjalnie na tę rozmowę. – Pani łzy zmieściłyby się raczej w kałuży niż w oceanie. Jest pani teraz szczęśliwa? Prawda?

– Czuję się nieźle.

– Nieźle! Właśnie! – wykrzyknął na jej wyznanie. – Przechowuje pani swoje szczęście w hali magazynowej, nie w sakiewce na monety. Można je tanio kupić!

– Hm… Dziękuję?

– Nie ma za co. Proszę spojrzeć, to maleństwo panią lubi – wskazał na Apricity 320, stojącą na honorowym miejscu na jego biurku – a to oznacza, że ja też panią lubię.

Rozmowa odbyła się dziewięć lat i szesnaście modeli Apricity temu. Od tamtego czasu Pearl wycierpiała jeszcze tuzin mgliście obraźliwych metafor swojego szefa, lecz co ważniejsze, na własne oczy przekonała się, że system Apricity sprawdził się setki – nie, tysiące razy. Podczas gdy inne firmy skurczyły się i zestarzały bądź rozdęły w kapitalistyczne giganty, Apricity Corporation, zarządzana przez jej prezesa i założyciela Bradleya Skrulla, pozostała wierna swojej misji. „Szczęście to Apricity". Tak, dla Pearl było to niczym jej wyznanie wiary.

Nie była jednak tak naiwna, aby oczekiwać, że wszyscy muszą podzielać jej zdanie. Podczas gdy następna wizyta Pearl w tym dniu przebiegła niemal tak gładko jak sesja pana Waxlera – mężczyzna prawie bez mrugnięcia okiem przyjął zalecenie, aby rozwiódł się z żoną i zatrudnił serię profesjonalnych pracownic seksualnych, które zaspokajałyby jego cielesne potrzeby – kolejna miała niespodziewanie kiepski przebieg. Obiektem badań była pewna projektantka stron internetowych w średnim wieku i choć zalecenie Apricity, aby podjęła praktyki religijne, wydawało się drugorzędne, a Pearl zauważyła, że za religię można uważać cokolwiek od katolicyzmu po wiccanizm, kobieta wybiegła z jej biura z krzykiem, że Pearl chce, aby stała się bezwolna, i że doskonale zgodziłoby się to z celami jej pracodawcy, prawda? Pearl wysłała prośbę do działu kadr, aby zaplanowali wizytę kontrolną na następny dzień. Zwykle takie sytuacje same się prostowały, gdy obiekt badań miał dość czasu do namysłu. Czasem Apricity konfrontowała ludzi z ich sekretnym ja, a taka gwałtowna reakcja – co Pearl próbowała zresztą wyjaśnić krzyczącej kobiecie – nawet negatywna, z pewnością oznaczała, że właśnie tak się stało.

Mimo to Pearl wróciła do domu przygnębiona – metaforyczny koc nad jej głową wydawał się nieco wytarty – i zastała mieszkanie puste. Zaskakująco, oszałamiająco puste. Obeszła wszystkie pomieszczenia dwukrotnie, zanim uznała, że Rhett po raz pierwszy od powrotu z kliniki opuścił dom z własnej woli. Przeszył ją dreszcz, który następnie skupił się, wibrując, pod paznokciami dłoni. Zdenerwowana sięgnęła do kieszeni po ekran i rozłożyła go.

– Właśnie wróciłam – rzuciła do niego.

W końcu przyszła odpowiedź: „OK".

– Nie ma cię w domu – dodała. Tak naprawdę chciała powiedzieć: „Gdzie jesteś, do diabła?".

„Odrb prc dm wszdłm".

– Wróć na kolację.

Dźwięk, że jej wiadomość została wysłana i odebrana, zabrzmiał, jakby jej ekran wydał głębokie mechaniczne westchnienie.

Mieszkanie Pearl znajdowało się na obrzeżach Richmont District. Można było stamtąd dojść spacerem do oceanu, nawet widać było jego skrawek, szarego i skłębionego, gdy przyłożyło się policzek do okna w łazience i spojrzało w lewo. Pearl wyobraziła sobie Rhetta samego na plaży, wkraczającego w spienione przybrzeżne fale. Ale nie, nie powinna tak myśleć. Nieobecność Rhetta w mieszkaniu była czymś dobrym. Możliwe – prawda? – że poszedł spotkać się ze znajomymi ze swojej dawnej szkoły. Może jeden z nich pomyślał o nim i postanowił do niego zadzwonić. Może Josiah, który wydawał się najlepszy z tego grona. Jako ostatni przestał go odwiedzać, pisał do Rhetta do kliniki, a raz wskazał na jeden z ciemnych sińców pokrywających kończyny Rhetta i powiedział: „Au!" tak smutnym i miłym tonem, jakby siniak znajdował się na jego ręce, jakby krew zebrała się pod powierzchnią jego nietkniętej skóry.

Pearl wypowiedziała to teraz na głos w swoim pustym mieszkaniu.

– Au.

Wypowiedzenie tego słowa nie wywołało żadnego bólu. Aby zabić jakoś czas do kolacji, do której została godzina, Pearl wyjęła najnowszy zestaw modelarski. Zestawy były częścią planu satysfakcji Apricity dla Pearl. Już prawie ukończyła swój ostatni projekt – trylobita z okresu dewońskiego. Złożyła ostatnie płytki szkieletu, maleńkim śrubokrętem przykręciła jeszcze mniejsze śrubki ukryte pod każdą z syntetycznych kości. Następnie pociągnęła groszkowany skóropodobny materiał cienką warstwą kleju i ciasno dopasowała tkaninę do egzoszkieletu. Przerwała i oceniła dzieło. Tak. Trylobit prezentował się coraz lepiej.

Gdy chodziło o modele, Pearl nie skąpiła ani nie spieszyła się. Zamawiała zestawy wysokiej jakości, twarde elementy wytworzone z precyzją przez drukarkę 3D, miękkie – wyhodowane w miksturze zręcznie połączonego DNA. Apricity znów miała słuszność w ocenie. Pearl czuła się dość blisko szczęścia w chwili, gdy rozcinała celofanowe opakowanie nowego zestawu i zaciągała się jego ostrym zapachem.

Przed trylobitem złożyła *Protea cynaroides*, nazwa pospolita – protea królewska, model rośliny, która, jak szybko wytknął jej Rhett, właściwie nie była wymarła. Pearl mogłaby wyhodować prawdziwą proteę królewską w doniczce pod kuchennym oknem, tej, do której docierało słabe światło z zaułka. Ale Pearl nie chciała prawdziwej protei królewskiej. A właściwie nie chciała hodować protei królewskiej. Chciała zbudować roślinę, kawałek po kawałku. Chciała nadać jej kształt własnymi rękoma. Chciała poczuć coś wspaniałego i biblijnego: „Widzicie, co stworzyłam?" Protea królewska kwitła wśród dinozaurów. Wyobraźcie sobie! Ten kwiat zdeptany pod ich pradawnymi stopami.

Domowy system zarządzania wyrwał Pearl ze skupienia. Jego łagodne bibliotekarskie tony ostrzegły ją, że Rhett właśnie wszedł do holu. Pearl zebrała narzędzia modelarskie – miniaturowe pędzelki, pęsetę o końcach tak cienkich jak włoski, które przekładała, i bursztynowe buteleczki z szelakiem i klejem – aby wszystko zostało odłożone, zanim Rhett dotrze do drzwi mieszkania. Nie chciała, aby przyłapał ją przy jej hobby, bo wiedziała, że uśmiechnie się złośliwie i zacznie ją dręczyć. „Doktor Frankenstein?", obwieści tym swoim beznamiętnym tonem, niezwykle przypominającym głos z megafonu, nawet gdy go nie naśladował. „Wzywam doktor Frankenstein. Potwór w stanie krytycznym. Kod niebieski dla potwora! Potworny kod niebieski! Natychmiast!". I choć Pearl nie przejmowała się docinkami Rhetta, była zdania, że nie służy mu to zbytnio, jeśli dostaje okazję, by być niemiłym. I tak nie potrzebował żadnych okazji. Jej syn sam wychodził z inicjatywą, gdy chodziło o nieprzyjemne zachowanie. Nie, wcale tak nie pomyślała.

Pearl usłyszała szczęknięcie frontowych drzwi i chwilę później pojawił się Rhett – cenne dziewięćdziesiąt cztery funty jego szesnastoletniej osoby. Na dworze było zimno; Pearl poczuła od niego zapach wiosennego powietrza, metaliczny, galwaniczny. Wypatrywała rumieńców na jego policzkach, takich jak te, które widziała wcześniej u pana Waxlera, lecz skóra Rhetta pozostała ziemista; wydatne kości policzkowe ujawniały trudną prawdę. Czy znów tracił na wadze? Nie zamierzała pytać. W końcu Rhett pojawił się w kuchni bez zachęty, przypuszczalnie, aby się przywitać. Nie zamierzała denerwować go pytaniem, gdzie się podziewał, ani czy był – dla Rhetta to jedno słowo było najgorsze ze wszystkich – głodny?

Zamiast tego odsunęła krzesło, a jej powściągliwość została nagrodzona – Rhett usiadł na nim z zaczepnym skinieniem głowy, jakby uznał, że tym razem punkt dla niej. Zdjął wełnianą czapkę, spod której wyłoniła się zmierzwiona czupryna. Pearl powstrzymała odruch, aby przygładzić jego włosy, nie dlatego, że chciała, aby wyglądał porządnie, lecz dlatego, że pragnęła go dotknąć. Ależ by się wzdrygnął, gdyby tylko wyciągnęła rękę w kierunku jego głowy!

Wstała, aby przeszukać szafki, ze słowami:

– Miałam okropny dzień.

To nie była prawda. W najgorszym wypadku dzień był lekko męczący, lecz Rhett wyglądał, jakby poczuł ulgę, gdy Pearl zaczęła narzekać na swoją pracę, chętny, by posłuchać o sekretnych dziwactwach ludzi, których oceniała Apricity. Firma miała surową politykę ochrony prywatności klienta, której twórcą był sam Bradley Skrull. Właściwie, zgodnie z umową, Pearl nie powinna rozmawiać o swoich sesjach Apricity poza pracą, a z pewnością wiele z nich nie stanowiło odpowiedniego tematu do rozmowy nastoletniego chłopaka z matką. Jednak Pearl odsunęła od siebie wszelkie tego typu obiekcje w chwili, gdy zdała sobie sprawę, że smutek innych ludzi był niczym balsam dla potężnego i niewyjaśnionego smutku jej syna. Dlatego opowiedziała Rhettowi o mężczyźnie, z którym widziała się wcześniej tego dnia, niewzruszonym sugestią, że ma wymienić żonę na prostytutki, i o kobiecie, która nakrzyczała na nią po zwykłej sugestii dotyczącej poszukiwań religijnych. Nie powiedziała mu jednak o amputowanym palcu pana Waxlera w obawie, że Rhett wpadłby na pomysł, aby poodcinać kawałki swojego ciała. Taki palec ważył przecież przynajmniej kilka uncji?

Gdy Pearl odsłaniała sekrety pracowników biura, Rhett uśmiechał się szeroko, tym wrednym uśmiechem – swoim jedynym. Gdy był mały, uśmiechał się promiennie, hojnie i często – światło przeświecało wtedy przez szczeliny między jego mlecznymi zębami. Nie. To przesada. Tylko Pearl tak to widziała, ten blask jego dziecięcego uśmiechu. Nazywał ją „moma", a gdy wskazywała na swoją klatkę piersiową i poprawiała go: „mama", powtarzał: „moma". Do Elliota zwracał się dość chętnie zwyczajnym „tato", lecz Pearl pozostała „momą". I myślała radośnie, naiwnie, że miłość jej syna do niej była tak potężna, że czuł potrzebę stworzenia zupełnie nowego słowa, aby ją wyrazić.

Pearl zabrała się za przygotowanie kolacji dla Rhetta. Odmierzała kredowy proszek proteinowy i mieszała go w lepki odżywczy koktajl. „Muł", jak nazywał go Rhett. Pił jednak te koktajle, tak jak obiecał, trzy razy dziennie, zgodnie z zaleceniami lekarzy z kliniki. Jego zwolnienie zależało od tego i innych warunków: żadnych forsownych ćwiczeń, żadnych środków moczopędnych, żadnego wywoływania wymiotów.

– Chyba muszę pogodzić się z tym, że ludzie nie zawsze zrobią to, co dla nich najlepsze – powiedziała Pearl z myślą o kobiecie, która na nią nakrzyczała, i dopiero gdy postawiła koktajl przed synem, zorientowała się, że mógł wziąć tę uwagę do siebie.

Jeśli Rhetta to zakłuło, nie zareagował, tylko pochylił się do przodu i wypił mały łyk swojego mułu. Pearl sama raz spróbowała odżywczego koktajlu; miał ziarnisty, sztucznie słodki smak, jak pasta sacharynowa. Jak mógł wybrać, aby się tym żywić? Pearl próbowała skusić Rhetta pięknymi wiktuałami kupowanymi na targach rolnych w centrum i w lokalnych narożnych piekarniach, układając te dobra w stos w widocznym miejscu na kuchennym blacie – winogrona pękate jak klejnoty, gęste ekologiczne mleko prosto od krowy, chrupiące maślane croissanty. Rhett patrzył na nie jak na prawdziwy szlam.

Wiele razy Pearl powstrzymywała się, aby nie powiedzieć synowi, że gdy była w jego wieku, ta „choroba" była przypadłością nastoletnich dziewcząt czytających zbyt wiele czasopism o modzie. „Dlaczego?!", chciała krzyczeć. Dlaczego upierał się, aby to robić? Była to tajemnica nie do rozwikłania, ponieważ nawet po wielu żmudnych godzinach tradycyjnej terapii Rhett odmawiał sesji z Apricity. Tylko raz poprosiła go, aby się na nią zgodził, i skończyło się to okropną awanturą, najgorszą w ich życiu. „Znowu chcesz coś we mnie wbić?!", krzyknął.

Chodziło mu o rurę do karmienia, tę, którą włożono mu w szpitalu, za jej przyzwoleniem – o czym lubił jej przypominać w tych najgorszych chwilach. I rzeczywiście wyglądało to naprawdę strasznie, gdy osłabiony Rhett wymachiwał szaleńczo tymi swoimi wychudzonymi rękami, starając się odgonić pielęgniarki. W końcu musieli go uśpić, aby włożyć mu rurę do przełyku. Pearl stała w rogu sali, bezradna, i śledziła czarne dyski źrenic syna, które w końcu wywróciły się i zniknęły pod powiekami. Gdy było po wszystkim, Pearl zadzwoniła do matki i szlochała w słuchawkę jak dziecko.

– „Wbić"? – powiedziała. – No doprawdy. To nawet nie jest igła. To patyczek w policzku.

– To naruszenie. Wiesz, jak się to nazywa, prawda? Włożenie komuś czegoś do środka wbrew jego woli.

– Rhett. – Westchnęła, choć jej serce łomotało. – To nie jest gwałt.

– Nazywaj to, jak chcesz, ale ja sobie tego nie życzę. Nie chcę tej twojej głupiej maszyny.

– W porządku. Nie musisz tego robić.

Mimo że Rhett wygrał wtedy kłótnię, później zupełnie zamknął usta, odmawiając jedzenia i rozmowy. Tydzień później po raz drugi trafił do kliniki.

– Jak ci idzie nauka? – zapytała go teraz.

Przygotowała obiad dla siebie: niewielką miskę makaronu doprawionego oliwą, mozzarellą, pomidorem i solą, i zabrała się do jedzenia. Gdy cokolwiek zbyt pożywnego lub aromatycznego znalazło się na jej talerzu, nozdrza Rhetta rozszerzały się, a jego górna warga wykrzywiała z odrazą, jakby Pearl usiadła przy stole w negliżu. Dlatego przy nim jadła tylko proste, niestanowiące zagrożenia potrawy. Ascetyczna dieta sprawiła, że straciła na wadze. Szef Pearl zauważył, że ostatnio dobrze wyglądała: „Jak jeden z tych chudych koni. Jak się zwą? Te wyścigowe. Kościste". W porządku. Pearl może stracić na wadze, jeśli Rhett przybierze. Niewypowiedziany pakt. Równowaga. Czasem Pearl wspominała czasy, gdy była w ciąży, kiedy to jej ciało żywiło jej syna. Powiedziała to raz Rhettowi w chwili słabości: „Gdy byłam w ciąży, moje ciało cię karmiło" – ta uwaga jakby wyjątkowo go obrzydziła.

Ale tego wieczoru Rhett zdawał się tolerować wiele rzeczy: odżywczy koktajl, makaron, jej obecność. Niemal z ożywieniem opowiadał o starożytnej kulturze, o której uczył się na zajęciach z antropologii. Rhett uczestniczył w lekcjach online. Zaczął podczas pobytu w klinice i kontynuował po powrocie do domu. Nigdy nie wrócił do swojej w miarę przyjemnej, dość drogiej prywatnej szkoły średniej, opłacanej, co warto zauważyć, przez Apricity Corporation, którą tak pogardzał. Ostatnio rzadko wychodził z mieszkania.

– Ci ludzie wiercili otwory w czaszkach, przebijali kości dłutami. – W beznamiętnym głosie Rhetta słychać było fascynację, jakby ogłaszał przez megafon cuda świata. – Skóra zarasta i tak żyjesz. Z dziurą albo dwiema w głowie. Wierzyli, że dzięki temu boskości łatwiej dostać się do środka. Hej! – Odstawił z hukiem szklankę zamgloną resztkami koktajlu. – Może powinnaś zasugerować tę religię tamtej gniewnej paniusi. Wywiercić dziurę w jej głowie! Koniecznie weź jutro dłuto do pracy.

– Dobry pomysł. Wieczorem naostrzę.

– Nie ma mowy. – Wyszczerzył się. – Niech zostanie tępe.

Pearl wiedziała, że musiała mieć zaskoczoną minę, bo szeroki uśmiech Rhetta zgasł i przez chwilę chłopak wydawał się niemal stropiony, zagubiony. Pearl zmusiła się do śmiechu, lecz za późno. Rhett przesunął szklankę na środek stołu i wstał. Mruknął pod nosem: „branoc", a kilka sekund później usłyszała zdecydowane trzaśnięcie drzwi do jego pokoju.

Siedziała jeszcze przez chwilę, zanim zmusiła się, by wstać i posprzątać ze stołu. Szklankę zostawiła na koniec, bo trzeba ją było wyszorować.

PEARL ODCZEKAŁA GODZINĘ, aż domowy system zarządzania odnotował wyłączenie światła u Rhetta, zanim wsunęła się po cichu do jego sypialni. Ostrożnie otworzyła drzwi szafy i zauważyła, że dżinsy i bluza, które miał na sobie tego dnia, leżały złożone porządnie na półce. Zachowanie godne pozazdroszczenia u dziecka, gdyby nie było kolejnym dziwactwem, czymś, czego nastoletni chłopcy po prostu nie robią. Pearl przeszukała kieszenie ubrań w poszukiwaniu biletu autobusowego, paragonu, jakiegokolwiek świstka, który powiedziałby jej, gdzie jej syn był tego popołudnia. Zadzwoniła już wcześniej do Elliota, aby zapytać go, czy Rhett nie pojechał do niego, ale Elliot był poza miastem, pomagał znajomemu w ustawieniu instalacji w jakiejś galerii (Minneapolis? Minnetonka? Min-coś-tam) i powiedział, że Valeria, jego obecna żona, z pewnością wspomniałaby, gdyby Rhett wpadł do nich do domu.

– Nadal pije te swoje koktajle, prawda, gołąbeczko? – spytał Elliot, a gdy Pearl potwierdziła, dodał: – W takim razie pozwól chłopakowi mieć tajemnice – jak długo nie dotyczą jedzenia – takie jest moje zdanie. Ale słuchaj, zaplanuję coś z nim, gdy wrócę w przyszłym tygodniu. Trochę powęszę. Zadzwonisz do mnie, jeśli coś jeszcze się wydarzy? Wiesz, że chciałbym tego, prawda, gołąbeczko?

Powiedziała, że wie, powiedziała, że się odezwie, powiedziała „dobranoc", ale nie powiedziała nic – nigdy nic nie mówiła – na temat tego, że Elliot zwrócił się do niej pieszczotliwie słowem, którego używał nieustannie i swobodnie, nawet przy Valerii. Nie bolało to Pearl, nie bardzo. Wiedziała, że Elliot potrzebował tych swoich czułostek.

Od czasu, gdy się poznali, jeszcze na studiach, Elliot i jego banda biegali w kółko na oślep, omdlewając i łkając, wbijając jedno drugiemu noże w plecy i dramatyzując, a cały ten teatrzyk był rzekomo konieczny, aby uprawiać sztukę. Pearl zawsze podejrzewała, że artystyczni znajomi Elliota uważali ją i jej studia rozwijające wiedzę ogólną za nudne, ale nie miała nic przeciwko temu, ponieważ ona sama uważała ich za głupków. W dodatku nic się nie zmieniło – ich repertuar nadal obejmował ciągłe afery i sojusze, waśnie i długo chowane urazy – tyle że teraz byli starsi, co oznaczało, że biegali w kółko na oślep z trzęsącymi się brzuchami.

Kieszenie dżinsów Rhetta były puste – podobnie jak niewielki kosz na śmieci pod jego biurkiem. Jego ekran, rozłożony na podstawce na biurku, był zablokowany, zabezpieczony odciskiem palca, więc nie mogła go przejrzeć. Pearl stanęła nad łóżkiem syna w ciemności i czekała, jak wtedy, gdy był niemowlęciem, a na jego widok jej piersi wypełniały się mlekiem i bólem. Po tych dwóch trudnych latach jej pierś nadal bolała, teraz jednak pusta. Czekała, aż upewniła się, że widzi jego wznoszący się i opadający oddech pod kołdrą.

Po pierwszym pobycie Rhetta w klinice, gdy terapia nie zadziałała, zabrali go do miejsca, które znalazł Elliot, przebudowanego wiktoriańskiego budynku w pobliżu Presidio, gdzie zespół starszych kobiet leczył głodzące się osoby trzymając je w ramionach. Po prostu trzymały pacjentów w uścisku godzinami. „Wyprzytulają problem?", zadrwił Rhett, gdy powiedzieli mu, co go czeka. W owej chwili był jednak za słaby, by się oprzeć, za słaby, by usiedzieć prosto bez pomocy. „Terapia" była prywatna, rodzice nie mogli jej obserwować, lecz Pearl poznała tamtą kobietę, Unę, którą przydzielono Rhettowi. Miała pulchne, usiane plamami wątrobowymi ręce z siatką delikatnych linii przy łokciach i nadgarstkach – wyglądały jak bransolety ze zmarszczek, jak rękawy. Uprzejmość, którą okazywała jej Pearl, przysłaniała gwałtowną nienawiść, którą tak naprawdę do niej czuła. Nienawidziła tej kobiety, nienawidziła jej obwisłych, sprawnych rąk. Pearl siedziała tu, w tym mieszkaniu, i wyobrażała sobie Unę, zaledwie dwadzieścia dwie przecznice dalej, tulącą jej syna, zapewniającą mu to, co Pearl powinna była zrobić, a czego z jakiegoś powodu zrobić nie mogła. Gdy Rhett odzyskał pięć funtów, Pearl przekonała Elliota, że powinni znów przewieźć go do kliniki. Tam stracił te pięć funtów, które wcześniej przybrał, a potem jeszcze dwa, i choć Elliot ciągle sugerował, aby odwieźć go znów na terapię, Pearl pozostała stanowcza w swej odmowie. „Do tych świrów?", udawała, że to była jej obiekcja. „Tych hippisów? Nie". „Nie", powtórzyła w duchu. Zrobiłaby wszystko dla Rhetta, naprawdę wszystko, ale myśl o Unie trzymającej w ramionach jej syna, o jej łagodnym wzroku skierowanym na niego – tego nie mogła znieść. Dlatego zamierzała zostawić Unę w rezerwie, jako ostatnią deskę ratunku. Po wyjściu z placówki Rhett wrócił znów do szpitala, a potem do okropnej rury do karmienia. Ale zadziałało, w końcu zadziałało. Pearl podreperowała zdrowie syna funt po funcie. Czy tam Rhett udał się tego popołudnia? Czy poszedł spotkać się z Uną? Czy potrzebował jej ramion?

Pościel poruszyła się delikatnie, gdy klatka piersiowa Rhetta się uniosła, i Pearl na palcach wyszła z pokoju. Gdyby znów miała usiąść do Apricity, zastanawiałaby się, czy taka byłaby nowa pozycja wymieniona w jej planie satysfakcji: „Przyglądać się, jak oddycha jej syn". Choć prawdę mówiąc, ta praktyka nie tyle uszczęśliwiała ją, co odsuwała wzbierającą w niej falę rozpaczy.

Następnego ranka projektantka stron internetowych spóźniła się na ich kolejne spotkanie. Gdy w końcu przybyła, weszła zasapana, co Pearl omyłkowo uznała za następną turę oburzenia z poprzedniego dnia. Ale gdy kobieta usiadła i zdjęła z szyi długi czerwony szal, zaczęła od przeprosin.

– Pewnie pani w to nie uwierzy – powiedziała – ale nie znoszę wrzasku. Zwykle nie podnoszę głosu.

Kobieta, Annette Flatte, złożyła przeprosiny w praktycznym stylu, bez użalania się nad sobą czy zrzucania na kogoś winy. Miała na sobie dokładnie ten sam strój co poprzedniego dnia: biały T-shirt i dopasowane szare spodnie. Pearl wyobraziła sobie szafę panny Flatte, pełną identycznych zestawów, w której moda byłaby zbędnym zakłóceniem ładu.

– Czy powiedziano pani, co się wydarzyło po świątecznym przyjęciu? – spytała panna Flatte. – Dlaczego panią zatrudniono?

Pearl dokonała szybkiego obliczenia i uznała, że panna Flatte nie należała do osób, które uznałyby udawaną niewiedzę za formę uprzejmości.

– Chodzi o panią współpracownicę, która popełniła samobójstwo? Tak. Powiedzieli mi na samym początku. Znała ją pani?

– Niezupełnie. Copywriting i design są na innych piętrach. – Panna Flatte otworzyła usta, po czym zamknęła je i zastanowiła się ponownie. Pearl przeczekała to. – Niektórzy robią sobie z tego żarty – odezwała się w końcu panna Flatte.

Pearl wiedziała już o tym. Dwaj pracownicy zażartowali tak samo podczas swoich sesji z Pearl: „Chyba Mikołaj nie przyniósł jej tego, co chciała".

– To niesmaczne. – Panna Flatte pokręciła głową. – Nie. To nieżyczliwe.

– Nieżyczliwość rodzi nieżyczliwość – powiedziała z obowiązku Pearl, jedno ze zdań z podręcznika Apricity. – Tak jak nieżyczliwość rodzi smutek. – Szukała czegoś jeszcze, co mogłaby powiedzieć, nie z podręcznika, czegoś od siebie, lecz jej krajobraz wewnętrzny był zrównany z ziemią, jałowy. Niczego tam nie było. Dlaczego?

– Boją się – rzekła w końcu.

– Boją? – prychnęła panna Flatte. – Czego? Jej ducha?

– Tego, że pewnego dnia oni sami mogą poczuć taki smutek.

Panna Flatte wpatrywała się w szal na swoich kolanach, przeczesując frędzle. Gdy w końcu się odezwała, powiedziała w pośpiechu:

– Napisała raz coś dla mnie, krótki tekst, właściwie wiersz. Zostawiła go na moim biurku w pierwszym tygodniu mojego pobytu tutaj.

– Co w nim było?

Panna Flatte schyliła się do torby stojącej u jej stóp. Pearl widziała skórę głowy prześwitującą pod jej krótkimi włosami, widziała łuk i nierówność w miejscu, gdzie kręgosłup stykał się z czaszką. Wyobraziła sobie dopasowywanie tych elementów, dokręcanie maleńkich śrubek. Gdy panna Flatte się podniosła, trzymała w ręku portfel. Z kieszonki na bilon wyjęła pasek papieru. Pearl delikatnie, dwoma palcami chwyciła kartkę. Była zadrukowana fontem komputerowym imitującym pospieszne pismo odręczne.

„Wyruszysz w długą podróż i będziesz bardzo szczęśliwa, choć sama".

– Sprawdziłam to – powiedziała panna Flatte. – To fragment starego wiersza *Wersy do ciasteczek z wróżbą**. Widzi pani? Czy nie przypomina tego świstka, który wkłada się do ciasteczek? Okazuje się, że przygotowywała to dla każdego w pierwszym tygodniu pracy, wybierała wersy z różnych wierszy. Na powitanie. Nikt inny pani o tym nie powiedział?

– Nie powiedzieli.

Panna Flatte zacisnęła usta.

– Prawdę mówiąc, miała pani rację – rzekła panna Flatte. – Pani maszyna. Potrzebuję czegoś. – Podkreśliła ostatnie słowo. – Nie wiem nic o religii. Wychowano mnie w nieufności do niej. Ale… coś… dziś rano… – urwała.

– …dziś rano? – podpowiedziała Pearl.

– Mój autobus przejeżdża przez park Golden Gate i zawsze na trawniku są tam ci starsi ludzie ćwiczący tai chi. Dziś wysiadłam i przyglądałam się im przez chwilę. Dlatego spóźniłam się na spotkanie z panią. Czy myśli pani… czy to mogłoby być to? To znaczy dla mnie? Czy myśli pani, że maszynie mogło o to chodzić?

Pearl udała, że zastanawia się nad tym pytaniem, wiedząc już, że udzieli standardowej odpowiedzi.

---

* Frank O'Hara, *Lines for the Fortune Cookies* (przyp. tłum.).

– Proszę spróbować i się przekonać. Z Apricity nie ma właściwych i niewłaściwych rzeczy. Jest tylko to, co działa w pani przypadku.

Panna Flatte uśmiechnęła się nagle szeroko, a jej cała twarz się zmieniła.

– Wyobraża to sobie pani? – Roześmiała się. – Ci wszyscy starzy Chińczycy... i ja?

Podziękowała Pearl, jeszcze raz przeprosiła za swój wybuch poprzedniego dnia i schyliła się po długi czerwony szal, który następnie owinęła wokół szyi.

– Panno Flatte – odezwała się Pearl, gdy kobieta zebrała się do wyjścia – jeszcze jedno.

– Tak?

– Czy pani zdaniem zalecenia Apricity podniosą poziom pani ogólnej satysfakcji życiowej?

– Jak to?

– Czy będzie pani szczęśliwsza? – spytała Pearl. – Czy będzie pani... czy będzie pani szczęśliwa?

Panna Flatte zamrugała, jakby zaskoczona pytaniem, po czym krótko, lecz pewnie skinęła głową.

– Chyba tak.

Pearl z zaskoczeniem poczuła falę gorąca... czy było to rozczarowanie? Patrzyła na łagodny kark panny Flatte opuszczającej salę konferencyjną i poczuła nagłe i żarliwe pragnienie, aby panna Flatte zawróciła i tak jak poprzedniego dnia zaczęła krzyczeć.

Po powrocie do domu Pearl zastanawiała się, czy znów zastanie mieszkanie puste. Ale nie, Rhett siedział w swoim pokoju przy komputerze i odrabiał lekcje, tak jak powinien.

– Cześć – powiedział, nie odwracając się.

Pearl była tak skupiona na delikatnych skrzydłach jego zgarbionych ramion, że dopiero po chwili zauważyła na wpół ukończonego trylobita na jego biurku.

– Nic się nie stało, że go wziąłem? – Odwrócił się i podążył za jej wzrokiem.

– Oczywiście, że nie. Ale nie jest jeszcze skończony. Nadal potrzebuje detali: czułków, odnóży, wierzchniej warstwy szelaku. – Spontanicznie dodała: – Mógłbyś mi pomóc go dokończyć.

– Tak, może. – Już znów się od niej odwrócił.

– W ten weekend?

– Może.

Pearl się zawahała. Żałowała, że nie może odejść teraz, po tej obiecującej rozmowie, ale musieli to załatwić, zanim Rhett zje (wypije) kolację.

– Rhett? Dziś dzień ważenia.

– Taa, wiem – odparł beznamiętnym tonem. – Daj mi tylko dokończyć akapit.

Przyszedł do łazienki parę minut później. Zdjął bluzę i położył ją na jej wyciągniętej dłoni.

– Kieszenie – powiedziała.

Spojrzał na nią, ale spełnił jej prośbę bez słowa i wywrócił kieszenie. Kiedyś uciekał się do tej sztuczki i wypychał kieszenie ciężkimi przedmiotami. Gdy skinęła głową, wszedł na wagę. Pearl nie była wysoka, lecz teraz był już od niej wyższy – jeszcze wyższy, gdy stał na wadze. Rhett patrzył przed siebie, pozwalając, aby sama sprawdziła liczbę. Czuła ją, tę liczbę. Większą lub mniejszą, czuła ją co tydzień, jakby wpływała na jej ciało, czyniąc ją lżejszą lub obciążając ją.

– Straciłeś dwa funty.

Zszedł z wagi w milczeniu.

– Niedobrze, Rhett.

– To drobne odchylenie.

– Niedobrze.

– Widziałaś mnie. Piję koktajle.

– Gdzie byłeś wczoraj?

Zamknął usta powoli, buntowniczo.

– Nie robiłem nic, co miałoby cokolwiek wspólnego z tą liczbą.

– Posłuchaj. Jestem twoją matką...

– Bardzo mi przykro.

– Przykro? Niech nie będzie ci przykro. Po prostu chcę, żebyś... – Zamilkła. Co ona mówi? Po prostu chciała, żeby co zrobił? Brzmiała, jakby czytała jakiś gotowy scenariusz.

– Zrobimy dodatkowe ważenie. W sobotę. Jeśli to drobne odchylenie, do tego czasu waga wróci do normy.

– Okej.

– Jeśli nie, zadzwonimy do doktora Singha i zmodyfikujemy przepis na twój koktajl. Może nas wezwać na wizytę.

– Powiedziałem: okej.

Kolację jedli w ciszy, którą zakłócało tylko głośne siorbanie Rhetta pijącego koktajl. Pearl pocieszała się myślą, że było to właśnie coś, co robili nastoletni chłopcy, gdy specjalnie zachowywali się odrażająco w odwecie za to, że ich złajano. Po kolacji wyjęła nowy zestaw modelarski, ten ze szczególnym gatunkiem osy, i zabrała się za pancerz, wykręcając druciane nitki szczypcami. Rhett jak zwykle zniknął w swoim pokoju. Pouczyć się do testu, jak powiedział. Pearl zatraciła się w pracy nad osą. Podniosła głowę dopiero wtedy, gdy usłyszała skrobnięcie na blacie i ujrzała Rhetta, który odniósł trylobita. Stał, jakby w oczekiwaniu, z dłonią wciąż na modelu. Nie mogła rozszyfrować wyrazu jego twarzy.

– Możesz go zostawić u siebie w pokoju – rzekła. – To znaczy, jeśli chcesz.

– Mieliśmy go dokończyć. Tak powiedziałaś.

Spontanicznie wyciągnęła rękę i chwyciła go za nadgarstek. Był taki chudy! Nie wiedziało się tego tak naprawdę, dopóki się go nie dotknęło. Jego skóra nadal była pokryta odrobiną puchu, jedwabistych przezroczystych włosków, które jego ciało wyhodowało, aby ogrzać go, gdy był najchudszy. Lekarze nazywali je lanugo. Oboje spojrzeli na jej dłoń na nadgarstku Rhetta. Wiedziała, że musiał być przerażony; nie znosił dotyku, zwłaszcza jej. Ale nie mogła się zmusić, by go puścić. Pogładziła puch palcem.

– Delikatny – szepnęła.

Nie odezwał się, ale też nie odsunął.

– Chciałabym móc odtworzyć to na jednym z moich modeli – dodała bez namysłu; zabrzmiało to dziwacznie i strasznie.

Ale Rhett nie ruszył się i pozwolił jej pogłaskać go po nadgarstku przez chwilę dłużej. Potem zrobił coś jeszcze, dotknął nim – nie mogła w to uwierzyć – jej policzka, zanim się wyswobodził.

– Dobranoc – powiedział, a jej się wydawało, że dodał: „moma". – Potem zniknął; znów usłyszała stuknięcie drzwi jego pokoju.

Pearl wpatrywała się w niedokończonego trylobita, wyobrażała sobie, jak pływa po ciemnych oceanach bez czułków, które by go prowadziły, kompaktowa muszelka, znieczulona i ślepa. Na pewno nie powiedział „moma".

Pearl znów nie spała do późna, udając, że pracuje nad osą, lecz tak naprawdę tylko bezmyślnie wyginała drut i ostatecznie skończyła z nieprawdopodobnym stworzeniem, które nigdy nie istniało, nigdy nie mogło istnieć; ewolucja nigdy by na to nie pozwoliła. Wyobraziła sobie, że stworzenie i tak istniało, wyobraziła je sobie pokryte sierścią, piórami, łuską, rzęskami reagującymi na najdelikatniejsze bodźce. Gdy światło w pokoju Rhetta wreszcie zgasło, poszła do przedpokoju i wyjęła z torebki wymazówkę.

Rhett spał na plecach z lekko rozchylonymi ustami; był to efekt tabletki nasennej, którą wkruszyła mu do koktajlu, gdy przygotowywała dla niego kolację. Bez problemu wsunęła patyczek do jego ust i przesunęła po wnętrzu policzka; nawet nie mruknął, ani się nie poruszył. Poszło być może łatwiej, niż powinno – ten akt, który zarówno Rhett, jak i firma uznaliby za naruszenie. Apricity 480 stała na kuchennym stole, mała i rozumna. Pearl podeszła do niej z patyczkiem w dłoni. Rozpakowała nowy chip. Mały plastikowy kwitek, który miał dostarczyć maszynie DNA jej syna.

„Udasz się w długą podróż i będziesz bardzo szczęśliwa, choć sama".

Naniosła wymaz na chip, który następnie umieściła w porcie, i wystukała polecenie. Apricity z delikatnym warkotem zaczęła zbierać i zestawiać dane w tabele. Pearl pochyliła się do przodu. Rozwinęła swój ekran i wpatrywała się w jego czarną powierzchnię w poszukiwaniu odpowiedzi, teraz, w tej ostatniej chwili, zanim zaświecił.

2

ŚRODEK, MOTYW, OKAZJA

≋ Akta sprawy 25/3/35

PODEJRZANY	ŚRODEK	MOTYW	OKAZJA
LINUS	diluje zomem	nieznany	na imprezie
JOSIAH	znajomy Linusa	Saff nie chce powiedzieć	na imprezie
ASTRID	nieznane	zemsta za kozła ofiarnego	na imprezie
ELLIE	przyłapana na zomie w październiku	Ellie to Ellie	na imprezie

SAFF MÓWI, ŻE TO ZABAWNA myśl, że ktoś nienawidziłby jej wystarczająco, aby zrobić to, co zrobiono. Mówi, że jeszcze zabawniej jest myśleć, że ona sama tam wtedy była, że już zna rozwiązanie zagadki, tylko go nie pamięta. Mówi, że jej ciało musi je pamiętać – że palce tej osoby są odciśnięte na jej skórze, jej głos w bębenkach jej uszu, jej odbicie w głębi jej oczu – i może jej ciało mogłoby jej powiedzieć, gdyby tylko zdołała zmusić mózg, by się przymknął i na to pozwolił. Podsuwa bransoletki do łokcia, po czym pozwala im opaść do nadgarstka, gdzie zderzają się ze sobą z metalicznym brzękiem.

– Myślisz, że zwariowałam, prawda, Rhett? – pyta i dodaje: – Powiedz prawdę.

– Nie uważam, że zwariowałaś – odpowiadam. – Ale większość ludzi nie uznałaby mojej oceny za miarodajną.

Saff marszczy nos. Czy myśli, że ze sobą flirtujemy? Jeśli tak, pozwolę jej tak myśleć, to oszczędza kłopotu.

I nie mówię Saff prawdy: tego, że moje ciało także wie więcej niż mózg, dlatego je głodzę. Zamiast tego okłamuję ją. Mówię, że mogę jej pomóc.

AKTA SPRAWY 26/3/35

Zbrodnia

W nocy 14.2.35 Saffron Jones (lat 17) była naszprycowana zomem (skrót od „zombie"), zwanym tak z uwagi na skutki zażycia narkotyku: krótkotrwałą utratę pamięci połączoną z ekstremalną podatnością na sugestie. Osoba na zomie zrobi wszystko, co jej się każe, a później nie będzie tego pamiętać, nie będzie też pamiętać zbyt wiele z tego, co zdarzyło się wcześniej, co jest najbardziej paskudnym aspektem sytuacji, ponieważ nie pamiętasz, kto cię naszprycował. Gdy Saff była pod wpływem zomu, kazano jej rozebrać się i recytować koniugację francuskich czasowników: **dormir**, **manger** i **se baiser** (odpowiednio „spać", „jeść" i „pieprzyć się"). Kazano jej zgolić lewą brew i spożyć pół kostki mydła cytrynowego. Te wydarzenia miały miejsce w piwnicy domu Ellie Bergstrom (lat 18) podczas imprezy i zostały zarejestrowane na ekranie Saff. Na nagraniu nie widać ani nie słychać nikogo oprócz Saff. Co typowe dla zomu, Saff obudziła się następnego dnia, nie pamiętając poprzedniej nocy. Pamiętała, jak wychodziła na imprezę do Ellie, tylko tyle.

Myślała, że się upiła. Nie zdawała sobie sprawy
z tego, że wydarzyło się coś jeszcze, do chwili,
gdy weszła na Facebooka i odkryła nagranie
wideo zamieszczone na jej głównej stronie.
Miało 114 reakcji negatywnych, 585 polubień.

—

– MOGŁOBY BYĆ O WIELE GORZEJ – mówi Saff.
Siedzimy w parku Golden Gate w jej samochodzie zaparkowanym na jednej z dróg dojazdowych za rezerwatem kwiatów. Widzę przebłyski białych dachów rezerwatu przez korony drzew, lecz najlepszy widok mam na śmietnik z tyłu, do którego wyrzucają wszystkie zwiędłe i zgniłe kwiaty.
– Saff. Zmusili cię do zjedzenia mydła.
Saff pokazała mi nagranie. (Nie korzystam już z Facebooka). Na filmie odgryzała kolejne kęsy grubej kostki mydła, jakby to był herbatnik. W półmroku piwnicy jej źrenice były ogromne i lawendowe. (Podobnie jak jej sutki). Jej oczy nie były jednak martwe, nie zmieniły się w oczy zombie, jak mogłoby się wam wydawać. Saff ma duże, ciemne oczy. A na nagraniu błyszczały. W dodatku uśmiechała się, gdy żuła. Naszym zdaniem z pewnością kazano jej nie tylko zjeść mydło, ale też cieszyć się tym. Wpatrywałem się w jej usta, aby nie musieć patrzeć na jej piersi, aż nadto świadomy, że ubrana Saff siedzi naprzeciwko mnie i przygląda mi się, gdy ja przyglądam się jej. Na filmie koniec jej języka wysunął się szybko, aby zlizać odrobinę mydła z dolnej wargi. Gdy jej usta się rozchyliły, utworzyła się między nimi bańka, drżąca niczym słowo, którego nie można wypowiedzieć. Następnie Saff zwróciła wszystko spienionym żółtym strumieniem. Potem film się urwał.
Wzrusza ramionami.
– Przynajmniej odrasta mi brew. Widać? – Starannie dorysowała brakujące włoski kredką, która się trochę odznaczała, ponieważ miała delikatnie inny odcień brązu od prawdziwych. – Mogłoby być gorzej.

– Jesteś pewna, że nie było? Jesteś pewna, że nie zostałaś...? – „Zgwałcona" jest słowem, którego nie wypowiem.

– Zorientowałabym się. Byłoby to... coś nowego. – „Jestem dziewicą" jest tym, czego nie chce powiedzieć.

Saff zerka na mnie ukradkiem, ale tym razem nie dlatego, że próbuje flirtować. Jest zażenowana, bo powiedziała mi, że jest dziewicą, a może dlatego, że nią jest. Chcę jej powiedzieć, żeby się nie przejmowała i nie czuła zażenowana, nie przy mnie. Gdy odchodziłem ze szkoły w zeszłym roku, wszystkie dzieciaki z naszej klasy zaczęły deklarować, że są hetero, homo, bi, cokolwiek. A ja nie miałem nic do oznajmienia. Bo nie byłem niczym. Jestem niczym. Te sprawy w ogóle mnie nie interesują. Lekarze mówią, że zainteresowałyby mnie, gdybym tylko więcej jadł, i uważają, że każda prawdziwa część mnie jest tylko kolejnym symptomem mojego stanu. Nie rozumieją, że mój stan jest symptomem mnie. Że jestem kamieniem pogrzebanym głęboko w ziemi, czymś, co nigdy nie urośnie, nieważne, jak żyzna jest gleba.

– Ale zostałaś. – Postanawiam jednak tym razem wypowiedzieć to słowo. – Zgwałcona. – A gdy to robię, Saff wypuszcza powietrze z sykiem. – Nawet jeśli właściwie nie zostałaś. Kazali ci robić te rzeczy. Zmusili cię. Wiem, jak jest.

– Taa. Cóż. Wszyscy wiedzą, jak jest, przez to cholerne nagranie.

– Nie. Chodzi mi o to, że wiem, jakie to uczucie. Być zmuszonym.

– Och, Rhett – szepcze Saff. – Och, nie. – Źle mnie zrozumiała. Myśli, że chciałem powiedzieć, że ja zostałem zgwałcony. A mnie chodzi o to, że lekarze wepchnęli mi rurę do karmienia do gardła, gdy byłem zbyt słaby, by się temu sprzeciwić. Że moi rodzice powiedzieli im, że to jest w porządku. Że czułem się, jakbym tonął. Pozwalam jednak Saff źle to rozumieć. Pozwalam, aby chwyciła moją dłoń i wpatrywała się we mnie tymi swoimi dużymi ciemnymi oczami. Bo wiem, że gdy ludzie cię pocieszają, tak naprawdę pocieszają samych siebie.

AKTA SPRAWY 27/3/35, PÓŹNY PORANEK

OKAZJA

Okazja nie daje nam żadnych wskazówek. Wszyscy
w klasie mieli okazję, aby naszprycować Saff.
Zom przyjmuje się przez skórę. Jest umieszczony
na przezroczystym pasku papieru, przypominającym
skrawek taśmy klejącej. Przyciska się papier
do nagiej skóry - ręki, wnętrza dłoni, uda, gdziekolwiek
- a zom rozpuszcza się i przenika do twojego ciała.
Możesz zażyć go celowo dla efektów ubocznych:
spowolnienia czasu, wyostrzenia węchu, euforii.
Choć niewiele będziesz z tego pamiętać następnego
dnia. Albo możesz zostać nafaszerowany
bezwiednie. Dłoń nieznajomego na twoim nagim
ramieniu, gdy przeciskasz się przez tłum, na
twoim policzku, udająca, że strzepuje rzęsę,
na wierzchu dłoni w geście współczucia.
    W klubach wszyscy są osłonięci: rękawiczki
na całą długość ręki, golfy, spodnie, wysokie buty,
a nawet woale i maski. W zasadzie im bardziej
zakryty jesteś, tym bardziej prowokujesz, ponieważ
mówisz, że możesz pozwolić nieznajomemu
dotykać się wszędzie, gdzie jest materiał. Niektóre
dzieciaki zostawiają fragmenty skóry odsłonięte -
kawałek ramienia, kostki i szyi. Ale tylko niewielkie
fragmenty skóry - dość, aby móc zachować
czujność. Musisz chronić to, co odsłaniasz.
    Saff nie była zakryta, gdy wychodziła z domu.
Miała na sobie T-shirt i dżinsy, zostawiła też
trampki przy drzwiach: nagie ramiona, nagie dłonie,
naga szyja, nagie stopy. Tyle nieosłoniętych miejsc.
Ale Saff nie pomyślałaby, że jest na coś narażona.
To była impreza u Ellie, taka jak sto innych imprez
u Ellie, począwszy od przyjęcia z okazji jej piątych

urodzin, z motywem dziobaka, wydarzenia, w którym brały udział te same dzieciaki, plus ja. Szkoła Seneki to ekskluzywne miejsce, czytaj: maleńkie, przeznaczone dla dzieci rodziców z największych firm technologicznych. W każdej z najstarszych klas jest tylko dwanaścioro uczniów. (W mojej jedenaścioro, po tym jak odszedłem). Wszyscy znamy się od zawsze. Wszyscy ufamy sobie nawzajem.

Tyle że oczywiście tak nie jest. W końcu gdzie panuje większa nieufność niż w niewielkiej grupie ludzi uwięzionych razem na wieczność? Dawne zatargi, skrywane uczucia, minione błędy, te wszystkie dawne wersje ciebie, od których w większej szkole mógłbyś uciec. Zaufanie? Byłbyś bezpieczniejszy w tłumie nieznajomych.

WyjaśNIAM Saff, że rozwikłamy zagadkę, szukając trzech rzeczy: środka, motywu i okazji. Mówię jej, że wszystko, co ktokolwiek robi, da się przewidzieć dzięki trzem powiązanym logicznie pytaniom: czy mogą to zrobić? Czy mają powód, by to zrobić? Czy mają okazję, by to zrobić?

– Wszystko? – Saff powtarza z uniesioną brwią, tą prawdziwą. – A co jeśli zrobiłabym coś, nie wiem, zupełnie spontanicznego?

Nagle wyciąga dłoń i przewraca solniczkę. Siedzimy w barze naprzeciwko szkoły w Pac Heights. Sól rozsypuje się kaskadą po stole i spada bezszelestnie na podłogę. Kelnerka rzuca nam gniewne spojrzenie.

– Właśnie udowodniłaś, że mam rację – mówię. – Twoja ręka zadziałała. To był środek. Chciałaś podważyć moją teorię. To był motyw. Solniczka stała tuż przed tobą. To była okazja.

Saff zastanawia się nad tym.

– A to, że mi pomagasz? W jakim sensie to jest środek… czy jakoś tak?

– Cóż. Mam środek, ponieważ przeczytałem z tysiąc powieści detektywistycznych i ponieważ jestem bystry. W dodatku uczę się w szkole online, co oznacza, że nie mam na karku dorosłych, którzy obserwowaliby mnie przez cały dzień.

– A motyw? – pyta.

Ponieważ wepchnęli mi rurę do karmienia do gardła, mógłbym jej powiedzieć. Ponieważ gdy znów cię zobaczyłem, nie powiedziałaś, jak zdrowo wyglądam, mógłbym jej powiedzieć. Ponieważ ty-dziecko znałaś mnie-dziecko przed całym tym syfem.

Zamiast tego odpowiadam:

– Mam na to ochotę.

Saff wykrzywia kącik ust.

– A żeby to był prawdziwy motyw, nie jest potrzebny... nie wiem... powód?

W odpowiedzi wyciągam rękę i przewracam pieprzniczkę.

Saff się śmieje.

Ruch w oknie baru. Ellie i Josiah stoją po drugiej stronie ulicy, machają do Saff. Oboje są na naszej liście. Ellie jest oczywistą podejrzaną. Ponieważ zrobiłaby to. To zdanie jest prawdziwe: Ellie zrobiłaby to. Cokolwiek by jej zaproponować, Ellie zrobiłaby bez wahania. Ale Josiah? Josiah nikogo by nie skrzywdził. Mógłby stać tam z rękami w kieszeniach i powiedziałby: „Ej. Dajcie spokój, ludzie. Przestańcie" (a to jest właściwie gorsze, prawda?). Ale nie zrobiłby nic nikomu.

Nie widziałem Josiah od prawie roku. Wygląda tak samo. Tylko urósł. To taki stały głupi tekst dorosłych: „Chyba urosłeś", jakby to było jakieś osiągnięcie, a nie tylko coś, co twoje ciało robi samo, bez twojego wpływu.

– Muszę lecieć. – Saff pochyla się do przodu, jakby miała pocałować mnie w policzek.

Po drugiej stronie ulicy Josiah mruży oczy, próbując dojrzeć, z kim siedzi Saff. Garbię się, więc pocałunek Saff trafia w pustą przestrzeń, gdzie siedziałem przed chwilą.

– Nie mów im, że byłaś tu ze mną – proszę.

AKTA SPRAWY 27/3/35, POPOŁUDNIE

MOTYW

Gra w kozła ofiarnego zaczęła się na lekcji angielskiego dla młodszych klas u pani Trask. Nauczycielka zadała **The Ones Who Walk Away from Omelas, The Lottery, Igrzyska Śmierci, Władcę much** i inne klasyki poruszające temat kozła ofiarnego. Oglądali nawet film z Callą Pax **Ciepłoskóra dziewczyna**, w którym Calla Pax zostaje ofiarowana bogu żyjącemu w krze lodowej, co ma powstrzymać ocieplenie planety i ocalić świat. Saff mówi, że wszyscy się w to naprawdę wkręcili, tak bardzo, że klasa postanowiła bez wiedzy Trask przetestować ideę kozła ofiarnego w prawdziwym życiu. Moi dawni koledzy i koleżanki z klasy rozpisali grafik na jedenaście tygodni dla jedenaściorga z nich i każdy zgłosił się na tygodniową turę jako kozioł ofiarny. Podobnie jak w tamtych opowieściach kozioł ofiarny musiał przyjmować przemoc ze strony wszystkich bez uwag czy skarg. Przez ten jeden tydzień dziesięć osób mogło swobodnie wylewać cały swój gniew, frustrację, ból, cokolwiek, na tę jedenastą osobę, wiedząc, że w następnym tygodniu ktoś inny - może on sam - stanie się kozłem ofiarnym. Postanowili, że będą w tym fair.

SAFF PRZYCHODZI PO SZKOLE, aby kontynuować naszą rozmowę z baru. Gdy otwieram drzwi, wydaje się zdenerwowana. Ma zaczerwienione oczy. Wewnętrzny łuk jej podkreślonej kredką brwi jest rozmazany, jakby go pocierała. Czuję nagłą potrzebę, aby wyciągnąć rękę i dotknąć go, tego małego nagiego skrawka skóry. Chowam dłonie do kieszeni.

– Czy twoi rodzice są w domu? – pyta.

Mówię, że nie, że moja mama jest w pracy. I że mój tata już tu nie mieszka.

– Okej – odpowiada.

Jestem wdzięczny, że nie mówi: „Przykro mi", bo wtedy ja nie muszę mówić: „W porządku" albo: „Widujemy się w weekendy". Albo: „Tak jest lepiej". Albo żadnych innych bzdur typowych dla dzieci rozwodników.

– Mamy czas do szóstej – mówię. – Moja mama zwykle mniej więcej wtedy wraca do domu.

Nie żeby zapraszanie Saff było sprzeczne z zasadami. W zasadzie jestem prawie pewny, że mama byłaby zachwycona, i właśnie dlatego nie chcę, żeby zastała tu Saff. To zbyt trudne, gdy mama robi sobie wobec mnie jakieś nadzieje. Wczoraj wróciła do domu przede mną, gdy byłem w parku ze Saff. A teraz ciągle na mnie zerka, ale nie pyta, gdzie byłem, a ja jej nie powiem. Nie tylko z uporu.

Kupiłem paczkę ciasteczek i dwa gazowane napoje w sklepie na rogu, na wypadek, gdyby Saff zgłodniała. W kuchni oczywiście jest mnóstwo jedzenia, ale mama zauważy, jeśli czegoś będzie brakowało i pomyśli (narobi sobie nadziei), że to zjadłem. Proponuję Saff przekąski, jakbym wcale nie kupił ich specjalnie. Zostawiłem je nawet wcześniej w kuchni, abym mógł udać, że idę i wyjmuję je z szafki. Zanosimy jedzenie do mojego pokoju.

Saff obraca się powoli. Wyobrażam sobie swój pokój widziany jej oczami: podwójne łóżko, kilim, zestaw biurko-krzesło-monitor. Żadnych głupot w rodzaju plakatów z zespołami czy japońskich figurek mech, które obwieszczałyby, że mam wyjątkową osobowość – jak prosto z fabryki. W zeszłym roku wrzuciłem te wszystkie rzeczy do pudła. Teraz pokój jest prosty („nagi", mówi mama), czysty („klasztorny", mówi mama). Wyróżniają go jedynie ściany. Dziś są ustawione na wiktoriańską tapetę, dokładną replikę tapety ze starego serialu BBC *Sherlock*. Na jednej ścianie jest nawet obraz kominka, z popielniczką i zakrzywioną fajką do kompletu.

Czekam, aby się przekonać, czy Saff zrozumie żart, ale ona siada na podłodze przy moim łóżku bez słowa komentarza. Wysuwa kilka ciasteczek i potrząsa opakowaniem w moim kierunku. Gdy mówię: „Nie, dzięki", nie naciska, nie przygląda mi się badawczo, nie pyta: „Na pewno?". Dlatego odwzajemniam przysługę i nie pytam, dlaczego płakała.

Zamiast tego proszę:

– Opowiedz mi więcej o tej grze.

– Grze?

– W kozła ofiarnego.

Przewraca oczami i odgryza na raz pół ciastka.

– Och. O tym cholerstwie.

– Czyj to był pomysł?

– A jak sądzisz?

– Ellie.

Kiwa potakująco głową.

Popularność – kto jest cool, a kto nie, ten podział na mięśniaków, nerdów i tak dalej – dla Saff i dla mnie jest czymś, co istnieje tylko w filmach o liceum. Gdy klasa składa się z dwunastu osób, to tak naprawdę nie wystarczy, aby podzielić się na grupki. Jasne, ludzie się przyjaźnią, jak Ellie i Saff czy Josiah i ja (kiedyś). Są też pary, jak przez chwilę Ellie i Linus, a potem Brynn i Linus, w zasadzie każda dziewczyna i Linus. Oprócz Saff. Nigdy nie była z Linusem. Chociaż może była w tym minionym roku; skąd miałbym to wiedzieć, nie było mnie tam. Chodzi mi o to, że każdy spędza czas prawie z każdym.

Jest jednak jedna stała rola, jedna reguła: Ellie zawsze przewodzi. Tak było od pierwszej klasy – już wtedy Ellie mogła cisnąć w ciebie piłką bejsbolową, a potem, gdy płakałeś przez siniaka na nodze, wyjaśniała, że to tylko część gry, i to tak spokojnym i pewnym tonem, że bezwiednie potakiwałeś, choć po twoich policzkach nadal płynęły łzy. To brzmi, jakbym uważał, że Ellie jest złym człowiekiem. Nie uważam tak. Właściwie im jestem starszy, tym bardziej jestem przekonany, że Ellie coś zrozumiała, że w wieku pięciu lat wiedziała to, na co reszta z nas wpadła dopiero, gdy byliśmy nastolatkami: świat jest brutalny, więc lepiej odpowiedzieć mu tym samym.

– I co dalej? – pytam, ponieważ gdy Ellie jest zamieszana w jakąś historię, zawsze kryje się w niej coś więcej.

– Dalej Ellie wychodzi z pomysłem kozła ofiarnego, nawet zgłasza się jako pierwsza. Co, jeśli się zastanowić, jest dość sprytne, bo na początku wszyscy są, no wiesz, łagodni. Dopiero się rozgrzewają. W dodatku jeśli jesteś pierwszy, jeszcze nikogo nie potraktowałeś jako kozła ofiarnego, więc nie mają za co ci odpłacić. – Saff przerywa na chwilę. – Myślisz, że ona tak naprawdę to zaplanowała?

– Myślę, że Ellie instynktownie wyczuwa słabość.

– Cóż, w tym pierwszym tygodniu nie zrobiliśmy wiele... Ciągnęliśmy Ellie za włosy, kopaliśmy oparcie jej krzesła w klasie, zmuszaliśmy, żeby nosiła nasze tace z lunchem. W sumie nic specjalnego. Myślę, że dobrze się bawiła. W zasadzie wiem, że tak było. Ostatniego dnia przebrała się za Callę Pax z tego filmu o ofierze na lodzie, który oglądaliśmy. Włożyła taką seksowną białą szatę. Wyglądała świetnie. Oczywiście. Potem, w następnym tygodniu, zgłosił się Linus. Byli wobec niego ostrzejsi, ale nie w złośliwy sposób, jeśli to ma sens. A wiesz, jaki jest Linus. Podchodzi na luzie do tego wszystkiego. Mieliśmy wrażenie, że to jakaś gra. Nawet zabawa. Swobodna. Gdy wolno ci... jeśli możesz robić cokolwiek... czasem przypomina to... – Postukuje kciukiem w pierś, potem poddaje się, nie próbuje już niczego wyjaśnić i częstuje się kolejnym ciasteczkiem. Swoim trzecim. (Nie mogę się powstrzymać od liczenia jedzenia innych ludzi). – Ale potem było coraz gorzej. Z każdym tygodniem, każdą nową osobą. Podnosiliśmy poprzeczkę. Stawaliśmy się coraz wredniejsi. Bardziej brutalni.

– Kiedy ty się zgłosiłaś?

– Jako ostatnia – odpowiada i uśmiecha się gorzko. – Jak jakaś pieprzona kretynka. – Wygląda, jakby znów miała się rozpłakać. Notuję coś na ekranie, aby mogła się pozbierać. – Instynkt wyczuwania słabości – mamrocze.

Podnoszę wzrok znad ekranu.

– Nie miałem na myśli tego, że jesteś słaba.

– Nie wiem. Czuję się dość słaba.

– Ale nie jesteś. Dlatego dali ci zom. Musieli specjalnie cię osłabić. A to dowód na to, że nie jesteś słaba. Rozumiesz?

Zagryza wargę.

– Jeszcze ci nie powiedziałam o Astrid.

– Astrid jest słaba.

– Tak, wiem. Była kozłem ofiarnym tuż przede mną.

Rodzice Astrid pracują jako prawnicy dla wielkich firm, jej mama dla Google'a, tata dla Swink. Dla nich kłótnie to sport, co może częściowo wyjaśniać, dlaczego Astrid jest taka, jaka jest. Jeśli ktoś potrzebuje wyjaśnienia, dlaczego ludzie są tacy, jacy są. W drugiej klasie Astrid zaczesywała włosy do przodu. Zasłaniały całą jej twarz aż do podbródka. Nauczyciele ciągle dawali jej gumki do włosów i szczotki i powtarzali, jak ładnie wygląda w kucyku. W Senece nauczyciele muszą używać określonego stylu, „sugerować zamiast poprawiać". Ale wreszcie pewnego dnia pani Hawley straciła panowanie nad sobą i krzyknęła: „Astrid, dlaczego ty ciągle to robisz!". A reszta z nas odwróciła się do tylnego rzędu, gdzie siedziała Astrid, i nagle usłyszeliśmy taki cichy głosik, zza tych wszystkich włosów: „Bo tu mi się bardziej podoba".

Nadal o tym myślę. „Bo tu mi się bardziej podoba".

– Poniosło nas – mówi Saff. – Sądziliśmy, że skoro jesteśmy takimi dobrymi przyjaciółmi, możemy powiedzieć wszystko, zrobić wszystko, i że to jest bezpieczne.

Milknie, więc podpowiadam jej:

– Astrid.

– Po prostu jeździłam po niej, Rhett. Przez cały tydzień. I nie odpuściłam. – Mówiąc to, podciąga rękawy, jakby szykowała się do ciężkiej pracy. – Wiedziałam, że źle postępuję. Wiedziałam, że na przerwie chodzi do łazienki, aby tam się wypłakać. A to sprawiało, że byłam wobec niej jeszcze ostrzejsza. Skoro już mowa o instynkcie wyczuwania słabości.

– Ellie cię do tego namówiła?

– Właśnie w tym rzecz. Nie namówiła mnie. To moja sprawka. Wszystko. Zachowywałam się o wiele gorzej niż cała reszta. Pewnie nawet Ellie uważała, że przesadzam. Nie żeby kiedykolwiek powstrzymała kogoś, kto przesadzał. – Saff potrząsa głową. – Nie wiedziałam, że potrafię być taka.

– I myślisz, że Astrid chciała się na tobie odegrać?

Saff wzrusza ramionami.

– To ja ostatnio płaczę w łazience, prawda?

Wygląda na zrozpaczoną. Może dlatego popełniam błąd i mówię:

– Ostatnio było słabo, co?

A Saff wybucha płaczem, tu, w moim pokoju.

– Nie chodzi o mydło – mówi przez szloch. – Chociaż nadal chce mi się wymiotować za każdym razem, gdy muszę umyć ręce. Nie chodzi o głupią brew. – Dotyka jej, jeszcze bardziej ścierając kredkę. – Nawet nie chodzi o to, że byłam naga. Chodzi o to, że wszyscy mnie widzieli. Wszyscy z ostatniej klasy. Wszyscy ze średnich klas. Nauczyciele. Rodzice moich przyjaciół. Przyjaciele moich rodziców. Kiedy teraz na mnie patrzą... cóż, najczęściej nie patrzą na mnie. Albo gapią się na mnie i praktycznie słyszę, jak powtarzają w myślach: „Patrzę jej w oczy. Patrzę jej w oczy".

Opiera twarz w dłoniach. Przyglądam się, jak płacze. Wiem, że jej nie przytulę, wiem, że nawet nie pogłaszczę jej po ręce. Ale czuję, że powinienem coś zrobić. Dlatego wyjmuję ciastko z opakowania. I odgryzam kęs. To pierwszy stały pokarm, jaki jadłem od ponad roku, a przeżuwanie wydaje się zabawne. Saff podnosi głowę, słysząc

41

chrupnięcie. Ma szeroko otwarte oczy, jakby to była jakaś wielka sprawa, aż mam ochotę wypluć ten kęs. Jednak zamiast tego odgryzam kolejny. A potem podaję jej ciastko. Odgryza kęs i oddaje mi je. W ten sposób zjadamy całe ciastko, kęs po kęsie.

AKTA SPRAWY 27/3/35, WIECZÓR

ŚRODEK

Każdy z podejrzanych mógłby znaleźć środek do tego, aby odurzyć Saffron Jones.

Linus Walz (lat 17) handluje rekreacyjnymi narkotykami, głównie LSD, ecstasy i hoppitem, ale nietrudno byłoby Linusowi zdobyć zom - na własny użytek czy dla kogoś z klasy. Ellie nigdy nie przyznała się, skąd wzięła zom, z którym złapano ją w zeszłym roku, ale wszyscy wiedzą, że to Linus jej go załatwił.

Josiah Halu (lat 16) jest bliskim przyjacielem Linusa i tak jak Ellie mógł poprosić Linusa, aby załatwił mu zom albo nawet ukradł go z zapasów Linusa. Z czworga podejrzanych najmniej prawdopodobne wydaje się, że narkotyk zdobyła Astrid Lowenstein (lat 17), chociaż nie powinna być wykluczona na tej podstawie.

W tym momencie nie można wykluczyć żadnego z nich. Każde mogło to zrobić, nawet jeśli trudno mi wyobrazić sobie, że którekolwiek to zrobiło. Przychodzi mi to z trudem, ponieważ kiedyś się z nimi przyjaźniłem. Nie mogę jednak pozwolić, aby sympatia do nich mnie zaślepiła. Jedno z nich to zrobiło. Sentymentalność trzeba zagłodzić.

PRZEZ CAŁĄ TAMTĄ NOC ciągle myślałem o Saff płaczącej w moim pokoju. Po raz pierwszy od opuszczenia szkoły prawie żałowałem, że nie mogę wrócić do Seneki, aby Saff miała tam kogoś, komu... nie wiem... mogłaby zaufać. Tylko gdybym został w Senece, zagrałbym ze wszystkimi w kozła ofiarnego, poszedłbym na imprezę do Ellie tamtej nocy, a potem byłbym tylko kolejnym podejrzanym w sprawie Saff. Mogę jej pomóc tylko dlatego, że jestem tutaj, na zewnątrz.

Zadaję sobie pytanie, dlaczego w ogóle zależy mi na pomaganiu Saff. Zadaję sobie pytanie, dlaczego ciągle wyobrażam sobie jej pokrytą plamami twarz z jedną brwią. Nie jest tak, że Saff na mnie zależało. Nikomu na mnie nie zależało. Po moim odejściu było kilka maili, garść esemesów, kartka „Z życzeniami powrotu do zdrowia", kupiona niewątpliwie przez jakiegoś nauczyciela, który kazał wszystkim ją podpisać. Linus i Josiah wpadli kilka razy do mnie do domu, potem przychodził tylko Josiah, a potem już nikt. Nie żebym chciał, żeby ktoś mnie odwiedzał. Nie żebym odpowiedział na którykolwiek z maili czy esemesów. I wtedy w zeszłym tygodniu, prawie rok od dnia, w którym odszedłem ze szkoły, Saff wysłała mi esemes: „Chyba jesteś jedyną osobą, która jeszcze tego nie widziała. Chcę, żebyś mi powiedział, że jeszcze tego nie widziałeś. Proszę, niech będzie tak, że nie widziałeś".

Chodziło o tamto nagranie. I nie, wtedy jeszcze go nie widziałem. Saff i ja spotkaliśmy się na przystanku autobusowym pod moim domem. Usiedliśmy pod plastikową wiatą, mimo że świeciło słońce, i przepuszczaliśmy autobus za autobusem. Saff nic się nie zmieniła, krótkie drobne loczki, okrągła twarz, rękaw z metalowych bransoletek jak dzwoneczki poruszane wiatrem. Nigdy nie miałem o niej zbyt dobrego zdania; zawsze była przyjaciółką Ellie, głupiutką i niegroźną, pomagierką, natrętem. Ale Ellie teraz tu nie było. Saff przyszła na spotkanie ze mną sama. I może jednak wyglądała inaczej. Na twardszą. Odważniejszą.

Usiadła na ławce obok mnie i powiedziała:

– Cześć, Rhett.

Nie powiedziała: „Lepiej wyglądasz" ani „Przytyłeś".

Co by oznaczało, że znowu musiałbym powiedzieć: „Taa, znowu jestem gruby".

Oznaczało to, że mogłem powiedzieć: „Cześć, Saff". Jakbyśmy byli dwojgiem zwykłych ludzi czekających na autobus.

Powiedziałem Saff, że nie musi mi pokazywać nagrania, jeśli chce, abym pozostał jedyną osobą, która go nie widziała. Powiedziała, że to co innego, ponieważ to jej wybór, by mi je pokazać. Rozwinęła ekran i kazała mi sprawdzić, czy projekcja nie jest włączona, a potem przyglądała mi się, gdy oglądałem. Gdy oddałem jej ekran, pilnowałem się, aby nie zerknąć na jej ciało, naprawdę się pilnowałem. To, co Saff powiedziała o tym, jak wszyscy na nią patrzą… wiem coś o tym. Ludzie robią to także wobec mnie.

Pomysł, jak pomóc Saff, przychodzi mi do głowy tamtego wieczoru w trakcie sprawdzianu z całek i różniczek, a ja jestem tym tak podekscytowany, że specjalnie błędnie odpowiadam na ostatnie pytanie – obliczenia zajmują za dużo czasu. Naciskam na ekranie: „Wyślij" i zrywam się z krzesła. Mama może wrócić z pracy w każdej chwili, a jeśli nie zdobędę tego teraz, będę musiał czekać do rana. Dostała w pracy nową maszynę zaledwie kilka tygodni temu, więc jeśli mam szczęście, stary model nadal jest w szafie na korytarzu, gdzie czeka na zwrot do biura. I okazuje się, że mam szczęście, bo stoi obok jej kaloszy: Apricity 470. Podnoszę ją i ważę w dłoni, tę małą srebrną skrzynkę. I zapominam, że jej nienawidzę, nienawidzę wiary mamy w nią i jej tak zwane odpowiedzi. Porzucam wszelkie moralne skrupuły. Ponieważ tak właśnie to zrobię. Tak dojdę do tego, kto odurzył Saff.

AKTA SPRAWY 28/3/35, POPOŁUDNIE

Z Grover przeciwko stanowi Illinois ZGODNA OPINIA
    „To, czy technologia Apricity może naprawdę
przewidzieć nasze najgłębsze pragnienia, wciąż
pozostaje kwestią dyskusyjną. Pewne jest
jednak, że urządzenie to nie ma mocy, aby
poświadczyć nasze minione działania. Apricity
może powiedzieć nam, czego chcemy, ale nie może
powiedzieć nam, co zrobiliśmy, czy co zrobimy.
W skrócie, nie może nam powiedzieć, kim jesteśmy.
Dlatego też nie ma zastosowania w sądzie".

SAFF I JA POSTANAWIAMY zaskoczyć ich tym, zaskoczyć ich mną. Spotykają się po lekcjach, aby wymyślić propozycję wycieczki na zakończenie roku. Jedyną dorosłą osobą na zebraniu będzie pan Smith, pseudonim Smitty, doradca klas pierwszych. Smitty opowiada się za „autonomią ucznia", co oznacza, że podczas spotkań klasowych siedzi po drugiej stronie korytarza w pokoju nauczycielskim i sprawdza klasówki. Możemy więc zakraść się do środka, ja i Apricity, i nikt się nie zorientuje.

– Powtórzmy to jeszcze raz – mówię. Siedzimy w samochodzie Saff po przeciwległej stronie parkingu w oczekiwaniu na rozpoczęcie zebrania. – Skupiamy się na czterech osobach: Linus.

– Bo ma dostęp do zomu – dopowiada Saff.

– Ellie.

– Bo mogła zdobyć zom i zrobiłaby to.

– Astrid.

– Bo zachowywałam się wobec niej jak potwór – mówi Saff.

– A Josiah? – pytam.

– Taaa, Josiah. – Saff zgadza się, że mógłby to zrobić, ale nic poza tym. Nie chce mi powiedzieć, dlaczego go podejrzewa.

„Dlatego, że byliście razem?", chcę zapytać. Ta myśl siedzi mi w głowie przez cały tydzień. Ale nie mogę zapytać, bo Saff mogłaby pomyśleć, że mi na niej zależy. Może dlatego mi nie mówi. Powinienem jej powiedzieć, żeby się nie przejmowała tym, czy mi zależy. Powinienem powiedzieć jej, że mnie nie obchodzi. Ona i Josiah. Ona. Ktokolwiek. Powinienem jej to powiedzieć.

Zamiast tego mówię:

– Czy kiedykolwiek pomyślałaś, że to mogli być wszyscy? To znaczy cała klasa razem?

Saff odwraca się do szyby, dmucha na nią, a potem ściera ślad, który zostawił jej oddech.

– Jasne. Ale nigdy nie myślę o tym zbyt długo. Ta opcja jest tak do dupy, że nawet nie chcę jej rozważać.

– Przepraszam.

Spogląda na mnie, zaskoczona.

– Dlaczego przepraszasz?

– Nie wiem. Za to, że powiedziałem, że to mogli być wszyscy.

– Ale masz rację. Tak mogło być.

– To nie będą wszyscy – mówię, chociaż oczywiście nie wiem, czy to prawda.

– Jedyną rzeczą, której jestem pewna, jest to, że to nie byłeś ty – mówi Saff, nie spuszczając ze mnie wzroku.

– Taaa. To nie byłem ja.

Rzuca mi uśmiech ulotny jak brzęk jej bransoletek. Pojawia się i znika.

Zebranie zaraz się zacznie, więc wchodzimy do środka.

Smitty wyświadcza nam większą przysługę niż wyjście do pokoju nauczycielskiego. Wychodzi do swojego samochodu, żeby (niezupełnie) w tajemnicy zapalić. Saff wchodzi do klasy pierwsza, podczas gdy ja czekam na korytarzu. Okazuje się, że jestem zdenerwowany. Moje serce łomocze jak oszalałe. Kilka miesięcy temu musiałbym usiąść i schować głowę między kolana, ale teraz jestem dość silny, aby ustać na nogach. To już chyba coś. Lekarze powiedzieliby, że to już coś. Stać, gdy potrzebujesz stać. Siła. Odliczam do trzydziestu, a potem wchodzę do klasy.

– Rhett! – wykrzykuje Linus i nagle jest rok wcześniej, a ja nigdy od nich nie odszedłem. – Stary! – Uśmiecha się szeroko i szeroko rozpościera ramiona na powitanie.

Dwie dziewczyny, Brynn i Lyda, podbiegają i robi się wokół mnie zamieszanie. („Wyglądasz świetnie, o wiele lepiej". „No, masz jakby rumieńce na policzkach"). Te dwie zrobiłyby ze mnie modela, gdyby mogły. Astrid lekko macha, a Ellie woła: „Hej, chudzielcu!", przez co paru innych rzuca jej spojrzenia, które ona ignoruje. Josiah nic nie mówi, aż napotykam jego wzrok. Jego grzywka jak zwykle rozpaczliwie wymaga strzyżenia. „Cześć, stary", mówi tak cicho, że tylko ja rozpoznaję te słowa, bo czytam je z ruchu jego warg.

Klasa jest urządzona w stylu seminaryjnym, więc zamiast ławek stoi w niej stół konferencyjny i krzesła obrotowe. Brynn i Lyda prowadzą mnie do szczytu stołu, gdzie zwykle siedzi nauczyciel.

– Wróciłeś? – pyta Linus.

I dociera do mnie, że mógłbym. Mógłbym się zgodzić i ot tak wrócić do mojej klasy w Senece w samą porę na ostatni rok. Szkoła by mi pozwoliła. Lekarze też. Mama nie posiadałaby się ze szczęścia. Ale spoglądam po tych nazbyt dobrze mi znanych jedenastu twarzach i po prostu nie mogę. Nie potrafię tego wyjaśnić. Nie chodzi o to, co ktoś z nich zrobił, i o nic, co moim zdaniem mógłby zrobić. Po prostu wiem, że gdybym wrócił, znowu przestałbym jeść. Słuchajcie, nie mówię, że chcę jeść. Ale po raz pierwszy może chciałbym chcieć.

Josiah wpatruje się w swoje kolana. Pozostali obserwują mnie. Saff ma rozchylone usta, jakby zamierzała wtrącić się w moim imieniu, gdybym nie mógł odpowiedzieć.

– Nie. Robię projekt dla szkoły – mówię. – Cyberszkoły – poprawiam. Jeśli czują jakiekolwiek rozczarowanie z powodu tego, że nie wracam do Seneki, to szybko zamienia się ono w podekscytowanie na widok Apricity, którą stawiam na stole.

Nikt nie opiera się przed testem Apricity. Wszyscy są chętni na, jak powiedziałaby mama, wymaz i rozmaz. Jedyny cień wątpliwości pochodzi od Ellie, która oznajmia: „Nie potrzebuję, aby mi mówiono, co mnie uszczęśliwia", chociaż ssie swój patyczek razem z pozostałymi. Dziesięć razy przesuwam wymazówką po komputerowym chipie i umieszczam go w slocie z boku maszyny, tak jak widziałem, że robiła to mama. A Saff i ja okłamujemy klasę po raz drugi, mówiąc, że bateria wyświetlacza właśnie się wyczerpała i będę musiał zabrać maszynę do domu, aby ją naładować, zanim dostanę ich wyniki.

– Czyli znowu cię zobaczymy? – mówi Josiah nieco sztywno.

Nie umiem stwierdzić, czy to oznacza, że chciałby mnie znów zobaczyć czy nie.

Zanim zdążę odpowiedzieć, Smitty wsuwa głowę do klasy i robi na mój widok zdziwioną minę.

– Rhett! Co za niespodzianka! Gdybym wiedział, że przyjdziesz, upiekłbym dla ciebie… – Urywa zakłopotany.

– Ciasto? – kończę za niego. – Przykro mi, Smitty. Nie jestem głodny. Nie słyszałeś? Nigdy nie jestem głodny.

Po chwili niezręcznej ciszy wszyscy wybuchają śmiechem. Nawet ja.

AKTA SPRAWY 28/3/35, PÓŹNE POPOŁUDNIE

WYNIKI APRICITY DOTYCZĄCE PODEJRZANYCH

Linus: Układaj świeże kwiaty, zwiedź Włochy, śpiewaj głośno.

Josiah: Połóż ciepły koc na swoim łóżku, spędzaj czas z siostrą.

Astrid: Przejedź się nocnym autobusem,
zrezygnuj z lekcji matematyki, zrób sobie tatuaż.
Ellie: Biegaj dziesięć mil dziennie, pisz wiersze,
nie słuchaj swojego ojca.

– NIE WIDZĘ NIC PODEJRZANEGO – mówi Saff. – A ty?

Przeglądam wyniki jeszcze raz, ociągam się z powiedzeniem jej, że ja też nie widzę niczego podejrzanego. Siedzimy na podłodze w moim pokoju. Saff znów z paczką ciastek. Zajada z takim zapałem, że straciłem rachubę.

– Miałam nadzieję, że czyjś wynik powie: „Powiedz prawdę" albo: „Przeproś Saff" – odzywa się z ustami pełnymi okruszków. – Czy to nie głupie?

– Nie. Właściwie coś takiego zdarzyło się, gdy policja używała Apricity podczas przesłuchań, wiesz, gdy jeszcze to było legalne. Jakby czyjeś poczucie winy powstrzymywało tę osobę przed byciem szczęśliwą.

– Cóż. Chyba ktokolwiek to zrobił, nie czuje się winny – mamrocze Saff. – Muszą uważać, że na to zasłużyłam.

– Taa, może. Ale z drugiej strony, ktokolwiek to zrobił, jest dość popieprzony.

Wzdycha.

– A co tobie wyszło?

– Wyszło?

– Z Apricity?

– Nie robiłem testu.

– No tak, ale kiedyś?

– Nigdy go nie robiłem.

– Co? Nigdy? Ale przecież twoja mama... To jest... no wiesz... jej praca.

Nie odrywam wzroku od wyników.

– Uhm. No i?

– Nigdy cię to nie ciekawiło?

– Po prostu mnie to nie interesuje.

– Nie interesuje cię szczęście?

– Uhm. – Podnoszę wzrok i patrzę na nią. – Właśnie. Mruży oczy.

– A można by pomyśleć, że to smutni ludzie będą najbardziej zainteresowani szczęściem.

– Nie jestem smutny.

– Taaak – mówi z udawaną powagą. – Ja też nie.

Patrzymy na siebie przez minutę, ale co tu można powiedzieć? Oboje jesteśmy smutni. I co z tego.

– Wiesz, co jest w tym zabawne? – Podsuwam jej wyniki naszych przyjaciół. – Co ci najpierw przychodzi do głowy, gdy na to patrzysz?

– Że nie mogę sobie wyobrazić Linusa układającego kwiaty?

– Okej, ale ogólnie, gdy patrzysz na wszystkie, co myślisz?

Kartkuje strony.

– Nie wiem. Nie mają większego sensu.

– Właśnie o to mi chodzi – mówię jej. – Wyniki Apricity wydają się przypadkowe. Nie mają sensu. „Przejedź się nocnym autobusem". „Układaj świeże kwiaty". „Zrezygnuj z lekcji matematyki". – Przerywam, a po chwili ciągnę: – „Recytuj francuskie czasowniki. Zgól brew. Zjedz kostkę mydła". – Te rzeczy, które robiłaś na zomie, to jakby ktoś zmusił cię do testu Apricity, tylko na opak.

– Aha. – Saff podnosi dłoń do ust, jej bransoletki pobrzękują. – Chyba mogłam go zrobić.

– Test Apricity?

– Tak. Może.

– Chodzi ci o tamtą noc? Pamiętasz coś?

– Może – powtarza, a jej oczy drgają, gdy próbuje sobie przypomnieć. – Może w pasażu?

Mają tam repliki dawnych maszyn wróżących z Cyganką z *papier-mâché*. Przyciskasz palec do metalowego panelu, a maszyna drukuje plan satysfakcji. Nie jest to jednak prawdziwa Apricity. Nie korzysta z DNA, nie wykonuje żadnych obliczeń. To tylko zabawa.

– Na Guerrero jest pasaż, prawda?

– Tak. Tarnished Penny.

– Czy to nie parę przecznic od domu Ellie? Myślisz, że poszłaś tam tamtej nocy?

– Mówiłam ci. Nie pamiętam tamtej nocy. – Podnosi ręce wyżej, nad twarz, i myślę o słowach Astrid: „Tu mi się bardziej podoba". Saff odzywa się zza dłoni:

– Rhett. Co ja zrobiłam?

―――――

AKTA SPRAWY 29/3/35

Wyniki Apricity Josiah (pełne):
Połóż ciepły koc na swoim łóżku.
Spędzaj czas z siostrą.
Powiedz komuś.

―――――

A MOŻE OKŁAMAŁEM SAFF. Ponieważ może to jest wskazówka, a może nic takiego. „Powiedz komuś". To była ostatnia rekomendacja Apricity dla Josiah. Usunąłem ją z jego wyników, zanim pokazałem je Saff. Racjonalizuję to pominięcie, ponieważ wiem, że zrobię to, co słuszne w jej sprawie. I wiem, że brzmi to jak jakieś bzdury bohatera z kodeksem moralnym czy coś w tym stylu, ale wiem też, że to prawda, że postąpię wobec niej właściwie.

Wzór wykładziny w budynku Josiah wywołuje we mnie poczucie swojskości, niczym krówka ciągutka. Jest to ciemnofioletowy geometryczny wzór – ośmiokąty w kwadratach. Kiedyś się tu bawiliśmy, Josiah i ja, budowaliśmy miniaturowe miasta, ustawiając nasze cynowe żołnierzyki na tych figurach. Gdy Josiah otwiera drzwi, też jest w tym coś swojskiego. Chociaż gdy przychodziłem tu wcześniej, otwierał je i zaraz był w połowie drogi do swojego pokoju, wiedząc, że pójdę za nim. Dziś pochyla się ku mnie w progu, przysłaniając wnętrze mieszkania, a ja zastanawiam się, czy powie mi, żebym sobie poszedł. Po sekundzie jednak otwiera szeroko drzwi, wchodzimy razem do salonu i siadamy naprzeciw siebie na dwóch sztywnych ozdobnych krzesłach. Nie widziałem, aby ktokolwiek z rodziny Halu na nich siedział.

– Nikogo nie ma – mówi Josiah, wskazując głową w głąb mieszkania. – Poszli na mecz Rosie.

– Co u niej? – pytam. Rosie to jego młodsza siostra. Lubię ją.

– Aaa, wszystko dobrze. Uhm. – Josiah odrzuca grzywkę z oczu, ale włosy od razu opadają na miejsce. Jego oczy, przez tę sekundę, gdy dobrze je widzę, zdradzają zdenerwowanie. – Co ja mówiłem?

– Chodzi ci o Apricity?

– Domyślam się, że dlatego tu jesteś.

– A może przyszedłem, bo się za tobą stęskniłem.

Nie planuję tego. Słowa po prostu wydobywają się z moich ust, a ja orientuję się, że faktycznie tęskniłem za Josiah. I że jestem na niego zły, że trzymał się z daleka. Wiem, że to nie fair oczekiwać, że nadal będzie próbował się ze mną kontaktować, skoro nie odpowiadałem na jego esemesy i nie oddzwaniałem. Ale oto jest. Prawda. Prawda jest taka, że myślałem, że będzie próbował dalej.

Josiah pochyla się do przodu.

– Serio? – Wydaje się szczerze zaciekawiony.

– Nieee – kłamię.

Uśmiecha się i opiera na krześle.

– Taa. Nie. Chodzi o tę cholerną maszynę.

– Powiedziała, że masz coś komuś do powiedzenia. Myślałem, że może – wzruszam ramionami, nagle zakłopotany – mógłbyś powiedzieć to mnie.

Pochyla głowę, wodzi palcami po ustach. Josiah wygląda tak, kiedy myśli.

– Maszyna uważa, że poczujesz się lepiej, jeśli mi powiesz – dodaję. – Szczęśliwszy.

– Nie wiem, czy chcę być szczęśliwszy – mruczy.

– Dlaczego nie chciałbyś być szczęśliwszy? Gdybyś mógł? – Jest to, zdaję sobie teraz sprawę, inna wersja tego samego pytania, które zadała mi Saff.

Podnosi głowę.

– Nie wiem, czy na to zasługuję. Rozumiesz?

Rozumiem. Och, stary, jak dobrze to rozumiem.

– Chodzi o Saff, prawda? – pytam. – Chodzi o tamtą noc.

Josiah patrzy na mnie przez sekundę, a potem po prostu wstaje i wychodzi z pokoju. Zastanawiam się, czy powinienem pójść za nim, a może w ogóle wyjść z mieszkania. Ale on po chwili wraca i rzuca mi coś na kolana, kawałek papieru. Najpierw myślę, że może to dawka zomu, ale jest na to za duży i nieprzezroczysty. To zwykła kartka.

———

SZCZĘŚCIE CZEKA!

JEŚLI ZROBISZ TE TRZY RZECZY:

1. NAUCZYSZ SIĘ OBCEGO JĘZYKA.

2. ZADBASZ O SWOJĄ ŚLICZNĄ TWARZ.

3. UŻYJESZ CYTRYNOWEGO MYDŁA PIELĘGNUJĄCEGO FRANGESSE TM.

———

TYLE ŻE NIE DO KOŃCA TAK jest. Do każdego z tych zaleceń dopisano coś srebrnym długopisem.

SZCZĘŚCIE CZEKA!

JEŚLI ZROBISZ TE TRZY RZECZY;

1. Wyrecytujesz coś ~~NAUCZYSZ SIĘ OBCEGO JĘZYKA~~ w obcym języku nago.

~~2. ZADBASZ O SWOJĄ ŚLICZNĄ TWARZ~~ Zgolisz swoją lewą brew.

3. Zjesz kostkę ~~UŻYJESZ~~ CYTRYNOWEGO MYDŁA PIELĘGNUJĄCEGO FRANGESSE TM.

Pismo nie wygląda znajomo, ale nie musi. Już wiem, czyj to charakter pisma. Josiah przygląda mi się przez gąszcz swojej przerośniętej grzywki, czekając, aż skończę czytać i wpadnę na to. I tak się dzieje. Saff jest zagadką. Ja ją rozwiązuję.

– Sama to sobie zrobiła – mówię.

Josiah kiwa głową.

– Naszprycowała się i poprosiła cię, abyś mówił jej, co ma robić, gdy będzie pod wpływem – ciągnę. – Kazała ci obiecać, że to zrobisz.

Nie muszę pytać, dlaczego Saff wybrała Josiah, aby pomógł jej w wymierzeniu kary. Jeśli mogła zmusić go do złożenia obietnicy, Josiah by jej dotrzymał. To porządny gość. Dlatego się przyjaźniliśmy. Josiah jest prawdziwym bohaterem z kodeksem moralnym. Tyle że w tej chwili nie wygląda tak bohatersko. Jest blady i wygląda dość okropnie.

– Nie wiedziałem, że zamierza się tak odurzyć – mówi. – Zaczekała, aż jej obiecam, a potem przykleiła zom do obojczyka. Jak przykleisz blisko szyi, od razu odjeżdżasz.

– Nie pamięta nic z tamtej nocy.

– Do obojczyka – powtarza. – Dziwię się, że pamięta cokolwiek z tamtego tygodnia. Mało brakowało, a nie wypełniłbym tej obietnicy, Rhett. Naprawdę prawie tego nie zrobiłem. Ale graliśmy w tę głupią grę...

– Wiem. Była kozłem ofiarnym.

Wpatruje się w swoje dłonie leżące na kolanach, jakby właśnie je odkrył.

– Nie zrobiłem tego dlatego, że była kozłem ofiarnym. Wręcz przeciwnie. Zrobiłem to, bo mnie poprosiła. A ja uznałem, że kozioł ofiarny zasłużył na chwilę... szacunku. Wyjaśniła mi to. Dlaczego chciała to zrobić?

– Z powodu tego, jak potraktowała Astrid?

– Powiedziała, że musi sama tego doświadczyć. Tego, co czuła przez nią Astrid. Powiedziała, że boi się stać kimś, kto nic nie czuje.

– Więc to zrobiłeś – mówię.

– Tak. Zrobiłem. Ale zabrałem jej mydło, gdy ją zemdliło. Uznałem, że już wystarczy. Poszedłem po Ellie. Umyliśmy ją, ubraliśmy i odstawiliśmy do domu.

Zadaję jeszcze jedno pytanie, chociaż na nie też znam odpowiedź.

– Dlaczego jej nie powiedziałeś? To znaczy później. Dlaczego ty i Ellie nie powiedzieliście Saff, że przez cały czas to ona za tym stała?

– To też kazała mi obiecać: żeby jej nie mówić. Powiedziała, że to by wszystko zepsuło. Bo dzięki temu poczułaby się szlachetna czy coś. A w tym wszystkim chodziło o to, by poczuła się jak Astrid. Jak ofiara. – Kręci głową. – Nie wiedziałem, że zmusi cię, abyś... Próbujesz dowiedzieć się, co wydarzyło się tamtej nocy, prawda?

– Poprosiła mnie o pomoc – odpowiadam, ale to zdanie nie ma tej samej mocy co wcześniej, gdy wypowiadałem je w myślach.

– W sumie wpadłem na to, gdy zjawiliście się razem w szkole. – Josiah potrząsa głową. – Powinienem wiedzieć, że zwróci się do ciebie.

– Czekaj. Dlaczego?

– Cóż, z powodu Apricity. Ponieważ w duchu musiała pamiętać, że zrobiła test. – Wskazuje na papier w mojej dłoni. – I wie, że twoja mama pracuje przy tej prawdziwej.

– Brzmi sensownie.

– I dlatego, że ciągle o tobie mówi.

– Naprawdę? – To głupie pytanie, ale właśnie o to pytam: „Naprawdę?".

– No. Czasem ni stąd, ni zowąd mówi: „Szkoda, że Rhetta tu nie ma" albo: „Ciekawe, jak się miewa Rhett". Tylko ona jedna tak mówi... – Znów potrząsa głową. Chociaż my wszyscy tak myślimy, stary. Mam nadzieję, że to wiesz.

– Tak, wiem – potwierdzam i nagle staje się to prawdą: wiem to.

Niedługą chwilę później, gdy odprowadza mnie do wyjścia, Josiah pyta:

– Zobaczymy się znowu?

– Tak – odpowiadam.

– Niedługo?

– Tak – zgadzam się. – Niedługo.

AKTA SPRAWY 30/3/35

ROZWIĄZANIE

Teraz mogę podsumować z uzasadnioną pewnością, że Saffron Jones popełniła zbrodnię doskonałą. Zbudowała machinę zemsty i wprawiła ją w ruch, obmyśliła serię nieprzyjemnych zadań, uzyskała pomoc Josiah Hala w ich realizacji, podała sobie prowadzącą do amnezji dawkę zomu. Zrobiła to, aby uśmierzyć poczucie winy, które czuła w związku ze swoim prześladowaniem Astrid Lowenstein podczas gry w kozła ofiarnego. W związku ze skutkami zażycia narkotyku i obietnicą dochowania tajemnicy, którą wyegzekwowała od Josiah, Saff nie pamięta, że była nie tylko ofiarą, ale i przestępcą. Najokrutniejsze są kary, które wymierzamy samym sobie.

━━━

SPOTYKAM SIĘ Z SAFF, gotowy powiedzieć jej, że mi się udało. Rozwiązałem jej zagadkę. Nawet jeśli nie wiem, w jaki sposób powiem prawdę, nawet jeśli nie wiem, jak ona zareaguje, gdy to zrobię. Jedziemy znów samochodem do parku Golden Gate, na tę samą ulicę za rezerwatem kwiatów, gdzie spotkaliśmy się, aby omówić sprawę na samym początku. Sześć dni i tysiąc lat temu. Przez całą drogę zastanawiam się, jak powinienem to powiedzieć, jakie słowa byłyby najlepsze. Myślę, że jeśli Saff się rozpłacze, pogłaszczę ją po ręce – zrobię to. A może nawet ją przytulę? Ale zanim udaje mi się cokolwiek powiedzieć, Saff wyłącza silnik, spogląda na mnie chłodno i mówi:

– Wiesz, prawda?

– To byłaś ty – odpowiadam, wszystkie wyważone słowa wywietrzały mi z głowy. – Sama to sobie zrobiłaś.

Widzę, jak dochodzi do niej ta wiadomość. Widzę, jak zmienia ona najdrobniejsze fragmenty jej twarzy. Nie płacze, choć jej oczy są szeroko otwarte, jakby miały z nich polecieć łzy. Wciąga powietrze przez nos, w drżącym oddechu, potem znów je wypuszcza.

– W porządku – odzywa się w końcu cicho. – Okej. Teraz pamiętam. To znaczy pamiętam wystarczająco.

– Chcesz, żebym opowiedział ci wszystko?

– Nie mów.

Odwraca się i wygląda przez przednią szybę. Przez sekundę obserwuję jej profil, ale sam nie znoszę, jak ludzie się na mnie gapią, więc odwracam się i spoglądam tam gdzie ona, czyli w górę. Przypominam sobie, że przez korony drzew widać wieże rezerwatu. Szukam ich wśród zieleni.

Milczymy przez chwilę, tylko patrząc. Potem Saff się odzywa:

– Myślałam, że może to Apricity powiedziała ci, żebyś przestał jeść.

– Co? – mówię. – Nie.

Tyle osób pytało mnie, dlaczego odmawiałem jedzenia, moi rodzice, moi lekarze, moi terapeuci, moje pielęgniarki, Josiah, a to jedynie początek listy. Ale Saff nie pyta mnie dlaczego. To znaczy pyta, ale w sposób, który rozumiem.

– Motyw? – pyta. – Zerkam na nią, a ona patrzy mi prosto w oczy. – No powiedz: motyw? – powtarza.

A ja robię coś, czego nie przewidziałyby wszystkie Apricity świata. Odpowiadam jej.

– Czułem się silny. Odmawianie sobie czegoś, czego potrzebowałem, sprawiało, że czułem się silny. Nieuleganie głodowi sprawiało, że czułem się silny.

– Okej. – Kiwa głową. – Taa, okej. Rozumiem.

Ale ja wyjaśniam dalej. Ponieważ nagle mam więcej do powiedzenia.

– Myślę, że chodziło o to, że chciałem być tym, co najważniejsze. Chciałem być… nie wiem… czysty.

– Cholera, Rhett. – Uśmiecha się; jej oczy są duże, błyszczące i smutne. – Ja też.

Chcę jej powiedzieć, że jej uśmiech jest tym, co najważniejsze, że jej uśmiech jest tym, co czyste. Ale nigdy nie mógłbym wypowiedzieć czegoś takiego na głos.

Dlatego robię to, co mogę. Ślinię swój kciuk, wyciągam dłoń w stronę jej twarzy i ścieram kredkę do brwi. W łuku są drobne włoski, które dopiero zaczynają odrastać. Potem robię coś jeszcze. Pochylam się i całuję ją, w miejscu nad jej okiem, gdzie była brew.

Środek: Jestem odważny.

Motyw: Chcę ją pocałować.

Okazja: Pochyla głowę do przodu na spotkanie z moimi ustami.

3

BRATERSKA MIŁOŚĆ

CARTER SŁYSZAŁ RÓŻNE OPOWIEŚCI, zanim poznał tego człowieka: Thomasa Ignissa, nowego kierownika działu technicznego ds. satysfakcji w siedzibie Apricity w Santa Clara. Zajmował stanowisko w ścisłej czołówce, oczko wyżej od Cartera, który był menedżerem biura w San Francisco. Santa Clara była miejscem akcji tu, w Dolinie Krzemowej, gdzie pracowali z chłopakami z zespołów badawczo-rozwojowych.

Carter nawet nie wiedział o naborze na to stanowisko, dowiedział się dopiero w chwili, gdy zostało obsadzone. W dodatku Ignissa zatrudniono z zewnątrz! Ludzie Skrulla musieli namierzyć gościa niczym rekruta do tajnego stowarzyszenia. Carter wyobraził sobie woń dymu cygara, majestatyczny palec na jego własnym ramieniu, stuk, stuk, wyrażające: „Tak. Ty". Ramienia Cartera nie dotknął jednak niczyj palec, a powietrze wokół niego pozostało rozczarowująco wolne od dymu. Przemknęło mu przez myśl, że powinien zazdrościć Ignissowi, ale skoro awans przepadł, zanim nawet zdążył go zapragnąć, jego zazdrość objawiła się w miniaturowej wersji – nie była jak cios w brzuch, tylko raczej jak pryszcz na małżowinie ucha.

Krótko po przybyciu Ignissa w ślad za nim pojawiły się legendy. Że Thomas Igniss nie przybył z tym swoim czujnym wzrokiem ze Wschodniego Wybrzeża jak większość menedżerów, lecz został wyciosany w głębi Środkowego Zachodu, z nosowego brzmienia, z serca kontynentu. Że ludzie Thomasa (nie jego „rodzina" czy „krewni", lecz jego „ludzie") hodowali bydło od trzech pokoleń. Że sam Thomas przerzucał baloty siana przez całe studia. (Carter sprawdził, co to znaczy, to przerzucanie balotów, aby przekonać się, na czym polegało, i znalazł zdjęcia pochylających się, dźwigających mężczyzn; słońce przebijało ich szerokie barki świetlnymi włóczniami). Że nawet ze swoim pochodzeniem Thomas Igniss, sól tej ziemi, nie był wieśniakiem. Że jego jabłko Adama spoczywało nad doskonałym węzłem prostym jedwabnego żakardowego krawata. Że płynnie mówił po włosku, że płynnie mówił po koreańsku (to właściwie w którym języku mówił ten człowiek – w obydwu?); że sam wykonał stolarkę stołu konferencyjnego w biurze z drewna pochodzącego ze zrównoważonych upraw; że przelotnie spotkał się z Callą Pax, zanim została sławna; że obecnie spotykał się z tancerką burleski o imieniu Indigo, będącą jednocześnie kurierem rowerowym.

Carter nie miał takich historii. Był synem inżyniera elektryka i przedszkolanki. Wychował się o godzinę drogi stąd, w Gilroy, słynącym jedynie ze smrodu czosnku. Sitcomy, w których rodziny spędzały wolny czas na kanapach przed telewizorem, były jakby pastiszem tego, co zapamiętał z dzieciństwa w domu, tyle tylko, że kanapy w telewizji były ładniejsze niż te w jego salonie. Matka Cartera zbierała figurki krów; holsztyny i heifery stały na każdym stole i na każdej półce bez żadnego racjonalnego powodu. „Czy kiedykolwiek dotknęłaś krowy?", spytał ją niedawno Carter. Zrobiła wtedy zakłopotaną minę. „Dlaczego miałabym dotykać krowy?", odparła. Cała jego matka – i jego ojciec – ze swoimi sfatygowanymi zbiorami sudoku. Ale Carter taki nie był. Carter dostał się do najlepszej szkoły spośród tych średnich, wykorzenił z siebie resztki dziecięcej pucułowatości, a potem szybko zdobył Angie i stanowisko w Apricity. Stamtąd piął się już tylko w górę i – zgodnie z planem, choć ku własnemu zdumieniu – jeszcze wyżej. Carter uważał się za samouka. Nie żeby to było łatwe, gdy ma się tak gówniany wyjściowy materiał do obróbki.

Carter i Thomas w końcu poznali się na wiosennym spotkaniu integracyjnym w Napa. Na integracji w Napa mieli się pojawić tylko ludzie z biura Cartera, ale dwa dni przedtem integracja w Santa Clara nie doszła do skutku (jakiś dziwaczny kłopot z długim okresem oczekiwania na certyfikat latania na lotni) i zdecydowano, że te dwie imprezy należy połączyć.

– Dubeltowa integracja, wystrzałowo – powiedział Carter do Pearl, licząc na to, że pewnego dnia zaśmieje się z któregoś z jego żartów.

W odpowiedzi Pearl chrząknęła. Carter nie wiedział, czy załapała żart o wystrzale, czy tylko coś załaskotało ją w gardle. Stali w sali degustacyjnej winiarni Napa. Bezskutecznie próbował pochwycić jej wzrok, ale odwróciła głowę, więc widział jedynie jej kark. Ostrzygła włosy jeszcze krócej niż wcześniej; teraz końcówki zawijały się wokół koniuszków jej uszu. Chciał jej powiedzieć, że lepiej wyglądała w długich, ale zaczeka na właściwy moment, żeby jej nie obrazić. Pearl posmakowała wina i wypluła je do beczki.

Beczki do spluwania były jedyną rzeczą, jaką Carter lubił w winiarniach, które licho siliły się na wyrafinowanie – koszule sommelierów z połyskującego akrylu, słowa „Sala degustacyjna" wypisane mosiężnymi literami nad wejściem, oznaczenia marki absolutnie wszędzie. W ostatniej sprzedawali koszulki polo z nazwą winiarni wyhaftowaną na cycku. „Coś-lub-coś-innego & Synowie". Carter nie rozumiał, dlaczego ktokolwiek miałby nosić to na piersi, o ile nie był „Czymś-lub-czymś-innym" bądź jednym z synów.

Żałował już tej wycieczki po winiarniach, która była… czyim pomysłem? Nie Cartera. Owena? Izzy? Na pewno nie Pearl. Ona tak naprawdę próbowała wykręcić się z tej integracji, wspomniała coś mgliście o swoim nastoletnim synu. Carter powiedział jej, że nie ma mowy. W końcu czy on sam nie zostawił Angie z ich maleńką, zaledwie trzymiesięczną córeczką? „Integracja trwa tylko dwie noce", powiedział Pearl. Była obowiązkowa.

O tej porze po południu z pewnością sprawiała wrażenie obowiązku. Ich grupa była już w trzeciej winiarni, a winogrona, zarówno dosłownie, jak i w przenośni, więdły. Tego roku w San Francisco trwała kampania mająca nakłonić ludzi do tego, by ruszyli na północ i wsparli winiarnie, które miały trudności, ponieważ zrobiło się za gorąco na tradycyjny zbiór winogron. Zamiast pinot noir winiarnie butelkowały teraz coś podobnego i nazywały to z przymrużeniem oka *el niño noir*. Carter nazywał to *pi-nie noir*. (Z tego też Pearl się nie śmiała). Nowe wino miało rozwodniony, słodki i okropny smak, jak ślina kogoś, kto ssał winogronowy lizak. Zdecydowanie *pi-nie noir*.

W trakcie zwiedzania ich czwartej i ostatniej winiarni tego dnia Carter nie był pewny, czy odczuwał rozczarowanie, czy ulgę, że ludzie z biura w Santa Clara jeszcze się nie zjawili. Stanął przy jednej z beczek i przyglądał się, jak jego pracownicy smakują wino i spluwają. Nie spuszczał oka z Pearl, jedynej w grupie, która trzymała się białych win. Chciał, aby spróbowała czerwonego. Chciał, aby jej zęby poplamiły się na fioletowo i żeby o tym nie wiedziała. Dlaczego nie mogła chociaż uśmiechnąć się do niego?

W tej chwili wokół szyi Cartera pojawiła się czyjaś ręka, przygarnęła go w sposób, który jednocześnie wytrącił go z równowagi i uspokoił. Głos mruknął do jego ucha:

– Sprawdźmy, jak smakują te pomyje.

Carter odwrócił się i ujrzał uśmiechniętą twarz Thomasa Ignissa, zaledwie kilkanaście centymetrów od jego twarzy, wyglądającą dokładnie tak jak na zdjęciu z firmowej strony internetowej. Kto wyglądał równie dobrze w rzeczywistości co na firmowym portrecie? Nikt, oto odpowiedź. Jedynie Thomas Igniss.

– Pomyje dają w szyję! – rzucił w odpowiedzi Carter tekstem Angie, którego nigdy nie lubił, a który musiał być jednak całkiem niezły, skoro uśmiech Thomasa zrobił się jeszcze szerszy, a mężczyzna klepnął go po plecach, popychając do przodu.

Carter podszedł do lady.

– Proszę pani? Poproszę dwa kieliszki. Chcielibyśmy skorzystać z okazji i splunąć do pani beczki.

Carter usłyszał za sobą chichot Thomasa.

Thomas i Carter spędzili resztę wycieczki razem. Byli partnerami podczas bezsensownych ćwiczeń z zaufania i komunikacji, do których zmusiły ich rozdygotane kobiety z działu kadr. Spoufalali się ze sobą w hotelowym barze, centrum wiru pracowników rywalizujących o ich łaski. Siedzieli do późna w pokoju Cartera, pozwalając obsłudze hotelowej, aby wydrylowała z nich resztki dziennej diety. Ich zażyłość pogłębiała się z chwili na chwilę. Mieli potencjał.

Tu, po godzinach, na wyjeździe integracyjnym, Carter został wtajemniczony w prawdziwe historie o Thomasie Ignissie. Prawdę o tym człowieku. Zweryfikował, że Thomas rzeczywiście mówił po włosku i koreańsku, choć swoją znajomość koreańskiego określił jako „turystyczne rozmówki". Jeśli chodziło o stół konferencyjny, Thomas naprawdę go zbudował. Carter usłyszał nawet sprośne szczegóły dotyczące burleskowo-kurierowo-rowerowej dziewczyny, która tak naprawdę miała na imię nie Indigo, lecz Martha. Co w jakiś sposób uczyniło ją jeszcze bardziej pociągającą.

W rewanżu Carter powiedział Thomasowi, że coś iskrzyło między nim a Pearl (co nie było prawdą, ale mogło nią być), ale zakończył to, gdy Angie powiedziała mu, że jest w ciąży. Wyjaśnił, że czuł, iż ten romans był tak naprawdę dobrym doświadczeniem, bo pomógł mu stać się lepszym ojcem, niż byłby w innym razie. Thomas skinął głową; rozumiał to.

Dwaj mężczyźni rozmawiali też o pracy, o tym jak trudno zarządzać ludźmi, z tymi ich niekończącymi się potrzebami i skargami, że tak naprawdę nigdy nie mogli traktować podwładnych jak równych sobie.

– Ale kto by tego chciał, prawda? – zapytał Carter.

Thomas skinął głową.

– Jesteśmy tu, gdzie jesteśmy, nie bez powodu.

– Tak!

– To akt odwagi – ciągnął Thomas – przyznać, że naprawdę jesteś lepszy od innych ludzi.

Na te słowa Carter poczuł ciarki na plecach. „Tak. Ty".

Gdy wrócił do domu z integracji późno w piątek, powtórzył słowa Thomasa Angie, która zmarszczyła nos i powiedziała:

– „Akt odwagi"? Co to w ogóle znaczy?

Carter wziął swoją grymaszącą córeczkę z ramion żony. Angie pachniała kwaśno, jak coś, co zostawiło dziecko. Ale ostatecznie był jej wdzięczny za znoszenie macierzyńskich upokorzeń. Carter uniósł dziecko nad głową, a dziewczynka triumfująco wzniosła piąstki do sufitu.

– Naprawdę, Carter, co to ma oznaczać?

Carter nawet nie starał się odpowiedzieć. Wiedział, że nie zrozumiałaby.

W czwartek Thomas zadzwonił do Cartera z pytaniem, czy mógłby tego wieczoru przyjechać do biura w Santa Clara. Thomas podał porę po godzinach, nawet po kolacji. „Gdy stachanowcy i megiery uciekną już z budynku", powiedział i dodał zagadkowo: „Weź Apricity".

Carter szedł przez pogrążony w ciemności kampus w kierunku drzwi wskazanych przez Thomasa; otworzył je przyciskiem. Ruszył długim pustym korytarzem; światła niczym reflektory rozbłyskiwały na jego przybycie i gasły po jego przejściu. Z przodu dobiegały jakieś głosy, radosny świergot grupowego śmiechu. W końcu Carter znalazł zarezerwowaną salę, na plakietce na drzwiach widniał napis: „Lab 7A".

Thomas siedział przy stole w laboratorium z czterema innymi mężczyznami. Dwaj byli programistami. Carter wywnioskował to z ich wieku (młodsi) i stroju (cokolwiek akurat znaleźli na podłodze przy swoim łóżku), chociaż te oćwiekowane okazy z ironicznymi uśmieszkami wydawały się stać wyżej w hierarchii od programistów Cartera, którzy roztaczali wokół siebie aurę wymiętoszenia i zwietrzałej kawy. Trzeci mężczyzna musiał być z działu komunikacji i to na wysokim stanowisku; widać to było po jego gumowym uśmiechu i siwiejącym jednodniowym irokezie. A czwarty był, co nieprawdopodobne, dozorcą. W kombinezonie i z całym oprzyrządowaniem. Czy ten gość został zaproszony? Czy po prostu zabłąkał się i przyłączył?

– Carter! – Co dziwne, to dozorca przywitał go z nazwiska.

Pozostali odwrócili się jednocześnie i Carter wiedział, jak musiał wyglądać: z szeroko otwartymi oczami, lekko przygarbiony czaił się w drzwiach, jakby zamierzał dać nogę.

– Carter! – powtórzył Thomas Igniss. – Ten oto człowiek...! – powiedział o Carterze, a inni skinęli głowami, choć zdanie pozostało niedokończone. „Ten oto człowiek..." i co dalej?

Thomas machnął, aby Carter wszedł do środka. Było tam wolne miejsce obok jednego z programistów, naprzeciwko dozorcy.

– Czy przyniosłeś z biura Apricity?

Carter wyjął maszynę z torby i postawił na stole. Thomas skinął głową do siedzącego obok Cartera programisty, który wstał i otworzył kluczem szafkę w rogu sali, po czym wrócił z drugą Apricity. Carter spoglądał to na jedną, to na drugą z identycznych maszyn. Cóż, prawie identycznych. Ich miała maleńkie wgniecenie w prawym górnym rogu obudowy.

Carter powiedział coś oczywistego.

– Dwie czterysta osiemdziesiątki.

Thomas i pozostali uśmiechnęli się szeroko. Odezwał się programista:

– Ta jest czterysta osiemdziesiątką tylko z zewnątrz. W środku została nieco zmodyfikowana.

– Ulepszyliście ją?

– Nie, nie chodzi o to, że jest lepsza – odparł. – Jest po prostu inna.

– Nieee. – Thomas pogroził programiście palcem. – Carter ma rację. Ulepszyliśmy ją!

– W jaki sposób? – spytał Carter. – Dokładność? Obliczenia?

Thomas wskazał na maszyny.

– Spróbuj i sam się przekonaj. Najpierw sprawdź swoją, potem naszą.

– Co? Ja?

Dozorca wskazał na niego.

– Tak. Pan.

Wszyscy mężczyźni patrzyli teraz na niego.

– Dalej – zachęcił go Thomas. – Po to cię zaprosiliśmy.

Carter się zgodził. Oczywiście, że to zrobił. Potarł patyczkiem wnętrze policzka i przeniósł swoje komórki na chip komputerowy, a Apricity dała mu ten sam plan satysfakcji co zawsze:

———

WYPROSTUJ SIĘ.

NIE PRZEJMUJ SIĘ STANIEM PROSTO.

PRZYGARNIJ PSA.

UŚMIECHNIJ SIĘ DO ŻONY.

———

– Wyświetl to! – wykrzyknął dozorca.

Carter potulnie spełnił żądanie, a cholerna lista zawisła nad środkiem stołu wystawiona na widok wszystkich obecnych. Jego plan satysfakcji zawsze wprawiał go w zakłopotanie. Apricity testowała coś, co firma nazywała głębokim szczęściem; jej zalecenia nie odnosiły się do codziennych ludzkich utrapień, takich jak pusty żołądek czy uliczny korek, lecz do głębi jestestwa i duszy człowieka. Tak więc choć twój plan satysfakcji nie miał się często zmieniać, zmieniałby się z czasem wraz z tym, jak ty sam się zmieniałeś. Tyle że plan Cartera zawsze był taki sam. Może dlatego, że nigdy nie próbował zastosować się do niego.

– Stój prosto i nie przejmuj się staniem prosto? – Odczytał siwiejący jednodniowy irokez. – Niezmiennie zaskakuje mnie to, że ludzie kupują to gówno.

– Twoim zadaniem jest sprzedawanie go im – prychnął jeden z programistów.

– Człowieku, a to ostatnie zalecenie? – odezwał się drugi programista. – Brzmi, jakby należało do planu satysfakcji twojej żony, nie twojego.

Carter wzruszył ramionami.

– Ja też nigdy nie widziałem w tym większego sensu.

– I właśnie dlatego tu jesteś – oznajmił Thomas. – My, zebrani wokół tego stołu, podzielamy twój sceptycyzm.

– Chcesz powiedzieć… Uważacie, że Apricity się myli? – powiedział niemal szeptem Carter. W końcu było to bluźnierstwo. I to z ust menedżera!

– Zasadniczo się nie myli – odrzekł powoli Thomas. – Raczej czasem jest omylna. Ta tutaj ma rację. – Wyciągnął palec i przeciągnął nim po wyświetlonym obrazie, który zadrżał w powietrzu. – Gdybyś zrobił te rzeczy, prawdopodobnie byłbyś szczęśliwszy. Ale pozwól, że cię zapytam: czy to, że Apricity się nie myli, znaczy, że ma rację? Chodzi mi o to, czy szczęście jest tym, czego chcesz, Carter?

– Cóż. Pewnie. Co nam pozostaje oprócz niego?

Thomas Igniss uniósł brwi.

– Luke – rzekł, a dozorca podał Carterowi świeży patyczek z watą.

Carter przeciągnął wymazówką po wnętrzu swojego policzka, myśląc o degustacji wina, o beczkach do spluwania. Jeden z programistów wyciągnął rękę po patyczek, rozmazał próbkę na chipie i wsunął go do maszyny. Ten sam proces co zwykle. Tyle że wydawał się jakiś inny. Wszyscy mężczyźni dookoła stołu delikatnie pochylili się do przodu. Carter złapał się na tym, że on także się pochylił, nagle zaschło mu w ustach, jakby patyczek wchłonął coś więcej niż tylko jego ślinę i kilka komórek z policzka, jakby zassał coś z głębi niego.

Gdy ekran rozbłysnął, programista nie wyświetlił wyników, lecz podał ekran Thomasowi, który przeczytał je i skinął głową z aprobatą. Puścił ekran wokół stołu w kierunku oznaczającym, że Carter spojrzy na niego jako ostatni. Drugi programista zachichotał; irokez mruknął: „To załatwi sprawę"; dozorca uśmiechnął się błogo. Gdy ekran dotarł do Cartera, ten zobaczył, że wymienione jest tylko jedno zalecenie:

USUŃ WSZYSTKIE KRZESŁA Z BIURA OPRÓCZ WŁASNEGO.

– Co to jest? – spytał Carter. – Zawsze dostaję to samo. Zawsze! Stój prosto, nie przejmuj się staniem prosto, uśmiechaj się do Angie, przygarnij psa.

– To nie jest plan satysfakcji – oznajmił jeden z programistów.

– Tu nie ma ściemy – dodał drugi.

Dlaczego Carter wcześniej nie zauważył, że dwaj programiści byli bliźniakami, różniącymi się jedynie konstelacjami kolczyków na twarzy?

Odezwał się Thomas:

– Nie mówi, co cię usatysfakcjonuje.

– W takim razie co mówi?

– Jest pan bystrym gościem – powiedział irokez. – Co pana zdaniem panu mówi?

– Nie wiem.

Thomas się uśmiechnął. Był to inny uśmiech niż ten na zdjęciu na stronie internetowej, inny niż ten, który rzucił mężczyznom przy stole, uśmiech tylko dla Cartera.

– Co jest ważniejsze od szczęścia?

Carter wiedział, że istnieje oczywista odpowiedź i wiedział też, że jej nie zna. W jego głowie pojawił się obraz jego małej córeczki wymachującej piąstkami w powietrzu.

– Władza, Carter. Maszyna mówi ci, jak zdobyć władzę.

CARTER ZROBIŁ DOKŁADNIE TAK, jak poinstruowała go maszyna. Usunął dwa krzesła stojące naprzeciwko jego biurka, zostawił tylko swój skórzany fotel obrotowy. Jego pracownicy wchodzili i rozglądali się powoli.

– Gdzie są krzesła? – pytali.

Carter uznał, że najlepsza będzie prosta odpowiedź. Poklepywał własne krzesło.

– Tutaj. Tutaj jest krzesło.

Inni stali niepewnie, nie ośmielając się poprosić o krzesło. Czasem Carter litował się i mówił, że mogą przycupnąć na brzegu jego biurka, co było jeszcze lepsze. Dorośli mężczyźni w garniturach, z pośladkami uniesionymi jak u sekretarek z lat pięćdziesiątych! Pearl oczywiście odmawiała i nie chciała przysiąść, choć Carter oferował jej blat wiele razy. Cóż, jej wybór.

Z początku trudno było wykonać plan maszyny. Carter zawsze starał się być lubiany. Ale to się nie sprawdziło, prawda? A gdy pomyślał o ukradkowych spojrzeniach, które wymieniali jego pracownicy, gdy mówił, o wiele łatwiej przyszło mu przyglądać się, jak balansują niepewnie i przestępują z nogi na nogę w jego biurze. Do następnego tygodnia Carter zauważył zmianę. Koniec ze skrytym postukiwaniem w ekrany podczas poniedziałkowych spotkań, koniec cichych chichotów dobiegających ze stanowisk pracy. Zamiast tego opuszczony wzrok i raporty oddane na czas. Dyrektywa dotycząca krzesła była prosta. Elegancka. Było to menedżerskie jujitsu.

Gdy Carter wrócił z pracy do domu, wziął Angie na ręce i obrócił się z nią, aż włosy jej zawirowały.

– Carter! – pisnęła. Podniósł córeczkę i podrzucił ją w powietrze, po czym złapał, rozchichotaną. – Nie tak wysoko! – zawołała Angie.

Oboje, on i dziecko, trzęśli się ze śmiechu.

THOMAS ZAPROSIŁ CARTERA DO LABU 7A ponownie w następny czwartek. Wgnieciona Apricity oznajmiła Carterowi nową taktykę, którą miał zastosować.

POWIEDZ SWOIM PRACOWNIKOM,
JAKI KOLOR MAJĄ NA SOBIE.

– Na przykład jaki kolor ma ich koszula? – zapytał Carter.

– Mhm – brzęknęły usta irokeza.

Thomas Igniss pokiwał głową z namysłem.

Carter przyjrzał się uważnie twarzom wokół stołu. Beznamiętne. Skupione.

– Słuchaj. To z krzesłem było świetne. Zaskakująco skuteczne.

– Naprawdę? – Thomas wydawał się zadowolony.

– Jak reagowali ludzie? – spytał jeden z programistów, wymieniając spojrzenie z bratem bliźniakiem.

Carter wyjaśnił, że zamiast się zdenerwować, czego można by się spodziewać, pracownicy biura nabrali do niego szacunku, stali się pokorni, posłuszni.

– Jakby tego chcieli – dodał. – Potrzebowali lekkiego klapsa. Ale to? – Wskazał na ekran. – Tego – przepraszam – po prostu nie rozumiem.

– Zalecenia Apricity mogą się wydawać z początku dziwne – odezwał się irokez, ale pozostali go zabuczeli.

– Mówiliśmy ci – rzekł jeden z programistów – nie cytuj nam swojego tekstu.

Irokez komicznie wzruszył ramionami, jakby chciał powiedzieć: „Hej! Starałem się!". Carter zorientował się, że nie wie, jak tamten ma na imię, właściwie nie znał imion żadnego z nich poza Thomasem. Chociaż wszyscy zdawali się znać jego.

– Wiesz – powiedział Thomas. – Mnie też Apricity kazała robić dziwne rzeczy.

– Ty też to robisz? – spytał Carter.

– Carter, oczywiście! – Zamilkł na chwilę, potem pochylił się i szepnął: – Jak myślisz, jak dostałem stanowisko w Santa Clara?

– Naprawdę?

Thomas puścił do niego oko.

– Czy mogę… Czy mogę zobaczyć?

– Co zobaczyć?

– Twoje wyniki Apricity. – Carter wskazał na wgniecioną maszynę. – Zobaczyć, jak to robisz.

– Mogę ci po prostu powiedzieć.

– Jasne. Wiem. Ale czuję, że gdybym mógł zobaczyć…

– Pozwól mu zobaczyć! – wykrzyknął dozorca.

Thomas spojrzał na dozorcę, a potem uniósł brwi, patrząc na jednego z bliźniaków, który lekko skinął w odpowiedzi.

– W porządku, Carter. Jasne. Możesz popatrzeć, jak to robię.

– Ale musimy zresetować maszynę – rzekł drugi bliźniak.

Nie zajęło to wiele czasu. Minuta cichej negocjacji pomiędzy bliźniakami, przeprowadzonej całkowicie uderzeniami na ekranie, i wręczyli z powrotem maszynę Thomasowi. Dozorca podał patyczek, a Thomas pobrał wymaz i przeciągnął po chipie. Gdy ekran się zaświecił, przeczytał szybko wynik, zerknął na bliźniaków, ale najpierw podał go Carterowi.

PRZYTULAJ NIEZRĘCZNIE DŁUGO KAŻDEGO, KOGO SPOTKASZ.

– Niezręczne przytulanie ma być słuszne – zachichotał Thomas. – A ty myślisz, że to twoje z kolorem jest dziwne. Widzisz, co ja muszę znosić?

W pierwszej chwili Carter pomyślał, że Thomas nie przytulił go, gdy wszedł do pomieszczenia, nawet nie uścisnął jego dłoni. Przez chwilę wyobrażał sobie uścisk Thomasa, braterski uścisk, obejmujące go ramiona, silne od lat przerzucania balotów siana, opiekuńcze, aprobujące. Carter zapadł się w wyobrażonym uścisku.

– Serio, Carter, to całe cholerne przytulanie! Myślę, że mogę być na granicy bycia posądzonym o molestowanie seksualne!

– Może wobec tego powinieneś przyhamować?

– Przyhamować? Ja wiem tylko, jak cisnąć do przodu! Spróbuj z tym kolorem – powiedział. – Kto wie? Może się zdziwisz.

I znów, jak zwykle, Thomas Igniss miał rację. Dyrektywa koloru okazała się jeszcze skuteczniejsza od usunięcia krzeseł. Carter postąpił dokładnie zgodnie z instrukcją maszyny. Gdy pracownik wchodził do jego biura, mówił mu, jaki kolor ma na sobie, wypowiadając to zdanie z beznamiętnym wyrazem twarzy.

– Masz na sobie fiolet.

– Masz na sobie czerń.

– Masz na sobie turkus.

Reakcje pracowników były niezmienne. Spoglądali w dół na swoje ubranie, jakby zapomnieli, co włożyli tego ranka, a potem podnosili wzrok i zerkali znów na Cartera, w oczekiwaniu na nieunikniony komplement: „Dobrze w tym wyglądasz!" albo: „Podkreśla twój kolor oczu!". Gdy żaden komplement się nie pojawiał, oświadczenie krzepło. Carter nie przewidziałby, że wszyscy zareagują tym samym zaskoczonym spojrzeniem; usta drżące w słabym śmiechu, oczy mrugające do niego bezbronnie, jak u dziecka. Co najciekawsze, zauważył, że gdy skomentował kolor ubrania jakiegoś pracownika, ten nigdy więcej nie nosił ubrań w tym kolorze.

Nawet Pearl wydawała się skonsternowana, gdy Carter zauważył, że jej bluzka jest pomarańczowa.

Podobnie jak inni spuściła wzrok, z zakłopotaniem dotknęła palcem kołnierzyka i mruknęła:

– Kupiłam na wyprzedaży.

W NASTĘPNY CZWARTEK CARTER powiedział Angie, że wybiera się na swoją cotygodniową partyjkę pokera, że dołączył do ligi.

– Czy ligi nie są w kręglach? – spytała z roztargnieniem.

– To… w takim razie do kliki.

– Czy kliki nie służą spiskowaniu w celu obalenia rządu?

– Wobec tego do kółka – odparł poirytowany. – Nazwij to kółkiem. I nie mów, do czego służy. Celem jest gra.

– Jasne, jasne. Kółko. Gra. Jak Ojciec Wirgiliusz – mówi, uśmiechając się do dziecka, i zaczyna śpiewać piosenkę.

W umyśle Cartera pojawia się, jak co pewien czas, gorzka myśl: „Nie kochałabyś mnie, gdybyśmy się spotkali, kiedy byłem gruby". Tym razem jednak w odpowiedzi na nią pojawia się chłodna odpowiedź: „Ale teraz kochasz mnie wystarczająco, to prawda".

Podczas „partyjki pokera" Carter podsumował efekty wdrożenia dyrektywy koloru zebranym przy stole, uśmiechając się skromnie, gdy mężczyźni mu pogratulowali.

– Mówi się tu o tobie to i owo – powiedział irokez.

– Naprawdę? – Radosne podniecenie Cartera zachwiało się wraz z jego głosem. – Czy to… To znaczy, co słyszeliście?

– Że w biurze w San Francisco jest gość, który potrafi chwycić za jaja – odparł Thomas.

– Taa. Za jaja – powtórzył jeden z programistów.

– Cóż – powiedział Carter, wzruszając ramionami – formalnie rzecz biorąc, nie wszyscy mają jaja.

– Oni nie mają – odparł Thomas. – Ale ty masz.

Później Apricity kazała Carterowi rozregulować przerwy na lunch pracowników. A Thomasowi, biednemu sukinsynowi, kazała przyjść do pracy w welurowej piżamie.

Chociaż ekran Cartera miał aplikację randomizującą, nie zawracał sobie nią głowy. Zamiast tego wolał przejść się po biurze, stuknąć kogoś w ramię i zarządzić: „Idź jeść!". Wkrótce Carter usłyszał pomruki o „braniu za jaja", o których wspominał Siwiejący Irokez. Słyszał szepty, widział ukradkowe spojrzenia, zauważał ciszę, gdy wchodził do pomieszczenia. Carter czuł, jak władza przepływa przez niego. Budził się z uśmiechem. Z warkotem.

– Ostatnio jesteś taki… – Angie szukała słowa.

– Męski? – dokończył Carter.

– Głośny – zdecydowała.

Dziecko pisnęło.

– Oboje tacy jesteście – dodała. – Głośni.

GDZIE DOKŁADNIE znajduje się początek końca? Czy był nim dzień, gdy Carter zmusił Pearl, aby stała w jego biurze przez ponad godzinę, gdy przekazywała mu swój miesięczny raport? Pod koniec spotkania jej dłonie zaczęły drżeć, głos także. Opuściła ekran i spojrzała na niego oskarżycielsko.

– Co ja ci zrobiłam? – spytała.

Przecież zrobiła mu coś, prawda? Czuł, że zrobiła, że zraniła go, ale nie pamiętał dokładnie w jaki sposób.

– Na tym etapie powinnaś umieć radzić sobie z różnymi stylami zarządzania – rzucił do niej, gdy umykała z jego gabinetu.

Następnego dnia zadzwoniono z biura Skrulla. Ekran Cartera był niesprawny, więc dostał wiadomość godzinę po tym, jak ją zostawiono. Wiceprezes Molly Danner chciała porozmawiać z nim o pewnych obawach dotyczących jego stylu zarządzania.

Carter pomaszerował do stanowiska Pearl, chwycił ją za ramię i obrócił jej krzesło. Podniósł swój ekran niczym dowód.

– Może powiesz, że to nie byłaś ty?

Tym razem jej głos nie zadrżał.

– Powiem, że nie tylko ja.

Carter omiótł wzrokiem krajobraz stanowisk pracy i zorientował się, że wszystkie oczy zwrócone były w jego stronę.

Gdy Carter przybył do Santa Clara, biura były puste, mimo że było to jeszcze wczesne środowe popołudnie. W końcu wszystkich znalazł. Tłoczyli się w pokoju socjalnym, wykrzykiwali: „Hurra!" i wznosili plastikowe kieliszki z winem. Carter wypatrzył Thomasa pośrodku tego młyna; machnął ręką, bezskutecznie próbując zwrócić jego uwagę.

– Co tu się świętuje? – spytał mężczyznę obok.

– Pan Igniss został mianowany wiceprezesem! Właśnie się dowiedzieliśmy.

– Och – zakłopotał się Carter, zastanawiając się, czy powinien wyjść. Nie chciał zepsuć Thomasowi święta. – Gratki.

– Oczywiście wszyscy wiedzieliśmy, że tak będzie – dodał zadowolony z siebie mężczyzna.

– Naprawdę?

– Tak. Wybierali między nim a jakimś drugim menedżerem. Ale dajmy spokój! Kto mógłby pokonać Ignissa? Proszę. – Wcisnął coś Carterowi w dłoń. Kieliszek wina. – Niech się pan napije. Niezłe.

Carter podniósł kieliszek do ust. Bogaty aromat przebił się przez jego otępienie. Tak. Boleśnie dobra fermentacja.

Wycofał się z pokoju socjalnego i powędrował korytarzami, aż znalazł biuro Thomasa, właściwie w tym samym miejscu, co biuro Cartera. Postanowił rozgościć się i zaczekać na przyjaciela. Przyjęcie nie będzie trwało wiecznie, a gdy się skończy, Thomas przyjdzie i pomoże Carterowi, powie mu, gdzie popełnił błąd. I wtedy Carter ją zauważył, wgniecioną Apricity na półce obok biurka Thomasa. Cóż, równie dobrze ona mogła powiedzieć to Carterowi, prawda?

Poszperał w szufladach Thomasa, aż znalazł zestaw do pobrania próbki. Następnie wziął wymaz, naniósł go na chip i drżącymi dłońmi umieścił w maszynie.

Przerwał mu głos.

– Co ty tu robisz?

Był to jeden z bliźniaków programistów.

– O… witaj! – odezwał się zakłopotany Carter. Jak mógł nadal nie znać imienia tego mężczyzny?

– Witaj, Carter – Programista uśmiechnął się w wymuszony sposób. Zerknął na maszynę. – Czy Thomas wie, że tu jesteś?

– Świętuje – odparł Carter. – Słyszałeś? O jego awansie?

– Ja… tak, słyszałem.

– W pokoju socjalnym trwa impreza. Wino. Dobry trunek. – Carter zorientował się, że nadal trzymał swój kieliszek; wzniósł go w udawanym toaście. – Potrzebuję tu tylko minutki. Thomas nie będzie miał nic przeciwko.

Programista wycofywał się z uniesionymi dłońmi.

– Pójdę tylko po niego, stary. Zaczekaj tutaj. – Zerknął znów szybko na Apricity. Carter zobaczył, że na ekranie wyświetlił się raport.

– Nie ruszaj się i zaczekaj – powiedział programista. – Tylko nie… nie… – Nie dokończył, odwrócił się i ruszył truchtem w kierunku imprezy.

Carter spojrzał na ekran.

PRZYJDŹ DO PRACY UBRANY W WELUROWĄ PIŻAMĘ.

Była to dyrektywa, którą Thomas dostał na koniec ich ostatniego spotkania. Może maszyna nie zarejestrowała nowego chipa. Carter odwinął kolejny; znów pobrał próbkę i naniósł na chip. Na ekranie wyświetliło się to samo zdanie. Wpatrywał się, czując nagle smak zgniłych winogron z tyłu języka. Czuł wyobrażony palec stukający go w ramię. „Tak. Ty". Ale ostatecznie nie wybierał jego. Próbował tylko zwrócić jego uwagę, zmusić go, aby popatrzył. Lecz Carter nie chciał się odwrócić i spojrzeć. Dotknął małego wgniecenia w rogu maszyny, przesunął po nim palcem i poczuł, że to on sam. To on był wgnieceniem.

– Carter. – W drzwiach stał Thomas. Na ustach miał ciemne plamy od wina. Teraz miał inny uśmiech, nowy; nie pasował. – Ty nie...? – Wskazał na maszynę.

– Kazała mi zrobić to, co ty zrobiłeś – odparł Carter.

– Naprawdę? – Thomas przeczesał włosy dłonią. – Taaa. Widzisz. Ostatnio trochę nawalała.

– Próbowałem dwa razy. To samo zalecenie. Za każdym razem. – W jego głosie zabrzmiała – usłyszał to dopiero, gdy się odezwał – błagalna nuta.

– Poproszę chłopaków, żeby na nią zerknęli. Technologia w powijakach i tak dalej.

Carter otworzył usta. Przyszedł tu, aby opowiedzieć Thomasowi o wezwaniu z biura Skrulla, o zdradzie Pearl, o tym całym cholernym burdelu. „Zdrada": to słowo utkwiło w umyśle Cartera jak pinezka wbita w jego pierś. Thomas Igniss oblizał poplamione winem wargi; przypominał wampira z niskobudżetowego serialu telewizyjnego. Miał na sobie jak zwykle uszyty u krawca szary garnitur, a nie, jak zauważył Carter, welurową piżamę. Zdrada.

– Gratuluję awansu na wiceprezesa – powiedział słabym głosem Carter.

– Dzięki – szepnął Thomas. Spojrzał znów na Apricity, wykrzywiając kącik ust. – Słuchaj, stary, przepraszam.

Gdy Carter nie odpowiedział, Thomas spróbował jeszcze raz, wyciągając rękę, aby uścisnąć jego dłoń, a może aby go przytulić.

Carter przecisnął się obok niego i wyszedł.

Po powrocie do domu Carter zastał Angie pogrążoną w jednej z głębokich dziennych drzemek, pochrapującą niezbyt subtelnie. Dziecko było jednak w pełni rozbudzone, leżało na plecach w dostawce i wpatrywało się w niego. Carter podniósł je delikatnie, a potem spontanicznie wyciągnął ręce, unosząc córkę nad swoją głową. Jej ciemne oczy błyszczały, całe galaktyki roztaczały się za nimi. Wymachiwała piąstkami jak zawsze, gdy była w powietrzu. Carter zaczął opuszczać małą, przyciskając jej gruby brzuszek do swojej twarzy, aż pochylił się nad nią pośrodku dywanu w sypialni.

– Co mam teraz zrobić? – mruknął, a jego ramiona zaczęły drżeć.

Maleńkimi piąstkami zaczęła okładać go po bokach głowy. Dała mu popalić.

4

TAKI MIŁY I UPRZEJMY
MŁODY CZŁOWIEK

PEARL ZACZEKAŁA, AŻ RHETT odwróci wzrok; następnie podniosła filiżankę i uwolniła pająka. Odetchnęła. Rhett oparł się na krześle – stopy na stole, oczy skupione na ekranie. Odwrócona do góry dnem filiżanka przechyliła się pod dłonią Pearl; półksiężyc przestrzeni między jej brzegiem a blatem stołu zapewnił akurat tyle miejsca, że pająk mógł uciec. Pearl wyobraziła sobie, jak pająk musiał to widzieć: przesuwający się ciemny krąg świata. Rozpinający się horyzont. Światło. Odetchnęła raz jeszcze, a pająk smyrgnął spod filiżanki przez blat kuchennego stołu. Poruszał się jednak w niewłaściwym kierunku, łukiem z dala od Rhetta i z powrotem w stronę Pearl. Jej piskliwy krzyk był tylko częściowo udawany.

Oczy Rhetta podniosły się znad ekranu.

– Spory.

Rzeczywiście był spory. Był spory w stosunku do mniejszych okazów, które Pearl zwykle wrzucała do doniczki pod kuchennym oknem. Inne pająki były jak strzępki szarości czy kłębki kurzu w porównaniu z nim: ten pająk był tak duży, że dało się rozróżnić stawy jego delikatnie ugiętych nóg.

Pearl znalazła pająka tego ranka, gdy wchodziła pod prysznic. Co gorsza, była wtedy naga. Czuła, jakby stworzenie pełzło po jej nagiej skórze, nawet gdy widziała, że siedzi nieruchomo na dnie brodzika, nawet gdy przykryła je filiżanką, więżąc. Co dziwne, wyobraziła sobie jego dotyk najlepiej, gdy wiedziała, że nie może się do niej dostać.

– Złap go! – ponagliła Pearl.

– Ty go złap. Jest obok ciebie.

Pająk zdążył już dotrzeć do krawędzi stołu. Pearl cofnęła się z bezradnie podniesionymi rękami. Stworzenie zniknęło za krawędzią blatu i zaczęło się opuszczać na podłogę po niewidzialnej nitce.

– Tam jest! – wskazała Pearl. – O, tutaj!

Rhett przyglądał się jej z zaciekawieniem.

– Rhett! Proszę!

Westchnął, odsunął krzesło i zrobił dwa długie kroki, z których ostatni wylądował prosto na nieszczęsnym pająku. Oboje wpatrywali się w trampek Rhetta – prawda znajdowała się pod nim. Uniósł stopę i uważnie przyjrzał się podeszwie, krzywiąc się. Na płytce podłogowej widniała ciemna rozmazana plama.

Uniósł brwi.

– Zadowolona?

Potwierdzanie wydało jej się w tym wypadku niewłaściwe.

– Wyczyszczę ci but.

Rhett mruknął niezobowiązująco i zzuł trampek, po czym upuścił go na plamę. Pokuśtykał z powrotem do stołu.

– Nie wiedziałem, że boisz się pająków.

Wydech Pearl w połowie zmienił się we wzdrygnięcie.

– Po prostu nie mogłam go znieść.

Minęło pięć tygodni, od kiedy Pearl uśpiła syna lekami i wykradła próbkę jego komórek, aby przepuścić je przez Apricity. Czego właściwie się spodziewała? Co miała powiedzieć jej maszyna? Aby kupiła mu szczeniaczka? Aby zadbała, by jadł warzywa i co jakiś czas bawił się na dworze? Frazesy macierzyństwa tłoczyły się w jej głowie – przystrzyżone grzywki, swetry przewiązane w talii, łagodne uśmiechy. Wszystkie cholernie bezużyteczne. Gdy wrócił raport satysfakcji Rhetta, Pearl w pierwszej chwili pomyślała, że był pusty. Że jej syn, podobnie jak jego ojciec, był jedną z tych nielicznych osób, których Apricity nie mogła przetestować. Potem zobaczyła ją, przycupniętą, małą i czarną z brzegu ekranu: gwiazdkę.

Gwiazdki były jednym z powodów, dla których Apricity była tak ściśle kontrolowana, a testy przeprowadzali przeszkoleni technicy ds. satysfakcji, tacy jak Pearl, u starannie zweryfikowanych, wysokiej klasy klientów, zaś maszyny trzymano poza zasięgiem ogółu społeczeństwa. Bradley Skrull obstawał przy tym, aby Apricity była czystą technologią, aby zapraszała do świata radość, nie zło. Dlatego też maszynę Apricity zaprojektowano z umieszczonymi w niej zabezpieczeniami – „aniołami w programie", jak zwano je w firmie – które usuwały wszelkie agresywne czy nielegalne działania z planu satysfakcji danej osoby. Te złe pomysły były wymazywane i zastępowane na liście gwiazdkami. Mniej więcej jeden na dziesięć planów, które Pearl wykonywała w ramach pracy, zawierał gwiazdkę, przyczajoną wśród zaleceń. Czasem, choć bardzo rzadko, lista danej osoby zawierała liczne gwiazdki, a Pearl musiała podnieść wzrok znad ekranu i uśmiechnąć się do odbiorcy, jakby niczego nie brakowało.

Pearl wpatrywała się w gwiazdkę przez wiele dni, wyświetlając raport Rhetta na ekranie co pewien czas, aby przekonać się, że rzeczywiście tam był, ten kleks tuszu. Zaczęła zauważać gwiazdkę w innych miejscach: w kropli kawy na stole, w grudce tuszu na końcu rzęsy, w kropkach, które rozbłyskiwały, gdy zamknęła oczy i zwróciła twarz do słońca. To prawda, czasem dostrzegała u Rhetta złośliwość, ale mówiła sobie, że wynikała ona ze smutku, nie okrucieństwa. Gdyby miał kogoś skrzywdzić, tym kimś byłby on sam. Podczas następnego ważenia okazało się, że stracił kolejny funt. Pearl spojrzała na czarne plamki na wadze – każda oznaczała funt. Mrugnęła i wszystkie zmieniły się przed jej oczami w gwiazdki.

– Mamo? – odezwał się Rhett. – Czy mogę już zejść? Mogę zejść z wagi?

Wtedy Pearl podjęła decyzję: pomoże mu.

Element, który maszyna usunęła z raportu Rhetta, mógł być czymkolwiek, od ukradzenia pary trampek ze sklepu po otworzenie ognia na szkolnym boisku. Dlatego Pearl zarzuciła szeroko sieć, dając sobie ogólną dyrektywę: „Rób krzywdę". Cóż, właśnie po to, aby zmusić Rhetta do robienia krzywdy.

Pająk pod filiżanką nie był pierwszą próbą Pearl. Nie zaczęła od zwierząt. Oczywiście, że nie. Zaczęła od wyrządzania krzywdy przedmiotom martwym: zniszczona bluzka (celowo wpadła na Rhetta, aby jego koktajl proteinowy wylał się na nią), wgnieciony zderzak (naleganie podczas ćwiczeń jazdy Rhetta, że ma jeszcze miejsce, aby się cofnąć) i zepsuty model ryjówki (balansowanie nim za łokciem Rhetta, tak, że gdy się przesunął, model spadł i się roztrzaskał). Gdy ryjówka pękła, szklana gałka oczna potoczyła się po podłodze; źrenica wirowała, aż w końcu zatrzymała się, wpatrując w Pearl.

I?

Nic. Bez efektu. Rhett nadal pozostał nadąsany, kąśliwy, nieszczęśliwy. Stracił kolejny funt. I następny. Pearl wiedziała, że wkrótce będzie musiała zadzwonić do gabinetu doktora Singha, nawet dotarła już do momentu, w którym rozłączyła się z recepcjonistką. Poczuła drobną, złośliwą przyjemność, gdy ucięła zdumione: „Halo?" tamtej kobiety.

Pearl zacisnęła zęby i poszła krok dalej, rozumując, że osoby z otoczenia muszą odczuć wyrządzoną przez niego krzywdę. Nalała do konewki wybielacz i przyglądała się, jak w wyniku nieświadomych starań Rhetta rośliny w skrzynce okiennej zbielały i zwiędły. Zaczekała, aż Rhett będzie w okropnym nastroju, aby cisnąć mu w twarz telefon: „Twój ojciec chce z tobą porozmawiać" – a potem nasłuchiwała w przedpokoju, czy nastąpił nieunikniony wybuch. Poświęciła nie tylko rośliny, swetry i uczucia byłego męża, lecz także własne ciało, przecinając nastoletnio nieporadnemu Rhettowi drogę, podstawiając palce stóp pod jego nogi, stając tuż przed drzwiami, gdy właśnie zamierzał je otworzyć.

I?

Rhett wydawał się dotknięty krzywdą, jaką jej wyrządzał, zdeptanymi palcami stóp Pearl i obitym czołem. Ale problem polegał na tym, że było to jej zamierzenie, Pearl, że to ona wyrządzała krzywdę, nie Rhett. Nie, problem polegał na tym, że to zaczęło działać. Rhett był szczęśliwszy. Nie była to kwestia interpretacji. Rhett był szczęśliwszy. Podczas następnego ważenia był cięższy o całe trzy funty – jak dotąd był to jego najlepszy wynik. Znów spotykał się ze swoim kumplem Josiah. Nie dalej jak wczoraj zauważyła okruszki na dywanie u niego w pokoju. Uklękła, przyjrzała się im, podniosła jeden na palcu i spróbowała. Okruszek pochodził z ciastka. Ciastka. Rok wcześniej ze łzami w oczach błagała Rhetta, aby przełknął łyżkę warzywnego bulionu. Jak mogłaby teraz przestać?

Pearl obiecała sobie, że pająk będzie ostatni, że będzie to największa ofiara. A może złota rybka będzie ostatnia. Z pewnością nic większego od złotej rybki.

Pearl pragnęła móc porozmawiać z kimś o raporcie Rhetta. Nie ze swoimi rodzicami, którzy pięć lat wcześniej niespodziewanie przeszli na emeryturę i zamieszkali w ekologicznej wspólnocie w Oregonie. Jako że pozwolili, aby wiek spolerował wszelkie obawy, powiedzieliby jej pewnie, że przesadza, werbalnie poklepaliby ją po głowie. Tak samo Elliot. Nigdy nie miała bliskich relacji z siostrami, które były o ponad dekadę starsze od niej i dlatego bardziej przypominały miłe ciocie niż rodzeństwo. Jej przyjaciele odsunęli się podczas choroby Rhetta i teraz byli dostępni tylko na lunch od czasu do czasu, przysyłali też przesadnie wylewne życzenia urodzinowe. Minęły czasy zażyłości i zwierzeń. Pearl sama czuła się jak samotna na stronie gwiazdka.

Poza tym Pearl chciała porozmawiać z kimś, kto wiedział o Apricity i gwiazdkach. Ale nawet w firmie krzywo patrzono na dyskusje o gwiazdkach. Społeczeństwo nie wiedziało o nich, a Apricity Corporation nie chciała, aby ktokolwiek się dowiedział. Nie pasowało to do sloganu „Szczęście to Apricity". Wchodząc do pracy następnego ranka, Pearl zobaczyła puste biuro po drugiej stronie swojego stanowiska i zrozumiała, że właściwie był ktoś, z kim mogłaby porozmawiać. Znalazła swojego byłego szefa, Cartera, czającego się w pokoju socjalnym.

Niedawno Carter został „przesunięty", jak firma lubiła to nazywać, z pozycji kierownika działu techników ds. satysfakcji na stanowisko zwykłego skromnego technika, takiego jak Pearl. Przyjął degradację jak nadąsany nastolatek – zbyt dumny, by okazać ból, lecz zbyt wkurwiony, aby go ukryć. Pearl jeszcze nie widziała go siedzącego w jego nowo powstałym boksie; przemykał tylko obok niego, aby wyrzucić lub zabrać jakiś przedmiot – wyglądał, jakby przydzielał pracę niewidzialnemu podwładnemu. Ledwie zerkał na swoje stare biuro, które pozostało puste i nieoświetlone, z nieobsadzonym jeszcze stanowiskiem.

Nawet teraz opierał się o blat w pokoju socjalnym z ekranem balansującym na przedramieniu, jakby tylko tędy przechodził. Pearl poczuła to, co często czuła w jego obecności: rozbieżność emocji – irytacji i rozbawienia, odrazy i litości – wszystkiego splecionego w jeden niechlujny wzór.

Zajęła się ekspresem do kawy.

– Chcesz kawy?

– Och! – powiedział, jakby dopiero teraz dostrzegł obecność Pearl, chociaż trudno byłoby mu nie zauważyć jej w niewielkim pomieszczeniu. – Pytasz, czy chcę filiżankę kawy?

Był podejrzliwy co do jej propozycji, i nic dziwnego. Gdy był jej menedżerem i wzywał ją do swojego biura, na jego biurku stały dwie filiżanki kawy. Wskazywał na nie i mówił coś w stylu: „Wiem, że powinienem kazać tobie przynieść kawę, ale właśnie takim gościem jestem!". Pearl nigdy nie wypijała więcej niż łyk, dla zasady.

– Mocno paloną, prawda? – Pokazała kapsułkę.

– Czarniejszą niż smoła.

Przyglądał się jej uważnie. Trzeba było pamiętać o tym, że jak głupio Carter by się nie zachowywał, tak naprawdę nie był idiotą.

Skinęła głową w kierunku jego ekranu.

– Zwolnienia warunkowe i nadzór kuratorski?

Zmrużył oczy. Teraz pomyślał, że próbuje mu dopiec.

Chodziło o długofalowy kontrakt rządowy Apricity i najmniej lubiane przez techników zadanie. Zwykle przekazywali je sobie z tygodnia na tydzień. Jednak wraz z degradacją Carterowi przydzielono sześć miesięcy z rzędu.

Pearl wręczyła mu kawę z, miała nadzieję, uśmiechem współczucia.

– Powinieneś zobaczyć, co kazali mi robić na zajęciach z psychologii. – Skrzywiła się. – I ci profesorowie. Założę się, że mają więcej gwiazdek niż twoi kryminaliści.

Wstrzymała oddech w oczekiwaniu. Czy zbeszta ją za wspominanie o gwiazdkach? Nie straciłby okazji, aby ją zganić. Tak się jednak nie stało:

– Założę się, że mają więcej gwiazdek niż niebo – odparł ochoczo Carter. Wziął napój i uniósł filiżankę w toaście. – Dobra. Rozumiem, dlaczego nigdy nie smakowała ci moja. – Pearl poczuła się winna i poirytowana jednocześnie. Na litość boską, to była kawa w kapsułkach; zawsze taka sama.

– Jak Apricity w ogóle to robi? – Odwróciła się do ekspresu, starając się zrobić wrażenie, jakby to było nieistotne pytanie.

– Co takiego?

Ściszyła głos i zerknęła w kierunku drzwi.

– Wie, które zalecenia zastąpić gwiazdkami?

– A skąd Apricity wie cokolwiek? – zapytał, nie przejmując się ściszaniem głosu. – Skąd wie, co nas uszczęśliwi?

– Od nas. Z naszego DNA. Gwiazdki natomiast są...
osądem. Moralnym osądem.

Wzruszył ramionami.

– To tylko program.

– Anioły w programie – powiedziała, powtarzając
zwrot. Podeszła do drzwi i zamknęła je, chociaż Carter nie
wydawał się przejmować tym, że ktoś mógłby ich usłyszeć.

– Anioły? – Carter wysunął język i prychnął pogar-
dliwie. – Nie bądź głupia. Nie anioły. Ludzie. To działa
tak: firma daje programistom listę zwrotów, a oni piszą
linijkę kodu dla każdej z rzeczy z listy. Gdy maszyna na-
trafi na jeden ze zwrotów, program każe jej zastąpić słowa
gwiazdką.

– A zwroty to...

– Złe rzeczy.

Pearl wzięła swój kubek i przysiadła na krawędzi stołu.

– I ktoś ma taką pracę? Siedzi w pokoju i wymyśla
wszystkie okropne rzeczy, które ludzie mogą zrobić?

– Jasne. „Kopnąć psa". „Ukraść samochód". „Udusić
żonę". Proste.

Pearl się wzdrygnęła.

– Ja sam nigdy nie dostałem gwiazdki – dodał i zerknął
na nią. – A ty?

Potrząsnęła głową.

– Na pewno? – Podniósł ręce. – Nie osądzam!

– Tak, na pewno.

– Ponieważ nigdy nie wiadomo, kto ją dostanie. Zauważyłaś to? Kiedyś była u mnie taka starsza pani, rzadziutkie
włosy, kwiecista sukienka. Filmowa babcia. Same gwiazdki. Cała lista!

– Co zrobiłeś?

– Powiedziałem jej, że maszyna się zepsuła. – Carter
przerwał, wypił łyk i ciągnął: – Zawsze wydawał się takim
miłym i uprzejmym młodym człowiekiem.

Pearl spięła się.

– Kto?

– Nikt konkretny. W wiadomościach sąsiedzi mówią: „Zawsze wydawał się takim miłym i uprzejmym młodym człowiekiem". – Carter smętnie potrząsnął głową. – A potem znajdują trupy w szafie.

Pearl wstąpiła do sklepu zoologicznego w drodze z pracy do domu. Zamierzała kupić rybkę, ale to było zanim postawiła nogę w sali z gadami, z jej wilgotnym jonizowanym powietrzem i niesamowitym fioletowym światłem. Godzinę później wyszła z osiemnastocalową samicą warana i całym potrzebnym jej wyposażeniem. Terrarium, skała grzewcza, lampa grzewcza, gałąź służąca jako schronienie, płytki pojemnik do kąpieli, ściółka do rozsypania na dnie zbiornika – było tego tyle, że sprzedawca musiał pomóc jej zanieść to wszystko do samochodu. Mężczyzna miał nadzwyczaj długą brodę, spiętą co kilka cali różnymi gumkami, niczym ogon cyrkowego kucyka. Jego broda opadła w zaskoczeniu, gdy Pearl wybrała warana. Tak naprawdę Pearl sama była zaskoczona swoją decyzją, ale spodobała jej się ta jaszczurka, z jej skórą przypominającą rzeczne kamyki i żłobionymi fałdami nad oczami. Przypominała jej jeden z modeli, które złożyła, a także wymarłe stworzenia kierowane pradawnymi i brutalnymi instynktami, które były ich mądrością.

– Wie pani, one potrafią liczyć – powiedział sprzedawca, kiwając głową w stronę jaszczurki.

– Może nauczę go arytmetyki.

– Mogłaby pani. I właściwie to jest ona.

– Okej. Ona.

– Przynajmniej tak myślimy.

– Te myszy, które jada, są żywe, prawda?

– Mogą być. Niektórzy mówią, że tak jest bardziej naturalnie. Ale nie musi się pani tym przejmować. Może pani kupić mrożone. Przy jej rozmiarze wystarczą golasy.

– Golasy?

– Golasy to małe myszy. Są, no wie pani, gołe i różowe.

– Rozumiem. Bo nie mają jeszcze sierści.

Potarł kark.

– Wiem. Ciężka sprawa.

– Wezmę pudełko. Żywych.

PEARL ZOSTAWIŁA JASZCZURKĘ w samochodzie.

– Zaczekaj, dziewczynko – powiedziała i poczuła się nieco idiotycznie, mówiąc do niej.

Ze sklepu zoologicznego wysłała esemesa do Rhetta, że wróci do domu z niespodzianką. Nie dostała odpowiedzi, ale domowy system zarządzania poinformował ją, że był w domu. W skrzynce pocztowej Pearl znalazła kolejną niespodziankę – broszury trzech różnych pobliskich uczelni. Parę miesięcy wcześniej wspomniała Rhettowi o złożeniu papierów na studia, ale nie posunęła się tak daleko, żeby poprosić o prospekty, nie po siarczystym spojrzeniu, jakie jej posłał. Czy Rhett mógł sam zamówić broszury? To byłoby robienie sobie zbyt wielkich nadziei. Szkoły zapewne automatycznie wysyłały je do gospodarstw domowych, gdzie mieszkały dzieciaki w odpowiednim wieku. Pearl wsunęła pocztę pod pachę; papier był śliski i błyszczący, twarze uśmiechniętych nastolatków przyciśnięte płasko do skóry jej ręki.

Rhett stał w holu; oddychał szybko, jakby usłyszawszy zgrzytnięcie jej klucza, przybiegł z drugiego końca mieszkania i stanął przed drzwiami.

– Och! Cześć! – powiedziała.

Miał też zaróżowione policzki. Dziwna myśl pojawiła się w głowie Pearl: „Gdyby mój syn był wampirem, znalazłabym mu krew do picia".

– Dlaczego się tak uśmiechasz? – spytał ją.

– Uśmiecham się?

– Twoje usta tak.

Dotknęła kącika ust.

Pearl położyła korespondencję na stole, broszury na górze. Rhett zrobił krok w ich stronę, po czym się zatrzymał.

– Czy ty... je zamówiłeś? – spytała swobodnie, jak najswobodniej.

Zmarszczył brwi.

– Nie rób z tego sprawy.

– Santa Cruz ma piękny kampus. Gdybyś chciał, moglibyśmy tak pojechać.

– Mamo.

– W porządku. Dobrze.

Rhett zerknął na drzwi swojego pokoju – jego częsty tik, jakby był dzikim stworzeniem przyłapanym na otwartej przestrzeni, szukającym drogi ucieczki.

– Zanim pójdziesz – wtrąciła szybko – potrzebuję, abyś pomógł mi przynieść coś z samochodu.

– Twoją niespodziankę?

– Właściwie to niespodzianka dla ciebie.

– Co to jest? – Wyszedł za nią z powrotem na korytarz.

– Pamiętasz, jak powiedziałeś, że chcesz szczeniaczka?

– Miałem siedem lat. To było zanim dowiedziałem się, że psy zjadają własne rzygi.

– Cóż. To nie jest szczeniaczek.

– Mam ją po prostu wrzucić do środka? – spytał Rhett.

– Tak samo jak ostatnim razem – odpowiedziała mu.

Rhett uniósł różową myszkę nad terrarium. Wiła się ślepo w jego uścisku, jaskraworóżowy pędrak. „Bardziej przypomina langustę albo larwę niż mysz", pomyślała Pearl. „Coś wykopanego z mułu". Samica warana, czując posiłek, wystawiła głowę spod gałęzi i zamarła. Nastąpił ruch, a potem bezruch – tak nagłe, jakby w ogóle nie ruszyła się z miejsca.

Rhett zmarszczył nos.

– Chyba nie dam rady.

– Zrobiłeś to już wcześniej.

– Chyba nie dam rady zrobić tego teraz.

– Nie musisz nic robić. Po prostu rozsuń palce.

– Tak, jasne. Ja nic nie robię. Tylko rozsuwam palce, a potem potwór przychodzi i ją zjada.

89

W ciszy między ich słowami słychać było delikatny mięsisty dźwięk skóry ocierającej się o skórę – to pozostałe myszki wiły się w wyściełanym słomą pudełku. „Zrób to", pomyślała Pearl. „Dalej, zrób to". Ale Rhett odwrócił dłoń, bezpiecznie chowając myszkę w swojej dłoni.

– Hej. Zobacz. – Pokazał jej swoją dłoń. – To jak w tej historii.

– Historii?

– O myszy i małżu.

Pearl potrząsnęła głową.

– Nie znasz jej? Myślałem, że to jakiś stary mit albo coś. Una mi ją opowiedziała.

Pearl wzdrygnęła się w duchu, słysząc to imię. Una przytulaczka. Wyobraziła sobie swojego syna w uścisku tej kobiety, jej kończyny niczym stos gałęzi na ognisko. Rachunki przysyłane przez ubezpieczyciela boleśnie klasyfikowały to leczenie jako „hospicjum". Pearl nie lubiła myśleć o tamtym czasie i do tej chwili Rhett nigdy o tym nie mówił.

– Una opowiadała ci historie? – szepnęła.

– Czasami – odparł Rhett, ze wzrokiem skupionym na myszy. – Czasem mi się śniły. Nie zawsze pamiętam, które były które.

Nie było to zaskakujące. Rhett był wycieńczony, wyniszczony gorączkami i dreszczami. Pearl nie mogła się powstrzymać, by nie wyciągnąć ręki i nie dotknąć go – solidnego i całego dziś nastolatka. Nie wzdrygnął się ani nie odsunął, tylko uniósł mysz na dłoni na wysokość oczu, wpatrując się w nią.

– To idzie tak: był sobie chłopiec – zaczął, a Pearl dopiero po chwili zdała sobie sprawę, że opowiadał jej teraz historię Uny – który uczył się, aby zostać wyrocznią... przepowiadać ludziom ich los. W ramach nauki musiał stać w świątyni, zupełnie nieruchomo, i trzymać małża w jednej dłoni, a mysz w drugiej. Ludzie przychodzili i zadawali pytania. I mieli wybór: mogli zwrócić się do jego prawej dłoni i zapytać małża o prawdę, którą chcieli poznać, albo zwrócić się do lewej i zapytać mysz.

Przerwał i czekał, aż zapytała:

– A co mówiła im mysz?

– Prawdę, której nie chcieli znać. – Spojrzał na nią. – Naprawdę nigdy nie słyszałaś tej historii?

– Nie.

– Pewnie Una ją wymyśliła.

Po tych słowach Rhett odwrócił dłoń, a myszka spadła na wyścielane dno terrarium, gdzie leżała, wijąc się. Była tam tylko przez chwilę, zanim waran śmignął do przodu. Pearl i Rhett pochylili się do środka. Trudno było się powstrzymać. To było jak patrzenie na czarodziejską sztuczkę: myszka była i zniknęła. Waran wycofał się pod swoją gałąź.

– Fajne masz tu zwierzątko. – Rhett wstał i wytarł dłoń o nogawkę spodni. – Nawet jej nie pogryzła.

Dokuczał Pearl przez cały tydzień, jak to miał w zwyczaju. Nazwał jaszczurkę Hrabiną Batory na cześć szesnastowiecznej węgierskiej arystokratki, która zabijała służące i kąpała się w ich krwi. Nadawał też imiona myszom do karmienia, zerkając przebiegle na Pearl, każdej od innego odcienia różu: Róża, Goździk, Flaming i tak dalej. A jednak każdego wieczoru, gdy wołała go do salonu, wybierał myszkę z pudełka i ponaglony przez matkę, rzucał ją jaszczurce. Pozostałe myszki wypełniały puste przestrzenie pozostawione przez złożonych w ofierze braci, wijąc się razem pośrodku pudełka w poszukiwaniu ciepła, a może pocieszenia.

Podczas następnego ważenia Rhett był cięższy o 1,4 funta. Zaczął słuchać muzyki przy odrabianiu pracy domowej. W poprzednim tygodniu dwa razy wyszedł ze znajomymi. Dzień wcześniej przy kolacji sięgnął do talerza Pearl i wziął z niego kostkę ziemniaka. Pearl nie odrywała oczu od stołu, ale słyszała to: prawie bezgłośne żucie i przełknięcie. Wyobraziła sobie skrobię i inne cukry w tej małej kostce mięknące, rozpuszczające się, karmiące go.

Nawet teraz Rhett miał w sobie jakąś lekkość, gwar, szum i (powiedzmy to) szczęście. Długimi sunącymi krokami wycofywał się przez salon. „Mam wypracowanie na jutro", powiedział, nawet nie zmuszając jej do zadania pytania, co robi wieczorem. W odpowiedzi nie napomknęła, że nigdy nie widziała go tak zadowolonego w związku z pracą domową, a później, gdy usłyszała pomruk jego głosu zza zamkniętych drzwi, nie pozwoliła sobie, by przystanąć i podsłuchać. Zamiast tego usiadła na kanapie i obserwowała terrarium, wypatrując delikatnego ruchu wśród liści.

NADCHODZĄCY WEEKEND NALEŻAŁ do Elliota. Przed wyjściem do pracy Pearl pocałowała Rhetta w czubek głowy; gdy wróci, on będzie u ojca. Rhett zdążył już wstać i siedział przed swoim ekranem w piżamie. Broszury uczelni przemieściły się ze stolika w holu w róg jego biurka, ale Pearl nie wspomniała o tym. Głowa Rhetta pachniała delikatnie płynem do prania od poszewki na poduszkę – znajomy zapach zmieniony delikatnie wonią jego skóry. Zatrzymała się na chwilę; nie strącił jeszcze jej dłoni z ramienia.
– Będę mógł brać samochód, tak? – spytał.
– Dokąd?
– No wiesz. Na spotkania ze znajomymi.
– Może z jednym znajomym.
– Dobra. Z jednym znajomym.
– Josiah? – spytała.
– Josiah. Jasne.
Uścisnęła ramię Rhetta.
– Ale najpierw musisz zrobić prawo jazdy.
– Załatwione.
Pomyślała znów o gwiazdce – plamie, znamieniu, raku na poza tym czystym ekranie jej umysłu. To nie mogło być nic wielkiego, ta rzecz, którą oznaczała gwiazdka. To mogło być nieistotne wykroczenie. Tyle że… pająk, myszy.

– Na mieście jest ruch – ciągnęła. – Mnóstwo pieszych. Będziemy musieli poćwiczyć uważanie na nich.

Rhett odwrócił do niej głowę; na jego twarzy widać było cień oskarżenia:

– Myślisz, że kogoś potrącę!

– Wypadki...

– ...się zdarzają? – Przerwał jej.

– Ale tak jest.

TYM RAZEM CARTER NIE BYŁ w pokoju socjalnym. Pearl zastała go w małej sali konferencyjnej na drugim piętrze, która była w trakcie remontu. Stół i krzesła wyniesiono, wykładzinę zerwano. Carter siedział na poduszce obok stosu próbników wykładziny, z ekranem balansującym na kolanach.

– Wróciłaś – powiedział, nawet nie podnosząc wzroku. – Nadal oglądasz gwiazdy?

Pearl weszła do pomieszczenia i oparła się o ścianę tuż obok drzwi.

– Zastanawiałam się, czy mógłbyś zdobyć dla mnie... – Zacisnęła usta, nagle niepewna.

– Co?

– Listę.

– Listę?

– Tę, którą sporządzają i przekazują programistom. Zwroty do usunięcia.

– Och. Tę. To raczej książka niż lista.

– W takim razie książkę.

Postawił ekran na podłodze.

– A właściwie teczka.

– Cokolwiek to jest, mógłbyś to zdobyć?

– Ja?

– Myślałam, że możesz mieć dostęp, skoro... – Nie chciała dokończyć: „...byłeś moim szefem".

Carter zaczął układać próbniki wykładziny w małe stosy.

– Mógłbym ją zdobyć.

Pearl zamknęła oczy, starając się stłumić poirytowanie.

– Zrobisz to?

– Nie powinienem. To zastrzeżone informacje. Przeznaczone tylko dla... – wykrzywił usta – menedżerów.

– Och. W porządku. Rozu...

– Ale zdobędę ją dla ciebie. – Ułożył próbniki wokół siebie niczym maleńkie blanki. – Bo... pieprzyć ich. – Błysnął oczami w jej stronę.

Pearl zawahała się, po czym powtórzyła jak echo:

– Pieprzyć ich.

Skinął głową z satysfakcją i położył kolejny próbnik wykładziny na stosie.

Zastanawiała się, czy rzeczywiście zdobędzie dla niej teczkę. Był naprawdę żałosny, gdy chował się w tym pokoju cuchnącym klejem do wykładziny, z podbródkiem zatopionym w tłustej szyi, z fryzurą drogą i tandetną. Na pewno nienawidził jej za udział w jego degradacji. Pewnie da jej teczkę, a potem doniesie, że ją ma. Zwolnią ją.

A gdyby to zrobił? Pearl zorientowała się, że nie obchodziło jej to, o ile najpierw dostałaby teczkę. Uświadomienie sobie, że zrobiłaby wszystko co konieczne, aby dostać to, czego potrzebowała, było boleśnie trudne. Jak wysunięcie ostrych szponów, które wbijają się w twoje dłonie za każdym razem, gdy zwijasz je w pięści.

– Mogłabym w zamian wziąć zwolnienia i kuratorów – zaproponowała.

Carter powoli podniósł głowę; jego oczy przypominały wąskie szparki.

– Chcesz mi coś dać w zamian?

– Hm. Nie. Tak naprawdę nie.

– Wobec tego dlaczego oferujesz?

– Bo myślałam, że tego oczekujesz.

Podniósł dłonie do góry, pokazując jej wnętrza.

– Hej – powiedział. – Dlaczego nie mogę być po prostu porządnym facetem?

JASZCZURKA BYŁA APATYCZNA. Pearl ledwie dostrzegała ją pod gałęzią, ale z tego, co widziała, jej łuski i oczy były matowe. Sprawdziła objawy na ekranie i odkryła, że razem z Rhettem dawali jej za dużo myszy. Jaszczurka potrzebowała równowagi między myszami a owadami. Pearl jak przez mgłę przypomniała sobie, że sprzedawca dokładnie to jej powiedział. Pojechała do sklepu zoologicznego i wróciła z torbą bezbarwnych świerszczy. Wytrząsnęła kilka do terrarium; były jak migoczące konfetti z czułkami. Jaszczurka wydawała się kompletnie obojętna.

Pearl wyjęła swoją Apricity, otworzyła raport satysfakcji Rhetta i uważnie przyjrzała się gwiazdce. Czuła, jakby całe jej życie zostało oznaczone gwiazdką – instrukcje były dość proste, aż dotarło się do dołu strony i odkryło aneks z długą listą uwag.

Rhett był takim dobrym, słodkim chłopcem, z tymi błyszczącymi oczami i łobuzerską czupryną. Należał do tych dzieci, które hołubią nawet nieznajomi, i to nie ze zwykłej uprzejmości. Przez pierwsze sześć lat jego życia, zanim poszedł do szkoły, a Pearl zaczęła pracę w Apricity, byli w domu tylko we dwoje. Pearl i Rhett. Matka i syn. Mały bóg i jego wyznawczyni. Pearl nie mogła niczego załatwić, żeby co kilka kroków nie zatrzymała jej jakaś nowa osoba z tym samym mdłym szerokim uśmiechem co poprzednia. „Czy mogę przywitać się z maleństwem?". Trwało to dalej, gdy Rhett poszedł do szkoły podstawowej. Niejeden nauczyciel pochylał się nad biurkiem podczas zebrań z rodzicami, aby zwierzyć się flegmatycznym szeptem: „Pani syn jest moim ulubieńcem w klasie". Elliot i Pearl rutynowo rozmawiali o tymi, jak zrównoważyć ten nadmiar uwielbienia, aby nie dopuścić, by Rhett wyrósł na egoistę.

– Nie jest czymś, co sami stworzyliśmy – zadumał się pewnego razu Elliot. – Raczej jakby go na nas zesłano. Jak anomalie pogodowe.

I niczym pogoda Rhett się zmienił. Jego nagłe przygnębienie można by było wytłumaczyć jako typowe zachowanie nastolatka, lecz potem przyszło wycofanie, wagary, a następnie zaczął się głodzić. Nie wiadomo było dlaczego. Nie chodziło o ich rozwód, Elliot i Pearl zadbali o rozstanie w przyjaźni; na okoliczność spotkań przywdziewali uprzejmość niczym kamizelki kuloodporne. A może jednak chodziło o rozwód? A może o coś w szkole. A może o chemię mózgu. Albo przekaz otoczenia. Nękanie? Molestowanie?

– Dzieciaki. Dajesz im życie, żeby mogły cię zabić – powiedział z chichotem tata Pearl pewnego razu, gdy zadzwoniła do swoich staruszków, spanikowana i wyczerpana po dniu w szpitalu z Rhettem.

– Tato! – zawołała.

– Co?

– Jestem twoją córką, wiesz?

Przez lata Pearl bezskutecznie próbowała zidentyfikować przyczynę smutku Rhetta. Zawsze, nawet teraz, niewielka część jej umysłu uważnie obserwowała i oceniała, ważyła i odrzucała możliwe wyjaśnienia – jak maszyna, która nigdy nie przerywała swoich obliczeń. Tyle że teraz mogła, prawda? Mogła przerwać. Mogła przestać próbować zrozumieć przyczynę. Ponieważ rodzaj trucizny nie ma znaczenia. Nie, jeśli masz już antidotum, zimną buteleczkę ściśniętą w dłoni.

Pearl otrząsnęła się z rozmyślań ze świadomością, że w pokoju coś się zmieniło. Ćwierkanie. A raczej jego brak. W salonie panowała cisza. Pearl zajrzała do terrarium. Świerszcze zniknęły.

W NIEDZIELĘ WIECZOREM domowy system zarządzania oznajmił, że zarówno Rhett, jak i Elliot wchodzą na górę z holu. Elliot zwykle nie wchodził, gdy odwoził Rhetta – nie dlatego, że on i Pearl unikali się, lecz ze względu na to, że parkowanie w okolicy było koszmarem. Ale Elliot właśnie wpadł do mieszkania z workiem żeglarskim Rhetta przerzuconym przez ramię. Obaj byli pogrążeni w ożywionej rozmowie o – Pearl rozszyfrowała żargon – grze w wirtualnej rzeczywistości. Obaj lubili grać. Wyglądało na to, że spędzili weekend w VRcade.

Rhett przerwał w pół zdania i zwrócił się do Pearl:

– Jak się miewa Hrabina?

– Hrabina? – powtórzyła Pearl.

– Hrabina Elżbieta Batory – odparł ze zniecierpliwieniem.

– Chodzi ci o jaszczurkę? Myślałam, że nazywamy ją Elżbieta.

– Hrabina brzmi ładniej.

– Może być Hrabina – zgodziła się Pearl. – Właściwie powinna teraz dostać mysz.

– Chodź, tato, pokażę ci. To niezły odpał.

Mijając Pearl w drodze do salonu, Elliot przystanął, aby dać jej buziaka na powitanie – w miejsce gdzieś pomiędzy policzkiem a kącikiem ust. Chociaż rozwiódł się z Pearl i ożenił z kochanką, Elliot potrzebował od czasu do czasu zapewnienia, że Pearl wciąż była w nim zakochana. Nie wiedziała, co by zrobił, gdyby kiedyś miała poważnego chłopaka. Pewnie jego też całowałby w kącik ust.

Pearl przyglądała się z progu, jak Rhett wyjmuje myszy i ponagla Elliota, aby jedną wybrał. Dłoń Elliota zawisła nad otwartym pudełkiem.

– Czuję się, jakbym wybierał czekoladkę – powiedział.

– Wszystkie mają to samo nadzienie – zauważył Rhett.

– Fuj.

– Co: „fuj"? Przecież ty i Val jadacie krwiste steki.

– Słuszna uwaga.

Pearl przyglądała się z zafascynowaniem. Było to odwrócenie ról – teraz Rhett był na miejscu Pearl, zachęcając do zabójstwa. Elliot zerknął na Pearl, ociąganie się wyglądało na jego twarzy jak zmarszczki na kałuży. Lady wyłoniła się gładko za szkłem. Jej głowa zwrócona była w bok, ale Pearl nie dała się oszukać; jaszczurka obserwowała ich wszystkich jednym okiem. Elliot wybrał swoją mysz, przytrzymał ją nad terrarium i z grymasem upuścił. Lady podniosła głowę i chwyciła kąsek, zanim spadł na ziemię. Elliot wydał z siebie dźwięk obrzydzenia.

– Też się tak czułem – powiedział Rhett, zakładając pokrywkę na pudełko z myszami. – Ale zrozumiałem, że ona musi jeść, żeby żyć. To nie jest okrucieństwo. To życie.

Czy Pearl powiedziała to Rhettowi? Nie pamiętała, żeby to zrobiła.

– Potem przestało mi to przeszkadzać. – Rhett wstał i odwrócił się od nich, aby odłożyć pudełko na miejsce na półce. – Nie chcę patrzeć, jak głoduje.

Nie powiedział tego z jakimś szczególnym uczuciem, ale zdanie to przebiło Pearl niczym szpikulec. I musiało też zakłuć Elliota, bo szukał jej wzroku.

Rhett, niczego nieświadomy, był już w połowie drogi do wyjścia z pokoju.

– Muszę sprawdzić, co mam zadane. Zdecydowanie za dużo graliśmy w ten weekend. Nie zrobiłem zupełnie nic.

– Wpakujesz mnie w kłopoty u twojej matki – powiedział sztywno Elliot. – Powiedz jej, że to nie moja wina.

Rhett zniknął w korytarzu, z którego zawołał:

– To wszystko wina taty!

W chwili, gdy usłyszeli dźwięk zamykających się drzwi jego pokoju, Elliot wstał i przeszedł przez pokój tak szybko, że przez jedną absurdalną chwilę Pearl myślała, że weźmie ją w ramiona. Ale zatrzymał się o cal od niej i pochylił się nad nią. Elliot miał pewną rzadką cechę: potrafił dominować nad ludźmi, nie zastraszając ich przy tym. Val nazywała go „przyjazną latarnią".

Jeśli Elliot był latarnią, to żarówka, jego twarz, teraz rozbłysła.

– Co jest? – szepnęła Pearl.

– Zjadł z nami kolację.

– Masz na myśli prawdziwe jedzenie?

Elliot skinął głową.

– Nie ten okropny koktajl?

Elliot dalej kiwał głową.

– Śródziemnomorską sałatkę. Ryż. Parę kawałków jagnięciny.

– Jagnięciny? Żartujesz.

– Wcale nie.

– Sałatkę..? – Nie musiała dalej pytać, bo Elliot wiedział, co chciała usłyszeć, i już wyliczał składniki:

– Pomidory, cukinia, bakłażan, cebula, oliwki, pietruszka i sos z oliwy.

W Pearl wezbrało uczucie, które przepełniło jej pierś. Położyła dłonie na policzkach, a potem przeniosła je na policzki Elliota. Nadal kiwał głową. Trzymała tak ręce, które poruszały się wraz z ruchem jego głowy, aż zorientowała się, że płacze. Położyła znów dłonie na swoich policzkach, przyciskając łzy.

Elliot spojrzał w kierunku pokoju Rhetta.

– Nie robiliśmy z tego sprawy.

– Nie, nie. To dobrze.

– I wrócił do tych ohydnych koktajli na resztę weekendu.

– Oczywiście.

– Ale zjadł.

Wypuściła powietrze, jej oddech urwał się po drodze na zewnątrz.

– Próbowałam czegoś i może…

– Val mówi, że się zakochał.

– Co?

Elliot pokiwał głową z ożywieniem.

– Jest przekonana.

– Czy Rhett jej to powiedział?

– Mówi, że widzi oznaki.

– Na pewno – skwitowała Pearl i natychmiast tego pożałowała, bo Elliot ruszył już w jej kierunku, aby ująć jej dłonie, gotowy wykorzystać wszelkie oznaki zazdrości. Ale Pearl nie była zazdrosna, nie o młodą, bezczelną, różowowłosą Val, nie o jej małżeństwo z Elliotem, już nie.

– Gołąbeczko – powiedział Elliot, czarujący i łajający ją.

– Chodzi o to, że on rzadko wychodzi – wyjaśniła. – Dlatego nie wiem, kiedy miałby okazję.

– Może to internetowa miłość.

– A gdy wychodzi, to tylko z Josiah.

Elliot uniósł brwi.

– Może zakochał się w Josiah.

Pearl wyrwała dłonie z jego uścisku.

– Nie wiem, skąd Val bierze te swoje pomysły.

Elliot zachichotał.

– Taa. Ja też nie.

Pearl odwróciła się i spojrzała na terrarium; jaszczurki nigdzie nie było widać.

– To jednak miła myśl, co? – powiedział Elliot za jej plecami. – Że po wszystkim, czego próbowaliśmy, lekarstwem okazała się miłość.

– Jesteś romantyczny – rzekła cicho.

– Nic na to nie poradzę. – Skradł kolejnego całusa, tym razem w miękkie miejsce pod jej żuchwą.

Oparła się pragnieniu, aby odwrócić się i ugryźć go.

Pearl nie musiała szukać Cartera; tym razem to on ją znalazł. Przyłapał ją, jak wychodziła z łazienki i przemykając obok niej, próbował ukradkiem wcisnąć krążek pamięci w jej dłoń. Pearl wyszarpnęła nadgarstek, zaskoczona, a krążek potoczył się po wykładzinie jak moneta. Gdy Pearl zorientowała się, co próbował zrobić – niczym w filmie szpiegowskim – musiała stłumić śmiech. Poza tym może to przypominało film szpiegowski. Nie wiedziała, jakie ryzyko podjął, aby zdobyć folder, ale wiedziała, jakie byłyby konsekwencje, gdyby złapali ich na posiadaniu go.

– Chyba coś upuściłaś – powiedział Carter, podnosząc krążek i podając go jej.

– Dziękuję.

– Co to jest? – spytał.

Rozejrzała się i zobaczyła, że są w holu sami.

– To tylko moneta – odparła, niepewna tej gry.

– Starożytna? Wygląda na starożytną. – Jego oczy nie zdradzały żadnego błysku, żadnego uśmiechu.

– Nie – postanowiła odpowiedzieć. – To zwykła moneta. Jak każda inna.

– W takim razie lepiej ją schowaj – poradził.

– Uhm. Tak zrobię. – Wsunęła krążek do kieszeni. – Dziękuję, że mi powiedziałeś, że ją upuściłam.

Carter na wpół się uśmiechnął, na wpół wzruszył ramionami.

– Nie musisz mi dziękować. Każdy porządny człowiek by tak postąpił.

FOLDER BYŁ STRASZNY. Oczywiście, że był straszny, na wszystkie sposoby, których by się oczekiwało. Po pierwsze: jego rozmiar. Pearl zaczekała do powrotu do domu z jego otwarciem – nie chciała robić tego w pracy – i przekonała się, że plik składał się z ponad tysiąca stron gęstego drobnego tekstu. Uklękła na kanapie, nie pozwalając sobie, by usiąść, i zaczęła przewijać. Same zwroty też były straszne. Straszne były ich różnorodność, okrucieństwo, wiedza, że ktoś każdy z nich wymyślił. Straszne. Straszne. Co jeszcze było straszne? Wiedza, że zwrot Rhetta też gdzieś tu był. Niewiedza, który to z nich.

Plik był też przykry w sposób, którego się nie spodziewała. To, jaki był nużący, a potem to, jak się na niego uodporniła, jak zobojętniała. Tak, to. Jasne, to. Oczywiście. Dlaczego nie to? Poczuła coś dziwnego w głowie, jakby jej myśli były wypowiadane na głos nie jej własnym głosem, lecz przez odległego spikera. Oddychała płytko przez zęby i była przesadnie świadoma każdego mrugnięcia. Potem zadzwonił domowy system zarządzania, oznajmiając, że Rhett wszedł do holu. „Przestań", rozkazała sobie, i tym razem myśl została wypowiedziana jej własnym głosem.

Zmusiła się, by wstać z kanapy i okrążyła pokój, kończąc przy terrarium, ale zamiast się schylić, by zajrzeć do środka, sięgnęła po małe kartonowe pudełko na półce. Przez chwilę trzymała je w dłoniach, potem poluzowała klapki. Ruch z dołu: Hrabina wysuwa się spod gałęzi, widać bystre ślepia. Musiała się nauczyć, że dźwięk otwieranego pudełka oznaczał zbliżający się posiłek. Pearl zajrzała do pudełka. Myszy były odrażające – ślepy falujący węzeł ciał. Przygotowała się, podniosła jedną i położyła na dłoni; leżała płasko na brzuchu, z szeroko rozłożonymi łapkami. Potem zebrała się i zaczęła pełznąć do przodu, węsząc, a Pearl widziała maleńkie wypukłości w miejscach, gdzie miały pojawić się uszy. W dole Hrabina ze zniecierpliwieniem poderwała głowę.

Stojąc tam, Pearl wiedziała, że w niej samej był okruch mroku powiększający się wraz ze wzbierającą złością na Elliota. Na Val. Na Rhetta. Na samą siebie. Na jej własną głupią bezradność. Otchłań jej samotności. Jak dobre było to uczucie, że coś takiego robi, że wyrządza krzywdę, gdy tyle krzywdy wyrządzono jej.

Domowy system zarządzania rozbrzmiał znów, gdy drzwi wejściowe się otworzyły. Pearl podniosła wzrok i ujrzała w progu Rhetta. W wyrazie jego twarzy było coś dziwnego, co z początku uznała za zakłopotanie. Po chwili zobaczyła, że pod zakłopotaniem była oszołomiona duma, szczęście.

– Mamo – odezwał się.

W progu obok niego stanęła dziewczyna; pochylała się do środka bardzo delikatnie, tak, że ich ramiona lekko się stykały. Miała krótkie włosy, związane w drobne zawijasy, i rękaw cienkich bransoletek od nadgarstka do łokcia. Była zakochana. Pearl zauważyła to u nieznajomej dziewczyny tylko dlatego, że widziała to już u Rhetta, którego tak dobrze znała – była to ta sama mina. Oboje byli zakochani.

– Mamo – usłyszała głos Rhetta. – Mamo, to jest Saff.

– Dzień dobry! – Dziewczyna pomachała, potem zastanowiła się i wyciągnęła rękę, a każdemu z jej ruchów towarzyszył akompaniament metalicznych dźwięków, wznoszących się lub opadających, gdy bransoletki przesuwały się w górę lub w dół jej ręki.

102

Mroczny przestwór, który otworzył się w Pearl, skurczył się znów do rozmiaru okruchu, do plamki na jej sercu, do wielkości, którą mogła znieść.

– Witaj, Saff – odpowiedziała Pearl.

Podeszła, aby ująć dłoń dziewczyny, lecz zatrzymała się nagle, gdy zorientowała się, że wciąż trzymała myszkę. Pearl czuła ją w swojej dłoni, małą i szamoczącą się.

5

MIDAS

ELLIOT WŁAŚNIE zabierał się za szóstą miskę miodu, gdy zaczął wymiotować. Miód, który spłynął do jego żołądka doskonałymi kroplami, złotymi lśniącymi bańkami, drżącymi chwilę wcześniej na końcu łyżki, teraz wracał strugami, wpadając z chlupotem do kubła u jego stóp – lepki, brązowy i cuchnący. Gdy rwące mdłości w końcu ustały, Elliot otarł usta, wyprostował się i zobaczył, że wszyscy bywalcy galerii gapią się na niego. Szybko odwracali wzrok w zażenowaniu, jakby to oni, nie on, właśnie zwymiotowali na platformę pośrodku galerii sztuki. Elliot powiedział sobie, że nie czuje żadnego wstydu, kiedy przyglądają mu się, jak rzyga. W końcu właśnie o to chodziło. W tym dziele. W sztuce jako takiej. Aby ktoś przystanął i popatrzył. Uśmiechnął się promiennie do widzów i zdjął kciukiem resztkę wymiocin z kącika ust.

Dwoje dzieciaków mniej więcej w wieku Rhetta podeszło do platformy Elliota. Każde z nich miało pod pachą szkicownik w twardej oprawie, niczym pojedyncze skrzydło. Studenci sztuki. Elliot nosił na studiach identyczny szkicownik i przekonał wtedy kilka różnych dziewczyn, z którymi się spotykał, żeby uprawiały na nim seks. Wszystkie reagowały drobnym protestem – sceptycznym uniesieniem brwi, drwiącym parsknięciem, słowami „chyba kpisz" – ale ostatecznie zawsze udawało mu się namówić ich krągłe tyłeczki, by opadły na chłodną marmurkową oprawę. Choć teraz wydawało się to dziecinne, ten akt nadal podniecał Elliota. Wiązało się z nim pewne słowo, zbyt głupie, by to wypowiedzieć je na głos: „transmutacja".

Chłopak, który podszedł do platformy Elliota, miał okulary w drucianych oprawkach – takie, jakie mógłby wyjąć z etui starszy pan. Dziewczyna omotała włosy kolorową chustą, kilka warkoczyków spływało z czubka głowy niczym lameta na urodzinowej czapeczce. Dzieciaki przyglądały się przedmiotom na platformie Elliota: szklanemu naczyniu z miodem, łyżce, misce, z której jadł. Ich oczy zatrzymały się na cuchnącym wiadrze.

– Myślisz, że ten słój był pełny na początku? – dziewczyna zapytała o naczynie z miodem.

– Cóż, to na pewno jest ściema – odparł chłopak, wskazując na wiadro. Spojrzał na Elliota przez smugi na soczewkach i zamrugał. – Ma tam podpiętą rurę albo coś.

– Do rzygów? Nie, są prawdziwe. Wiem to.

Elliot wziął miskę z miodem i wsunął łyżką kolejną dawkę do ust, modląc się, aby jego żołądek był już dość spokojny, by sobie z tym poradzić. Nagle zapragnął zaimponować tym dzieciakom i zbulwersować je.

Ale dziewczyna tylko zakląskała językiem i powiedziała:

– Proszę pana. Po dzisiejszym dniu nigdy już nie będzie pan w stanie zjeść miodu. Pomyślał pan o tym w ogóle?

W wyrazie jej twarzy było coś, co przywiodło mu na myśl Val. Chodziło o jej oczy; to były oczy Val. Oczy ich wszystkich, zdał sobie sprawę, wszystkie oczy wszystkich ludzi w galerii były oczami Val – błyskającymi, nieprzejrzystymi, niepojętymi. Elliot odłożył łyżkę do miski. Pomyślał znów o wyznaniu Val, a raczej jej wyznaniu, że istniało coś, czego nie chciała wyznać.

„Powiedz mi. Dlaczego nie chcesz mi powiedzieć?".

– „Midas" – chłopak odczytał napis na tabliczce przyczepionej do platformy, a potem na nowo zmierzył wzrokiem Elliota i naczynie. – Chodzi o chciwość. Midas był chciwym królem.

– Nie, wcale nie – odparła dziewczyna. – Midas był gościem, który zabił swoją rodzinę.

Pod koniec dnia mężczyzna, który mógłby być dublerem Elliota – przyjemne papuzie rysy, starannie zmierzwione włosy, wysoki wzrost akceptowalny dzięki przygarbieniu – podszedł i zmrużonym wzrokiem spojrzał na tabliczkę. Gdy przeczytał napis, zasalutował zawadiacko do niego i oznajmił:

– Wszystko, czego się tknę, też zmienia się w rzygi.

Elliot się uśmiechnął; zakotłowało mu się w żołądku.

PLAN SATYSFAKCJI APRICITY: Jedz miód.

– Jedz miód.

Właśnie to powiedziała moja Apricity. Jeśli w ogóle była to prawdziwa Apricity. Gwen i ja siedziałyśmy w parku w pierwszy nie tak chłodny dzień wiosny, wilgoć z ziemi ciągnęła przez koc, gdy ten człowiek podszedł do nas ze swoją gładką srebrną skrzynką. Gwen rozpoznała maszynę, zanim mężczyzna zdradził nam, co to jest. Niektórzy z bogatych klientów Gwen robili sobie test Apricity, nie żeby któryś z nich stał się dzięki temu szczęśliwszy, powiedziała, ani trochę. Mężczyzna wyjaśnił, że jest artystą i że robi ludziom test Apricity w ramach projektu artystycznego. Tyle że nie nazwał tego projektem artystycznym. Nazwał to „kawałkiem".

A ja pomyślałam: „kawałkiem czego"?

Zapytał, czy mógłby zrobić nam test. Kręciłam głową, że nie, podczas gdy Gwen pokazała mu, aby usiadł.

Mężczyzna ukląkł i skrzywił się, gdy wilgoć z naszego koca przesiąkła materiał jego spodni na kolanach. Powiedział nam, że tylko pobierze wymaz z policzka i zadba o naszą anonimowość, i że my też dostaniemy wyniki. A jednak nie było łatwo się zgodzić. Wiedziałyśmy, że wyniki Apricity mogą być kłopotliwe, a nawet zrujnować komuś życie. W brukowcach ciągle pojawiały się jakieś kompromitujące historie dotyczące wyników Apricity celebrytów i polityków.

Ale Gwen spojrzała na mnie, a ja spojrzałam na Gwen, i było to to samo spojrzenie, które wymieniłyśmy, zanim zwinęłyśmy tamten samochód, który ktoś zostawił z uruchomionym silnikiem przy chodniku, i jeździłyśmy nim po całym mieście; to samo spojrzenie, co w dniu, gdy ustaliłyśmy, że powiemy naszym szefom dupkom w naszych nudnych biurach, aby poszli do diabła; to samo spojrzenie co w nocy, gdy upiłyśmy się tanią wódką współlokatorki Gwen i poszłyśmy do łóżka, o czym nie rozmawiałyśmy później i co już nigdy więcej się nie zdarzyło.

A zatem zrobiłyśmy to. Pozwoliłyśmy nieznajomemu w parku, aby przeprowadził nasze testy Apricity. A jedną z rzeczy, które powiedziała mi maszyna, było: „Jedz miód". Dlatego zjadam łyżkę każdego wieczoru przed snem.

Gwen nie chciała pokazać mi swoich wyników, więc nie wiem na pewno, co maszyna jej powiedziała, ale kilka dni później w parku wyrzuciła swoją współlokatorkę i poprosiła, abym wprowadziła się zamiast niej. Teraz co jakiś czas wyciąga rękę ze swojej strony łóżka i przesuwając dłoń pod moją koszulką mówi: „Chodź, cukiereczku. Podaj tu tę łyżkę".

VAL NIE PRZYSZŁA NA PIERWSZY DZIEŃ instalacji, ponieważ od zawsze wymiotowała współczulnie. Rwały ją mdłości, gdy Elliot wypluwał odrobinę chrząstki w serwetkę. Rwały ją mdłości, gdy kot wykrztusił kłaczek sierści. Rwały ją mdłości, gdy myła zęby. Obiecała, że przyjdzie do galerii, gdy Elliot skończy, i razem wrócą pociągiem do domu. Ale te plany powstały poprzedniego dnia po południu, przed wyznaniem Val, które nie było wyznaniem, i ich kłótnią, która nie była kłótnią. A teraz część Elliota, część, która nabrała pewności przez ostatnie trzy godziny spędzone na wymiotowaniu na scenie, zaczęła myśleć, że Val jednak wcale się nie pojawi. Nieznajoma obawa. Elliot zawsze przyjmował za pewnik, że ktokolwiek, z kim miał się spotkać, będzie czekać na niego na miejscu, wypatrując w tłumie jego twarzy. Gdy zatem usłyszał ryczący śmiech Val z frontowej sali galerii – cudownie ordynarny śmiech u delikatnej, poza tym, kobiety – zaskoczyła go moc ulgi, którą poczuł. Uczucie to pochodziło z głębi, z trzewi, podobnie jak rzyganie.

Elliot znalazł Val przy recepcji, gdzie plotkowała z Nitą. Zanim zdążyła się odwrócić i go zobaczyć, objął jej ramiona i ucałował czubek jej różowawego pazia. To też był element spektaklu, a Val musiała to wiedzieć, ale pozwoliła, aby ją poczochrał. Nita przyglądała się im z beznamiętną miną.

– Co tym razem opowiadasz mojej żonie? – Elliot zapytał nad czubkiem głowy Val.

Nita błysnęła zębami w uśmiechu.

– Nie twój interes.

Przyjaźń między tymi kobietami była oparta na kompromitujących historiach o Elliocie ze studenckich czasów jego i Nity. Nita udawała, że wyjawia w nich wszystko, lecz tak naprawdę była dyskretna, wymazywała z tych opowieści wszelkie wzmianki o Pearl. Nie żeby Val kiedykolwiek okazała choćby cień zazdrości w związku z Pearl czy jakąkolwiek inną kobietą; było to coś, z czego Elliot był dumny – ta pewność siebie jego młodej żony. Dziś jednak czuł, jakby brak pewności ominął Val tylko po to, by krążyć uporczywie wokół niego.

– Właśnie dlatego plotkujące kobiety porównuje się do kur – oznajmił Elliot. – Gęsi. Kuropatw. Drobiu grzebiącego.

– Drobiu? – powtórzyła Nita.

– Mówisz jak seryjny morderca, miodku – zauważyła Val.

– Gdybyś mogła nie wspominać o miodzie. – Elliot skrzywił się i chwycił za brzuch.

Val zmarszczyła twarz, zatroskana, i dotknęła jego ręki. Elliot poczuł koniuszki jej palców, maleńki ucisk każdego z nich.

– Było tak strasznie?

Zastanawiał się, czy teraz wyjawiłaby mu swój sekret. Spojrzał w dół w poszukiwaniu odpowiedzi w jej twarzy, ale ujrzał tylko czubek jej głowy, różową czuprynę z białą ścieżką przedziałka.

– Nie użalaj się nad nim – zwróciła się Nita do Val. – Sam to sobie robi.

– A ty pokazujesz to w swojej galerii – odparował Elliot, pomijając fakt, że Nita przyjęła jego instalację do swojej maleńkiej galerii w domu kultury (i to po tym, jak odrzuciły ją wszystkie pozostałe galerie w mieście) jedynie z uwagi na ich wieloletnią przyjaźń.

Elliot przechodził okres twórczego odłogu – jak określiła to Val – od kiedy ukończył swoją serię *Valeria*. W ciągu następnych dwóch lat z okładem wypełniał notatniki bazgrołami i szkicami, które jedynie tkwiły na stronach; ględził w nieskończoność na zajęciach z młodymi skupionymi studentami sztuki i trwonił stypendia miesiącami.

W przeciwieństwie do swoich rówieśników Elliot nigdy nie darzył bycia artystą jakimkolwiek szacunkiem. Jako dzieciak lubił mieć zajęte ręce i bawił się czymkolwiek, co się przed nim postawiło. Na pierwszym roku studiów zapisał się na zajęcia ze sztuki, aby spełnić wymóg, a potem bezceremonialnie wybrał sztukę jako główny kierunek. Rodzice nawet nie mieli nic przeciwko temu. Jego siostra Mallory dokonała rozsądniejszego wyboru i została prawniczką. Poza tym jego rodzice byli dość zamożni, aby dziecko zajmujące się sztuką traktować jako symbol statusu – jak wakacyjny dom za granicą. Elliot zwyczajnie był artystą. Żadnego tygla, ciężkich prób ani duchowego powołania. Sztuka była po prostu czymś, w czym był dobry, za co zbierał pochwały, a więc zajął się nią na stałe. Znał się też na biznesie sztuki, całej tej machinie. Wypełniał swój czas zamówieniami i grupowymi wystawami, przyjęciami po nich, plotkami z towarzystwa; przypominał szklany słój z ziarnami fasoli – jeden z tych, które pozwalają ci zdobyć nagrodę, jeśli zgadniesz, ile ziaren jest w środku. Po *Valerii* Elliot zaczął myśleć, że się skończył, że słój opustoszał – brakowało mu dobrych pomysłów. A jednak nie czuł się tak źle, jak mógłby się tego obawiać. Właściwie nie czuł się o wiele inaczej niż wtedy, gdy słój był pełny.

Aż pewnego dnia wpadł na pomysł. Pojechał do Pearl po Rhetta i zobaczył jej Apricity stojącą na stole tuż obok porzuconych rękawiczek. Przypomniał mu się slogan, wypowiadany głosem aktora z reklam: „Szczęście to Apricity". *Midas* był pierwszym dziełem Elliota od trzech lat.

– Jasne, że to wystawię – powiedziała Nita. – Myślisz, że darowałabym sobie oglądanie, jak wyrzygujesz bebechy na podłogę?

PO POWROCIE do domu Val usiadła na kuchennym blacie i zajęła się przenoszeniem makaronu z pudełka na wynos do swoich ust. Elliot darował sobie kolację; w jego żołądku nadal kotłowała się mieszanka miodu i kwasu. Ukląkł na dywanie przy Val i zaczął układać na nim paski kaszmiru i wikunii, aby przećwiczyć owijanie się nimi przed pokazem następnego dnia.

Elliot pracował nad *Midasem* przez wiele miesięcy. Pożyczył wycofaną z eksploatacji maszynę Apricity od Pearl – zażądała jego podpisu na tuzinach formularzy, praktycznie musiał obiecać, że odetnie sobie lewą rękę, jeśli zgubi albo zepsuje to cholerstwo – i zebrał raporty satysfakcji od kilkuset osób. Czuł, jakby nie tyle tworzył sztukę, co przeprowadzał sondaż. Elliot lubił jednak rozmawiać z obcymi ludźmi, podchodzić do nich na targu albo na ulicy, wygłaszać swoją gadkę, zgłębiać ich pragnienia. Do właściwego dzieła Elliot wybrał z setek raportów Apricity siedem zaleceń do realizacji w ciągu tygodnia, po jednym na dzień. Dziś był miód, jutro będzie wikunia.

Elliot chwycił koniec paska wikunii i owinął nim rękę, po czym zatknął drugi koniec za zwój na wysokości bicepsa. Następnym paskiem owinął ramię i szyję. Uznał, że najsensowniej będzie działać z dołu do góry – najpierw stopy i nogi, potem tors i ręce, a głowa na końcu.

– Hej, spójrz. To doskonałe jedzenie do tego, co robisz. – Val pokazała mu zbitkę klusek uwięzioną między pałeczkami. – Widzisz? Jak maleńkie bandaże.

– To nie są bandaże – odparł.

– Cóż – rzuciła Val tonem: „Ależ są".

Val zawsze dostrzegała schematy. Miała oko artystki; Elliot powiedział jej to, ale wydawała się obojętna na ten komplement. Val pracowała jako wolny strzelec – wymyślała nazwy. Jej praca polegała dokładnie na tym: firmy zatrudniały ją, aby wybrała nazwę dla tworzonego działu, planowanej konferencji, produktu wprowadzanego na rynek. Obejmowało to więcej, niż można by pomyśleć: badania, język, grupy fokusowe. Do tego dochodził oczywiście nieomylny instynkt Val, gdy stawała wobec pytań, czy samochód powinien nazywać się Tornado czy Tempest, czy nowy oddział firmy ma być zwany kolektywem czy departamentem, czy antydepresant ma mieć w nazwie miękkie sylaby czy spółgłoski szczelinowe. Dostawanie tysięcy dolarów za wymyślenie słowa czy dwóch mogło się wydawać niedorzeczne, cóż – jednocześnie było takie i nie było. Właściwie to Val nadała nazwę bieżącemu dziełu Elliota. *Midas*.

„Midas był gościem, który zabił swoją rodzinę".

– Pomożesz mi trochę? – spytał Elliot. Zawinął pasek aż do palców i miał kłopot z zatknięciem końca.

– Jutro nie będę mogła ci pomóc – uprzedziła go Val.

– Po prostu będę musiał coś wykombinować.

– Twarz też owiniesz?

– Oczywiście.

– Hm.

– W przeciwnym razie nie miałoby to sensu.

– Może powinieneś owinąć ręce na końcu?

– Myślę nad tym – powiedział, tym razem pewnym tonem.

Val westchnęła i zeskoczyła z blatu. Chwyciła koniec paska, zawahała się, po czym potarła twarzą o tkaninę, zupełnie jak ich kot.

– Boskie. Powtórz, co to jest?

– Wikunia.

– To królik?

– Gatunek wielbłąda.

– Miękki gatunek.

Zamknęła błogo oczy; firanki rzęs spoczęły na policzkach. Do serii *Valeria* Elliot wykonał gipsowy odlew twarzy Valerii, odcisnął ją w glinie, odłupywał drobinki, aż wyłoniła się na powierzchni bloku marmuru. Ułożył krajobraz jej twarzy z roślin, z płytek metalu i z maleńkich bolców, z syntetycznej skóry wyhodowanej w solankowej kąpieli. Ale gdy teraz na nią patrzył, zorientował się, że rysy twarzy jego żony stały się dla niego nieznajome, poza tym kształty, ułożone w jednej ramie, nie pasowały jeden do drugiego. Elliot odwrócił wzrok. Myśl, że mimo wszystko mógł jej nie znać, była dla niego bolesna.

Z pewnością był to zły moment, by powiedzieć:

– Po prostu mi nie powiesz?

Val przez chwilę miała zamknięte oczy. Od środka jej powiek rozchodziły się drobne żyłki, lśniąco różowe, jakby podświetlone z wnętrza głowy. Potem otworzyła je i przyglądała mu się w milczeniu.

Zatknęła koniec tkaniny za zwój na jego ręce, jej palce delikatnie drapnęły wnętrze jego dłoni, po czym szybko wróciły na blat i podniosły kolejną porcję makaronu.

– A jeśli powiem, że tego nie zrobię? – odparła, żując.

– Nigdy?

– Uhm. Nigdy przenigdy.

– Wobec tego pozostanie mi zastanawiać się… – Wskazał niejasno dłonią mumii. – Nie dowiem się.

– A gdybym powiedziała, że wczoraj w nocy skłamałam? A gdybym powiedziała ci, że powiedziałam to tylko po to, aby sprawdzić, jak zareagujesz?

– A było tak?

Wzruszyła ramionami i zerknęła do swojego pudełka. Znał ją jednak, a przynajmniej znał ją dość dobrze, aby wiedzieć, że napięcie jej karku i ust oznaczało, że nie skłamała. Serce Elliota zaczęło łomotać pod paskami tkaniny, która nie przypominała mu już bandaży, lecz nici sieci.

Oto, co wydarzyło się poprzedniej nocy:

Elliot i Val pili do późna. Val była wciąż dość młoda, by traktować alkohol rekreacyjnie, nie znieczulająco, i wieczory aż nazbyt często kończyli ze szklankami topniejącego lodu. Elliot uznał, że pokaz z jedzeniem miodu na kacu był w porządku; właściwie kac pomógł mu go zwrócić.

Omawiali pusty test Apricity Elliota. Pusty, gdy po raz pierwszy zrobił go przed laty, i pusty teraz. Niewiele ponad dwa procent społeczeństwa uzyskiwało puste wyniki, Pearl wyjaśniła mu to pospiesznie, przepraszająco, jakby martwiła się, że brak rezultatu go zaniepokoi. A Elliot uznał, że właściwie nie ma nic przeciwko. Lubił ideę czystej karty. Niezapisanej strony. Wampira patrzącego w lustro.

– Może jesteś już tak szczęśliwy, jak to możliwe? – rzekła Val, kręcąc szklanką; kostki lodu ścigały się po dnie.

– Mnie uszczęśliwiasz ty – odparł automatycznie. Gdy nie odpowiedziała czymś podobnym, podniósł wzrok i ujrzał jej oczy pełne łez. – O co chodzi? Val? Co się stało?

– Zrobiłam coś złego – wyznała.

I NIE CHCIAŁA POWIEDZIEĆ NIC WIĘCEJ. Gdy próbował zapewnić ją, że nie może to być aż tak złe, znowu się rozpłakała. Gdy stwierdził, że kocha ją niezależnie od wszystkiego, rozpłakała się jeszcze bardziej. Mimo to nie chciała powiedzieć, co zrobiła. Zapytał ją, oczywiście; pytał ją w kółko, a ona wciąż kręciła głową. Gdy to nie zadziałało, zaczął zgadywać; potem udawał, że go to nie obchodzi, a w końcu zaczął błagać, aby mu powiedziała. Niepokój związany z płaczem Valerii przerodził się w niedowierzanie, że nie chciała mu powiedzieć, potem w grę mającą na celu zmuszenie jej do wyznania, w końcu – w niespodziewanie głęboką studnię goryczy. Goryczy i whisky. Zostawił dla niej żonę. Swojego syna. Wyrzeźbił jej twarz w metalu, marmurze, drewnie i pokazał ją światu. Czego nie chciała mu powiedzieć? Na podzielenie się z nim jaką tajemnicą nie zasługiwał? W końcu Elliot poszedł spać obrażony. Gdy się obudził, Valeria zdążyła już wyjść do pracy. Rzeczywiście miała w grafiku poranne spotkanie.

Tego dnia na platformie Elliot postanowił, że nie będzie już prosił Val, aby wyznała mu swój sekret – dzięki temu może w końcu to zrobi. Czuł się tak, jakby stał nieruchomo w zaułku, próbując nakłonić do powrotu do domu kota, który czmychnął kuchennymi drzwiami. Ale teraz znów ją pytał, a Val nadal nie odpowiadała, tylko jadła makaron i wydawała się kompletnie niewzruszona.

Tej chwili towarzyszyło pewne znajome uczucie; Elliot ze ściśniętym sercem zrozumiał, że doświadczył go już wcześniej, tylko z innej perspektywy. Rozpoznał we własnym głosie rozpaczliwą melodię głosów swoich byłych dziewczyn, w tym Pearl, gdy w końcu wyczuły, że z nimi zrywa. Elliota w tym momencie ogarniał bezruch i tylko przyglądał się, jak szukają punktu zaczepienia, by odzyskać to, o czym wiedział, że już się skończyło i zniknęło.

– Naprawdę nigdy mi nie powiesz? – spytał Val, starając się opanować drżenie w głosie.

Stuknęła pałeczkami.

– A jeśli nie powiem?

– Cóż. – Zamyślił się: co by się stało, gdyby nigdy się nie dowiedział? – Byłbym zmuszony wyobrazić sobie najgorszy scenariusz.

Wydęła usta.

– Mógłbyś też wybrać najlepszy.

– Miałaś romans? – Z początku powiedzenie tego wydawało się niedorzeczne, a potem nagle poczuł, że właśnie to musiała zrobić. – O to chodzi, prawda?

Roześmiała się, lecz nie był to prawdziwy śmiech. Po prostu powiedziała:

– Ha!

To „ha!" oznaczało, że to Elliot był osobą zdolną zdradzić, a Val o tym wiedziała. Wiedziała bo zdradzał z nią Pearl, gdy nadal był jej mężem. Dlatego należałoby mu się, gdyby Val odpłaciła mu tym samym. W żołądku Elliota zawirował mdlący miodowy płyn. Och, jakie to było żałosne!

– Czuję – zaczęła ostrożnie Val – że jeśli odpowiem „nie" na jeden z twoich domysłów, będziesz miał powód, aby zgadywać dalej. Potem w końcu możesz zgadnąć właściwie, a ja nie będę mogła już odpowiedzieć „nie".

– Odpowiedz tylko tym razem. Nie zapytam o nic innego. Jeśli rzeczywiście zdradziłaś mnie, wybaczam ci – dodał odruchowo, zanim zdążył się zastanowić, czy to prawda.

– To wspaniałomyślne z twojej strony, kochanie, ale nie zdradziłam cię. Właściwie nie ma to nic wspólnego z tobą.

– A więc chodzi o coś, co zrobiłaś, zanim się poznaliśmy?

– Widzisz! – Wskazała na niego. – Co mówiłam? Dalej zgadujesz!

– Nigdy nie powinnaś była mi mówić, że coś się stało, jeśli nie zamierzałaś wyznać co!

Elliot wstał i zaczął odwijać paski tkaniny z kończyn; rzucał je na podłogę z żalem, że nie uderzają o nią z hukiem, zamiast lądować na niej bezszelestnie, bezwładnie. Przez cały dzień zżerała go ciekawość, niepokój, niepewność i żal, ale to – to wszystko! – było niewłaściwe. Gniew. Gniew był odpowiednią reakcją. Elliota wypełnił gniew – kipiący, słuszny. Aż podniósł wzrok i zobaczył Val z kolanami podciągniętymi do piersi, z twarzą wtuloną pomiędzy nie; wyglądała jak mała dziewczynka chowająca się przed światem. Jego gniew odpadł jak łuska.

– Nie zamierzałam ci powiedzieć – rzekła stłumionym głosem. – Nigdy. Wiedziałam, że nie powinnam. Ale... – Podniosła głowę; na czole miała odciśnięte kolana. – Chciałam, żebyś wiedział...

– To powiedz mi! Możesz mi powiedzieć.

– …trochę – przerwała mu. – Chciałam, żebyś wiedział trochę. Czy możesz zadowolić się tym, że będziesz wiedział tylko trochę?

Przynajmniej położyli się razem do łóżka. Elliot wiedział, że Val specjalnie nie kładła się spać, żeby z nim zostać. Zwykle kładła się pierwsza, a on żeglował w noc ze swoim ekranem i wchodził do sypialni chwiejnym krokiem dopiero przebudzony o świcie, po tym, jak zasnął na kanapie. Tej nocy leżeli po swoich stronach łóżka, z niczego nieświadomym kotem zwiniętym w kłębek u ich stóp. Światło ulicznych latarni wciskało się do pokoju z żółtym blaskiem i cichym pomrukiem. Czasem, aby pomóc sobie w zaśnięciu, Elliot zamykał oczy i wyobrażał sobie, że znajduje się w olbrzymim inkubatorze, zautomatyzowanej macicy, która tworzyła go, co noc budowała kolejną warstwę.

– Może łatwiej ci będzie, jeśli powiesz mi w ciemności – rzekł.

Przez sekundę myślał, że może mu odpowie. Przez kolejną sekundę myślał, że już zasnęła. Potem, jednym zamaszystym ruchem, Val odwróciła się i zwinęła wokół niego, zarzucając na niego nogę i rękę, i ukryła twarz w jego ramieniu. Przywarła do niego tak mocno, że zabolało go w miejscach, na które naciskały jej nos i kolano.

– Może ukradłaś jakieś pieniądze – podsunął i dodał: – Może nawet nie dlatego, że naprawdę były ci potrzebne, po prostu miałaś na to ochotę.

Nie odpowiedziała ani nie rozluźniła uścisku.

– Może potrąciłaś kogoś samochodem.

Brzęczenie ulicznych latarni zdawało się narastać.

– Może piłaś. Może dlatego nie zatrzymałaś się, żeby sprawdzić, jak bardzo został poszkodowany. A może to zrobiłaś, a on już nie żył.

– On? – mruknęła.

– Może nie był martwy, ale i tak odjechałaś. Może zmarł potem, ponieważ pomoc przyszła za późno. Może nawet nie zadzwoniłaś po pomoc, bo wiedziałaś, że wyśledzą twój numer. Może widziałaś jego twarz w nekrologach. Może był młody. W wieku Rhetta. Może odnalazłaś jego matkę i chodziłaś za nią po supermarkecie, zawsze trzymając się jedną alejkę dalej.

Wypowiedziała imię Elliota w jego ramię, ale gdy przerwał, aby dać jej szansę, by powiedziała więcej, milczała.

– Może upuściłaś banknot dwudziestodolarowy na podłogę w sklepie, aby jego matka go znalazła. Ale przez to poczułaś się jeszcze gorzej, bo dlaczego nie studolarowy? Ale jakie znaczenie miałoby sto dolarów? Obraźliwe jest nawet zastanawianie się nad kwotą. Co w ogóle mogłoby wystarczyć?

Przerwał.

– Co jeszcze? – spytała cicho.

– Co?

– Co jeszcze mogłoby to być?

Tak więc ciągnął w noc, wymieniając różne akty przemocy i zdrady, aż zorientował się, że jej kończyny stały się bezwładne, oddech równy. W pewnym momencie podczas jego litanii zasnęła. Popatrzył na jej twarz, uroczą we śnie, a potem otulił ją kołdrą.

Rano przeszli przez rutynowe czynności bez wzmianki o minionej nocy ani poprzedniej. Po lunchu Val odprowadziła Elliota do galerii, gdzie pomogła mu złożyć paski tkaniny w starej walizce, aby mógł je wyciągnąć we właściwej kolejności, gdy znajdzie się na platformie.

Tego dnia poszło łatwiej niż poprzedniego. Procedura owijania przebiegła tak, jak ćwiczył ją Elliot, a jedynym fizycznym dyskomfortem była odrobina potu. „Robię to”, pomyślał drętwo, owijając się. „Robię to”. Val i Nita co jakiś czas wchodziły i wychodziły z sali, wybierając punkt obserwacyjny w ustronnym kącie. Podczas gdy zwiedzający obserwowali Elliota z różnym poziomem zainteresowania i konsternacji, nikt nie patrzył na niego z odrazą, jak dzień wcześniej. Gdy Elliot owinie twarz, w ogóle nie będzie widział ich min.

Tuż przed tym, jak położył pierwszy pasek tkaniny na oczach, Elliot zauważył mężczyznę z brzegu zwartej grupki ludzi; stał jakby na uboczu. Wystukiwał coś na ekranie. Krytyk sztuki? Możliwe. Nita wysłała zaproszenia do lokalnych gazet i blogerów. Tak się to zaczęło z serią *Valeria*; przychylne recenzje na kilku uznanych blogach prowadziły do zaproszeń od galerii, te do instalacji w muzeach, a te z kolei do pokaźnego grantu. A jego następne dzieło miało być jeszcze lepsze, zapewniano go. A może to on ich zapewniał? Nigdy nie był głodującym artystą, ani nawet lekko głodnawym. Oczywiście matka przelewała mu co miesiąc pewną sumę na konto, aż w końcu obdarowała go dużą kwotą na dwudzieste piąte urodziny. Poza tym płynął od zlecenia przez stypendium po finansowany wypoczynek z kilkoma przerwami pomiędzy. „Oczywiście", mówili jego przyjaciele, gdy udało mu się zdobyć następne zlecenie. „Oczywiście, że to Elliot to dostał". Najtrudniejsze w ciągu ostatnich kilku lat były nawet nie same odmowy, lecz niewiedza, na co zrzucić winę za nie. Czy była to wina Elliota i tego, że nie tworzył dobrej sztuki? Czy była to wina zamawiających w galerii, że nie poznali się na tym, iż jego sztuka była rzeczywiście dobra? Czy była to (w jakiś sposób) wina Valerii, że było to jedyne dobre dzieło sztuki, jakie stworzył?

Przez tkaninę Elliot widział tylko cienie przechodzących przed nim ludzi; gdy czasem przystawali i przyglądali się mu, plama rosła w jego polu widzenia. „Midas", odczytywali z kartki i dodawali: „To ten król. Ten z dotykiem". W pewnej chwili jakaś postać stanęła naprzeciwko Elliota i pozostała tak nieruchomo przez wiele minut. „Val?" – chciał zawołać przez tłumiące go bandaże, ale powstrzymał się przed wypowiedzeniem jej imienia.

PLAN SATYSFAKCJI APRICITY: Owiń się najdelikatniejszą tkaniną.

– Brzmi jak wróżba z ciasteczka – powiedziałem do tego gościa. Elliota. Tego z maszyną. – „Najdelikatniejszą tkaniną". Brzmi jak podróbka. To nie jest prawdziwa Apricity, prawda? To generator przypadkowych fraz. Ustawiasz go i sprawdzasz nasze reakcje. Na tym polega projekt artystyczny, prawda? Nie nabierzesz mnie. Czytałem o takich rzeczach.

– Nie, nie, jest prawdziwa. Będzie w galerii – zapewnił mnie gość z maszyną i pokazał nazwę firmy wytłoczoną na przedmiocie, jakby tego nie dało się podrobić.

Od razu wydał mi się śliski. Ten gość z maszyną. Za wysoki. Zbyt przygarbiony. Jakby łaskawie pochylał się, by ze mną porozmawiać. Pewnie tak było, skoro mógł trwonić czas, udając, że to jego prawdziwa praca. Dorosły facet!

– Jeśli mi nie wierzysz, przyjdź na pokaz, gdy będzie otwarty. – Podniósł „maszynę" z moim „rezultatem" wyświetlonym na ekranie. – Twój jest interesujący. Być może go wykorzystam.

– Pozwól, że doprecyzuję – powiedziałem. – Owiniesz się tkaniną i nazwiesz to sztuką.

– Mniej więcej. Ale zrobię to do potęgi n-tej.

– N-tej?

– Z przesadą.

– Wiem, co to znaczy.

– W wypadku twojego wyniku owinę się jak mumia delikatną tkaniną, aż ledwie będę mógł oddychać. Chodzi o to, aby zemdliło mnie ze szczęścia.

– I o nazwanie tego sztuką.

– I o nazwanie tego sztuką – powtórzył. – Zamówię do tego specjalną tkaninę. Kaszmir. Albo coś delikatniejszego od kaszmiru, jeśli coś takiego istnieje. Cokolwiek będzie najdroższe.

– Cokolwiek będzie najdroższe. Hm. Nie wątpię.

– Mogę wysłać ci tkaninę po zakończeniu pokazu. Chciałbyś?

– Dlaczego miałbym tego chcieć?

– Bo maszyna mówi, że tak jest.

– Zróbmy wszystko, co mówi maszyna, i przekonajmy się, gdzie wylądujemy! – rzekłem do niego, a potem wróciłem do domu i szpilką nakłułem każdy z moich palców do krwi, jeden po drugim – bo mogłem, do cholery.

ELLIOT ZOSTAWIŁ VAL W SPOKOJU przez kilka dni, a jej zdawało się to odpowiadać. Jeśli miał nadzieję, że wyjawi mu swój sekret, przeliczył się. Nie rzucała mu też żadnych spojrzeń, które wyrażałyby poczucie winy, tęsknotę czy wdzięczność. Po prostu znów była sobą, a Elliot czuł, jakby każde napięcie w ich interakcjach było jego winą. W domu obserwował ją kątem oka, skupiając się na profilu jej stopy czy pasmie włosów puszącym się od farby albo tym małym skrawku ciała będącym otworem jej ucha. Dość często Val łapała go na tym, że się jej przyglądał, i uśmiechała się do niego. Jak to się działo, że im bardziej nieprzenikniona, odległa była, tym piękniejsza, cenniejsza stawała się dla niego?

W przypływie nie wiadomo czego Elliot postanowił zatrudnić prywatnego detektywa – nie po to, by śledził Val, lecz by zbadał jej przeszłość. Spodziewał się szpakowatego byłego gliny jak w filmach, ale detektyw okazał się przypominającą elfkę młodą kobietą w zrobionym na drutach swetrze zdobionym bezkształtnymi formami, w których Elliot w końcu rozpoznał króliki i marchewki. Gdy zapytał dziewczynę, czy miała doświadczenie na tym polu (zwrot zapożyczony z tych samych filmów, w których występowali szpakowaci byli gliniarze), wyjaśniła, że nie istniało żadne „pole"; śledztwo miało być przeprowadzone w całości przez internet. „Oczywiście", wyraźnie chciała dodać.

Elliot czuł się głupio, gdy odpowiadał na pytania młodej kobiety. Jak on i Val się poznali? Przez wspólną znajomą. Nie, Elliot nie uważał, że Val miała romans. Nie, nie chciała jego pieniędzy; podpisała intercyzę. Nie, nie wiedział, czego dokładnie szukał, zdarzenia czy osoby, miejsca czy rzeczy. Dziewczyna patrzyła bez słowa komentarza na zdjęcie Val, które przesłał na jej ekran, ale nie musiała tego mówić; Elliot wiedział, co sobie myślała: „Facet w średnim wieku, ładna młoda żona". Chciał móc wyjaśnić, że tak nie było.

– Wobec tego czego szukam? – spytała raz jeszcze.

– Będzie pani wiedziała, gdy to pani zobaczy – odparł Elliot i teraz to on był postacią z filmu.

Tego popołudnia Elliot zajął scenę w galerii Nity. Usiadł na krześle, zwrócony twarzą do widowni, w słuchawkach ustawionych tak głośno, że nawet w najdalszych zakątkach galerii ludzie rozglądali się w poszukiwaniu maleńkiej, tyciej orkiestry. Jakiś mężczyzna wszedł na platformę i uniósł słuchawkę Elliota, aby zweryfikować źródło muzyki, którą słyszał.

Val nie przyszła do galerii. Wprawdzie Elliot powiedział jej, aby nie robiła sobie kłopotu, ale miał nadzieję, że mimo to się pojawi. Pozwolił, aby dźwięk otoczył go, ogrodził, połknął. Pod koniec dnia, gdy zdjął słuchawki, widmowe dźwięki dźwięczały i szumiały w jego uszach. Zastanawiał się, czy trwale uszkodził sobie słuch, i zorientował się, że w ogóle nie dbałby o to, gdyby tak się stało. W końcu Chris Burden zasłynął tym, że strzelił sobie w rękę w ramach performance'u. Gdyby Elliot ogłuchł, mógłby po prostu nazwać to sztuką.

Pearl nie zrobiła zdziwionej miny, gdy Elliot zapukał do jej drzwi. Domowy system zarządzania zaanonsował przecież jego pojawienie się w holu. Podniósł pożyczoną Apricity.

– Widzisz? Nie zepsułem jej.

Odebrała od niego maszynę.

– Rhett wyszedł z przyjaciółmi.

– Ale ty jesteś. – Uśmiechnął się do niej.

Po krótkiej chwili odsunęła się, a on wszedł do mieszkania. Ostatni biologiczny model Pearl leżał na stole, ćma wielkości dłoni Elliota. Jej skrzydła składały się z tysięcy maleńkich lśniących włókien. Pearl zajęła się modelarstwem po ich rozwodzie. Jej nowe hobby zaskoczyło Elliota, gdy się o nim dowiedział. Z tego, co się orientował, Pearl nigdy niczego nie tworzyła; ona zarządzała rzeczami. Ale może tylko wydawało mu się, że to nim zarządzała. Może jej też nie znał.

W ramach serii *Valeria* Elliot stworzył replikę twarzy Val z prawdziwych motylich skrzydeł, co wymagało wyrwania skrzydeł z ciał owadów za pomocą pęsety, aż do uzyskania wachlarza jaskrawych barw po jednej stronie i stosiku czarnych patyczków po drugiej.

Elliot wyciągnął rękę, aby dotknąć modelu ćmy Pearl.

– Ostrożnie – uprzedziła go. – Jeszcze schnie.

Podniósł ręce do góry jak przestępca w świetle latarki. Powoli się odwrócił.

– Pearl? Jaka jest najgorsza rzecz, którą zrobiłaś?

Nadal stała we frontowych drzwiach z Apricity w ręku. Była boso, w piżamie, włosy miała rozczochrane jak pióra wokół głowy, ciemne oczy szeroko otwarte. Była ładna jak zawsze, zwłaszcza gdy rzuciła mu to znużone spojrzenie i westchnęła.

– Co zrobiłeś?

– Ja? Nic! To tylko ćwiczenie umysłu.

Cofnęła się z progu i stanęła sprytnie pomiędzy nim a ćmą, jakby uznawszy, że mógłby zignorować jej ostrzeżenie i tak czy siak jej dotknąć.

– Ćwiczenie umysłu do jakiegoś dzieła, nad którym pracujesz?

– Nie, nie. Tylko dla mnie. Mojej ciekawości.

Uśmiechnęła się niezbyt miło.

Opuścił dłonie i schował je do kieszeni, garbiąc się lekko i uśmiechając w sposób, o którym wiedział, że jest czarujący. Kultywował tę minę w liceum i bajerował za jej pomocą na studiach, także Pearl.

– Dalej, gołąbeczko. Możesz mi powiedzieć?

– Jaką najgorszą rzecz zrobiłam?

– Tak.

Jej uśmiech pogłębił się, jakby szykowała dobry żart.

– Wyszłam za ciebie.

– Naprawdę?

Jej uśmiech zniknął.

– Nie.

Elliot wiedział, że nadal ją kochał. Nie była to miłość, jaką czuł do Val. To była bezpieczna miłość, wypolerowana i odłożona gdzieś na bok, niczym kamień owinięty bawełną.

Zrobił krok w jej stronę i wyciągnął rękę, aby dotknąć jej policzka.

Pearl cisnęła w niego kawałek skrzydła – wylądował na jego rękawie.

– Zmiataj stąd, El, zanim wpakujesz się w kłopoty.

GDY ELLIOT WRÓCIŁ DO DOMU, zastał Val czytającą na kanapie. Bez słowa wziął ekran z jej rąk, zdjął jej spodnie i uniósł jej biodra na krawędź kanapy. Przetrzymał jej swawolne pytania i przesunął dłonie, które położyła na jego głowie, z powrotem do jej boków, tak aby jego usta były jedynym punktem, przez który byli połączeni. Myślał o miodzie, o tym jak wzbierał nad łukiem łyżki, utrzymując kształt kropli. Val oczywiście nie smakowała jak miód; miała słony, znajomy smak. Pieścił ją czule, zatrzymując się, aby ucałować jej fałdki i muszelki, sunąc po nich czubkiem języka i nosa. Gdy doszła, spojrzała na niego; jej oczy już nie były mętne, lecz przejrzyste, szklane.

Nagle ujrzała w jego twarzy coś, co sprawiło, że go odepchnęła, cofnęła się pospiesznie na kanapę z kamiennym wzrokiem.

– To było kłamstwo, prawda? – spytała cicho.

– Co?

– To. Przed chwilą.

Tak, było. Seks nie był kłamstwem, ale czułość już tak. Nawet nie musiał odpowiadać.

– Nie jesteś tym, za kogo cię uważałam – rzekła niewyraźnie. Szarpała się ze spodniami; jej nogi i pośladki były blade, wnętrze ud lśniące. – Wiem, że mnie o to podejrzewasz, ale powinieneś wiedzieć, że ja też podejrzewam ciebie.

Elliot został na klęczkach na podłodze przed kanapą; słuchał, jak jego żona bierze prysznic, ubiera się i wkłada rzeczy do torebki. Dźwięki dochodziły z daleka, a potem nagle zbliżyły się; nadal miał zaburzenia słuchu. Z odległości wielu mil dobiegło go skrzypnięcie zawiasów otwieranych frontowych drzwi. Zasuwa zamknęła się tuż przy jego uchu. I zorientował się, że znów mógł normalnie słyszeć; szumy zniknęły.

Plan satysfakcji Apricity: Słuchaj muzyki.

Teraz wiem, co robić.

I lubię muzykę, naprawdę! Może zostanę piosenkarzem. Może założę zespół i będą uderzali w talerze za każdym razem, gdy podskoczę. Mam już na swoim ekranie w domu osiem różnych albumów i dwadzieścia sześć singli. I nie muszę pytać o pozwolenie, aby ich posłuchać.

Ale musiałem poprosić o pozwolenie, aby ten artysta zrobił mi test, a mama niestety zapomniała podpisać zgodę, mimo że miała tę kartkę przez cały tydzień – wiem, bo wyjąłem ją z plecaka w dniu, w którym ją dostaliśmy, i położyłem na stoliku przy drzwiach, a na niej postawiłem małą mosiężną świnkę, co oznacza: „Podpisz to". O mało się nie rozpłakałem, gdy przypomniałem sobie, że jej nie mam. Teraz pani Hinks każe mi siedzieć w bibliotece z Risą J. i Mattem S., którzy nie zapomnieli swoich kartek ze zgodą, tylko ich rodzice nie chcieli ich podpisać ze względów religijnych. Każdy może wyznawać inną religię i szanuję to. Ale mimo że szanuję Risę J. i Matta S. i ich religie, nie oznacza to, że chciałem siedzieć z nimi w bibliotece, podczas gdy reszta klasy miała przepowiadaną przyszłość. Ustawiliśmy się już przy drzwiach i tylko czekaliśmy, aż jeden z bibliotekarzy przyjdzie, aby nas odprowadzić do klasy, gdy zobaczyłem mamę na korytarzu. Miała zaróżowione policzki od biegu, w dłoni trzymała białą kartkę. Moją zgodę! A ja chyba byłem szczęśliwszy niż kiedykolwiek w życiu.

DETEKTYW W SWETRZE Z BEZKSZTAŁTNYM królikiem zadzwoniła do niego tego wieczoru.

– Znalazłam to – oznajmiła. – A przynajmniej znalazłam coś, co moim zdaniem, pewnie jest tą właściwą rzeczą.

– Jak bardzo jest źle? – spytał Elliot.

– Nie wiem, człowieku. Nie znam pańskiej skali. Chce pan, abym wysłała panu mój raport?

– Tak. Nie. Może mi go pani wysłać pocztą?

– W kopercie? – Usłyszał, jak ze zniecierpliwieniem wypuszcza powietrze. – Nie mam znaczków.

– Zapłacę pani dodatkowo za kłopot – zapewnił Elliot.

Koperta przyszła pocztą dwa dni później, lecz Val nie pojawiła się wraz z nią. Elliot przeczekał pierwszą noc po jej odejściu, ale zadzwonił na jej ekran następnego ranka, a potem próbował co kilka godzin. Ani razu nie odebrała, a on nie zostawił wiadomości.

Gdyby Elliot podniósł kopertę do światła, zobaczyłby krawędź, ułamek cala, znaczący brzeg papieru złożonego w środku. Nie otworzył jej. Zostawił kopertę zaklejoną i zamiast tego przeglądał ubrania Val, wieszak po wieszaku, wsuwając dłonie do kieszeni jej żakietów i spodni; ciekawe uczucie, gdy nikt nie miał ich na sobie. Głęboko w kieszeni zimowej kurtki znalazł kolczyk Val. Myślała, że go zgubiła. Trzymał małe złote kółko w zagłębieniu dłoni. Zadzwonił na jej ekran, ale nie mógł wymyślić, co mógłby powiedzieć, oprócz: „Znalazłem twój kolczyk", więc rozłączył się, nie powiedziawszy nic.

Wypił wszystko, co zostało w barku. Położył się na kanapie z kotem, który przycupnął na jego piersi, i jedną stopę postawił na podłodze, aby powstrzymać wrażenie wirowania. Wyobrażał sobie, jak Val łamie kotu kark, kastruje byłego kochanka, wypija kielich krwi. Czy obchodziło go, co zrobiła, czy tylko to, że nie chciała mu powiedzieć? A może chodziło o to, że odmówiła mu ostatniego skrawka samej siebie? Podniósł się z kanapy, płosząc kota, i zdążył do łazienki w samą porę. Zwymiotował. Nadal czuł smak miodu.

Powlókł się do galerii i sterczał nad biurkiem Nity niczym upiór. *Midas* się skończył; zebrał tylko garść wzmianek w sieci, kilka przeciętnych recenzji na rzadko wyświetlanych blogach. Jeden z blogerów uznał, że było to potępienie kapitalizmu. Inny, że odrzucenie fizycznego ciała. Jedyną recenzją, która spodobała się Elliotowi, była ta, w której większość ekranu poświęcono odręcznym rysunkom wikunii. Wyglądało na to, że *Midas* nie będzie jednak lukratywny. O ironio. Był wtorek, środek dnia. W galerii było prawie pusto. Nita rzuciła mu ostre spojrzenie i nie wstała z krzesła przy biurku, aby się z nim przywitać.

– Zatrzymała się u Lisette – powiedziała i dodała: – Skoro zamierzałeś ją zdradzić, przynajmniej mogłeś zrobić to ze mną.

Elliot nie zawracał sobie głowy poprawianiem jej.

Zaczekał w kawiarni po drugiej stronie ulicy, aż zobaczył, że Nita wychodzi na lunch – obraca małą białą tabliczkę i zamyka drzwi. Elliot sam wszedł do środka (Nita dawno temu pobrała odcisk palca jego kciuka, aby mógł otwierać zamki), nie zapalając świateł przeszedł w ciemności do drugiej sali wystawowej. Nita jeszcze nie usunęła platformy, niewielkiej sceny ze sklejki pomalowanej na biało. Wszedł na nią i stanął twarzą do pogrążonej w ciemności galerii.

Z tylnej kieszeni wyjął kopertę, którą wysłała mu detektyw. Przedarł ją na pół, podarł na ćwiartki, ósemki, szesnastki, aż kawałki papieru były tak małe, że wymykały się jego palcom i sfrunęły na podłogę. Zamknął oczy i wyobraził sobie Val stojącą naprzeciwko platformy, przyglądającą mu się, jak drze jej sekret na strzępy. Jej twarz zmieniła się w płótno, w glinę, w *papier-mâché*, w dmuchane szkło, w mech, w marmur, w metal. Wyciągnął rękę do przodu, w mrok, pragnąc, aby koniuszki jego palców znalazły jej policzek, który pod jego dotykiem na powrót zmieniłby się w ciało.

6

HISTORIA POCHODZENIA

Moja matka nie zmrużyła oka, gdy była w ciąży ze mną. W chwili, gdy zamykała oczy, czuła mnie w sobie, ożywioną, wirującą, czuła kłębienie się synaps i materii gwiazd, i płynu owodniowego, rozkazujących jej, aby wstała, rozkazujących, aby wyszła spod każdego sufitu, pod którym właśnie była i zamieniła go na niebo nad głową. Chwytała strzępy snu, gdy na kilka minut zdrzemnęła się w fotelu albo oparła o framugę drzwi, dopóki nie zauważyłam, że rytm jej oddechu wokół mnie stał się głębszy i zaczynałam się miotać. „Bałam się ciebie panicznie, jeszcze zanim się urodziłaś", powtarzała mi, a potem wyciągała rękę i naciskała koniuszek mojego maleńkiego nosa niczym dzwonek do drzwi.

Narodziny były gorsze niż ciąża, poród był horrorem. Moja matka wymiotowała, srała, była wrakiem, aż w końcu pozbyła się mnie. Pod przyćmioną lampą szpitalnej sali moja skóra wydawała się niebieska, a jej krew na mnie wyglądała na czarną. Spojrzała na mnie – żywą istotę w jej własnych dłoniach – noworodka. Nieważne, jak intensywnie patrzyła, moje oczy nie chciały się otworzyć i odwzajemnić jej spojrzenia. Pozostały zamknięte, dwie małe szczeliny w pomarszczonej twarzy. Lekarze zapewnili ją, że nie byłam martwa, że tylko spałam. Wewnątrz niej byłam przebudzona, poza nią – spałam. „Spałaś! Ach! Ależ ty spałaś!", wzdychała. Dlatego dała mi na imię Valeria – od korzenia waleriany, wykorzystywanego w leczeniu bezsenności. Inni życzyli dzieciom dziesięciu palców u rąk i dziesięciu u stóp. Inni życzyli dzieciom szczęścia. Moja matka modliła się, abym się nie wierciła.

W OŚRODKU BADAWCZYM panuje dziś ruch. W środy kuratorzy zdają raporty, więc wszystkie spotkania na ostatnią chwilę skumulowały się pod koniec wtorku. Moim kuratorem jest Georg; gdy on jest na urlopie lub w sądzie, zastępuje go Tricia. Chociaż poczekalnia jest pełna, krzesła po obu stronach mnie pozostają puste. Jestem bardziej wystrojona niż zwykle na mój wymaz i rozmaz, bo później mam spotkanie z klientem. Po drugiej stronie alejki jakaś nastolatka gapi się pożądliwie na moje delikatne pończochy i sukienkę. Dziewczyna ma oczy wytatuowane na obu policzkach. Drugie oczy są tej samej wielkości i kształtu co prawdziwe, wydziarano je poniżej wyraźnymi czarnymi kreskami. Sączą się z nich pękate wytatuowane łzy.

Jakiś mężczyzna opada na krzesło obok mojego. Z miłym uśmiechem podnosi pasmo moich włosów i podsuwa je sobie pod nos. Zaciąga się głęboko.

– Chciałem się przekonać, czy pachnie różowo – mówi.

Gdy się odwracam i wbijam w niego wzrok, opuszcza kosmyk i odsuwa się z aurą profesjonalnej uprzejmości, jakby uznał, że nie jestem klientką, lecz koleżanką z pracy.

Ten człowiek zrobił komuś coś bardzo złego. Wiem to bez czytania jego akt. Dziewczyna o wytatuowanych oczach też zrobiła komuś coś złego, być może sobie. My wszyscy w tym pomieszczeniu zrobiliśmy komuś coś bardzo złego, więc musimy siedzieć tu i czekać. Kobieta w okienku wywołuje moje imię.

Ostatnio Georg pozwala mi samodzielnie pobrać próbkę z policzka. Spotykamy się już od dziewięciu lat, Georg i ja. Prawie od dekady. Tę koszulę w kratę, którą nosi, ma od ośmiu z tych dziesięciu lat, a przedostatni guzik zmienia średnicę i kolor, gdy odpada i jest pospiesznie zastępowany przez Georga lub jego męża Samuela. Ten rok, nasz dziesiąty, jest naszym ostatnim wspólnym rokiem. Georg będzie za mną tęsknił. Może ja też będę tęsknić za nim.

Georg wsuwa próbkę mojej śliny do maszyny i marszczy czoło do ekranu, jakby można było zawstydzić ją tak, aby przyspieszyła analizę. Słowo „maszyna" nosi znamiona łaciny i francuskiego, a pochodzi z doryckiej greki: *mākhanā* znaczyło „urządzenie". Z kolei słowa prowadzące do *mākhanā* oznaczały coś zupełnie niemechanicznego, coś, co działało samodzielnie, jak ludzkie ciało. Maszyny w ośrodku badawczym to odnowione modele, tanio kupione. Dlatego są powolne. George kląska językiem, patrząc na maszynę.

– Co u Samuela? – pytam.

– Ha! Ma obsesję na punkcie tego nowego serialu z Callą Pax. Wczoraj wieczorem przyłapałem go, jak pisał coś w internecie na stronie fanowskiej. „Jesteś pięćdziesięcioletnim gejem", powiedziałem mu, „a nie nastolatką". Samuel patrzy na mnie przez okulary – o, tak – i mówi: „Na jedno wychodzi". Ha! Jak się miewa Elliot?

– W porządku.

– W porządku? To dobrze.

– W porządku, dopóki go nie poćwiartowałam i nie włożyłam w częściach do zamrażalnika.

Georg prycha.

– Nie wiem, dlaczego tak żartujesz.

– Ja żartuję? Owinęłam kawałki zwłok nawoskowanym papierem.

– Nawoskowanym papierem – powtarza.

– Wiesz. – Wzruszam ramionami. – Żeby zapobiec odmrożeniom.

Czoło Georga wygładza się. Moje wyniki pojawiły się na jego ekranie i zobaczył to, co chciał zobaczyć, albo nie zobaczył tego, czego nie chciał zobaczyć. Podpisuje swoim nazwiskiem gruby plik w mojej teczce i parafuje świstek papieru, który mam pokazać w recepcji przy wyjściu.

– W przyszłym miesiącu przyniosę ci babeczkę – mówi.

– Co zrobiłam, że zasługuję na babeczki?

– Jedną. Powiedziałem, że przyniosę ci jedną babeczkę. – Przykłada kciuk pośrodku mojej teczki. – Co zrobiłaś? Skończyłaś swój nadzór.

Wpatruję się w jego kciuk. „Kciuk" to zabawne słowo, dziwnie się je wymawia.

– Może zechciałbyś jeszcze raz sprawdzić. – Wskazuję na teczkę. – Jestem prawie pewna, że masz mnie na głowie do końca roku.

– Dziesięć lat od uzyskania pełnoletniości, kwiecień. Kwiecień jest w przyszłym miesiącu. Masz urodziny w kwietniu, prawda?

– Jedenastego.

– Widzisz? Skończyłaś. – Podaje mi świstek papieru i niezręcznie głaszcze mnie po ręce. – Nie martw się.

– Ja miałabym się martwić?

– Valerio. Wiem, że masz dobre serce.

– Taa. W zamrażalniku. Owinięte woskowanym papierem.

Nastolatka nadal siedzi w poczekalni. Mruży oczy na dłuższą chwilę, gdy ją mijam, więc teraz ma tylko jedną parę oczu, tę płaczącą tuszem.

Imię „Valeria" oznacza „być zdrową". Oznacza też „być silną".

Dawniej wierzono, że język jest rodzajem magii. Prosty akt nazywania czegoś podobny jest tworzeniu tego czegoś, władania tym czymś. Jeśli znasz czyjeś prawdziwe imię, możesz go zniszczyć – a przynajmniej tak mówią. W dawnych opowieściach ludzie ukrywali swoje imiona przed wszystkimi poza najbliższymi, którym najbardziej ufali. Podobno Bóg ukrywa swoje prawdziwe imię, nawet przed swymi wyznawcami. Jeden z moich wykładowców na studiach poprosił wszystkich w auli, aby zasłonili uszy, zanim wyszeptał prawdziwe imię Boga. Ja ich nie zasłoniłam i poczułam się rozczarowana usłyszanymi sylabami.

Spotkanie z klientem ciągnie się przez ponad godzinę. Chcą, abym nazwała ich nowy krem pod oczy, jeden z tych maleńkich pojemniczków zawierających łój, perfumy i jakąś flegmę manata czy sproszkowane prącie jednorożca, które mają przepędzić twoje zmarszczki. Zatrudnili nawet Callę Pax jako ambasadorkę. Będę musiała wspomnieć o tym Georgowi, aby mógł powiedzieć swojemu mężowi.

Od razu wiem, jak powinna brzmieć nazwa produktu: Krem Wiedźmy. Wiem też, że szefowie nie są gotowi, by usłyszeć ten pomysł. Są daleko w krainie łabędziego puchu, płatków kwiatów i śnieżynek. Ale ja widzę ją, tę wiedźmę, jak macha przez okno swojej chatki. Będę musiała zaczekać, zanim to zasugeruję. Jeśli powiem: „Nazwijcie to Kremem Wiedźmy" w tej chwili, ci wszyscy mężczyźni mrugną do mnie, a potem jeden z nich odpowie: „Szczerość to nowa ironia". Jakby rozumieli ironię. Nie wiedzą, że ironia oznacza śmiech Boga. Śmiech Jahwe.

Po spotkaniu z klientami od kremu pod oczy wsiadam do pociągu do centrum, aby spotkać się z Elliotem i Rhettem. W pociągu przyglądam się oczom nieznajomych, zmarszczkom zawijającym się wokół nich niczym pismo, niczym szpony. Ile mrużenia, ile śmiechu trzeba było, aby zdobyć każdą z tych linii?

Krem Wiedźmy.

Chciałabym powędrować leśną ścieżką do przykrytej darnią chaty wśród sosen. Chciałabym stanąć przy jej oknie i zadać wiedźmie trzy pytania. Nie, nie tego bym chciała. Chciałabym być wiedźmą, ze wszystkimi odpowiedziami ukrytymi w fałdach skóry. Wiedźma to „ta, która wie".

Francuzi mają takie określenie, *enfant terrible*, którego używamy dziś wobec młodej osoby o nadnaturalnych zdolnościach, cudownego dziecka. Początkowo oznaczało ono dziecko, które mówi coś szczerego, lecz nieuprzejmego, na przykład pyta twojego najważniejszego gościa na kolacji:

„Dlaczego jesteś taki gruby?". W dziecięcym dzikim zachowaniu jest coś naturalnego, ciekawość niezabarwiona empatią czy normami społecznymi. Pomyślcie o dziecku, które zakrzywia promienie słoneczne przez lupę, aby ujrzeć smugi dymu unoszącego się z grzbietów mrówek. Dziecko nie zachowuje się nieżyczliwie. Życzliwość po prostu nie przychodzi mu do głowy.

Dla mojej matki byłam *enfant terrible* w tradycyjnym znaczeniu. Moje zachowanie wysyłało ją do łóżka z migreną, a potem na coraz dłuższe wyjazdy do sanatoriów. Mój ojciec, gdyby go zapytać, nazwałby mnie charakternym dzieckiem, ale on kochał mnie za bardzo, by być obiektywnym. Moja matka wiedziała, jaka jestem.

Gdy miałam sześć lat i znalazłam naszego kotka Smołka zwiniętego w kłębek pod krzakiem, zupełnie już zimnego, moja matka ujęła mnie pod brodę i zapytała: „Co zrobiłaś kotu? Powiedz mi od razu, a nie będę się złościć".

Nie byłam pewna, jakiego wyznania ode mnie oczekiwała. Nie pamiętam, abym cokolwiek zrobiła temu kotu. Lubiłam Smołka. Sama go tak nazwałam. Gdy miałam na sobie pewien sweterek, ugniatał go łapkami i ssał wełnę, jakby chłeptał przy brzuchu matki, aż zostawały na niej mokre kępki.

„Co zrobiłaś?", spytała znów.

Dźgnęłam Smołka w bok, gdy znalazłam go zwiniętego pod krzakiem – stąd wiedziałam, że jest martwy, a nie śpi; może o to jej chodziło. Ale gdy powiedziałam jej te słowa: „Tylko go dotknęłam", jej dłoń poszybowała z mojej brody do jej skroni. „Nie słucham już!", zawołała z rozpaczą, wycofując się. „Nie mów mi, co jeszcze zrobiłaś!".

Później pogłaskałam jego miękki bury łebek.

„Czuję, że zaraz rozboli mnie głowa".

Gdy kot, którego wzięliśmy po Smołku, Pan Farsz, uciekł, powiedziała: „Nie chcę wiedzieć, co zrobiłaś tym razem".

Potem nie mieliśmy już kotów.

Elliot i ja mamy teraz kotkę. Ma na imię Zmyłka. Ma doskonale rozmieszczone paski na ogonie i zjada zielone części skórki melona po śniadaniu. Gdy ją głaszczę, wygina grzbiet w łuk na spotkanie z moją dłonią, a ja mówię: „Ostrożnie", niepewna, czy mówię do niej, czy do siebie.

„ĆMOK", BRZMI WIADOMOŚĆ OD ELLIOTA. To hasło do baru, w którym mam się z nimi spotkać, jednego z tych udawanych tajnych barów, które ciągle wychodzą z mody i wracają do niej. Do tego trzeba wejść od tyłu przez chińską restaurację. Idzie się wzdłuż laminowanych stołów i prosto do kuchni, mija sznur martwych kaczek i podchodzi do olbrzyma w fedorze, któremu oznajmia się dzisiejsze hasło. Hasłem zawsze jest jakieś słowo ze slangu z czasów prohibicji, wyrwane z internetu, coś jak „berbelucha" czy „lorneta". Prohibicja! Wszyscy uwielbiają sukienki chłopczyc z lat dwudziestych czy maszynowe pistolety na niby, ale kto pamięta o tysiącach ludzi, którzy oślepli, pijąc nielegalny spirytus drzewny? Ochroniarz wygląda jak olbrzymi Georg, balonowy Georg – jakby ktoś przyłożył usta do małego palca stopy Georga i go nadmuchał. Zastanawiam się, czy nie zapytać ochroniarza, czy wie o spirytusie drzewnym i ślepych ludziach, czy może sobie wyobrazić, jak by to było wziąć łyk z butelki i zobaczyć, jak świat znika z każdym mrugnięciem, jakby ptak wydziobywał mu oczy.

Coś takiego mówię do Georga, a potem dodaję: „To mi przypomniało, że mam dla ciebie butelkę wódki na następne urodziny. Domowa produkcja".

A Georg kląska językiem i mówi: „Valerio. Nie boję się ciebie".

A ja na to: „Ja też się ciebie nie boję, Georg. Napijmy się razem".

A on: „Tak, dobrze. Zróbmy to. Na zdrowie!".

Potem patrzy na moje wyniki na swoim ekranie, a jego czoło się wygładza, podaje mi świstek papieru i mówi, że nic mi nie jest. I mogę już iść.

– Ćmok – mówię do ochroniarza, a on odsuwa się, odsłaniając niewielkie drzwi. Otwiera je i wpuszcza mnie do środka.

To nie jest prawdziwe hasło. Prawdziwym hasłem jest świstek papieru od Georga.

ADWOKAT, KTÓREGO WYNAJĄŁ MÓJ OJCIEC, był drogi i nosił krawaty w łagodnych kolorach – takich, które wybiera się do dziecięcego pokoju. Psychiatra dziecięca, którą wynajął, też była droga; wzór na jej sukience przypominał jedwabne plamy Rorschacha. Siedziałam między nimi, nie obok ojca. Byliśmy tak usadzeni, ponieważ mój ojciec nie mógł na mnie spojrzeć, nie krzywiąc twarzy, co, jak ostrzegł go drogi prawnik, nie mogło wydarzyć się przed sędzią. Miałam jedenaście lat.

Moja matka też tam była, choć nie naprawdę. Naprawdę była martwa. Ale mimo to wyobrażałam sobie, że siedzi przy końcu stołu. Machała do mnie posępnie, z głową w płomieniach.

Siedzieliśmy nie w sali sądowej, lecz w sali konferencyjnej zarezerwowanej dla sądu rodzinnego. Były tam plakaty ze znużonymi owcami przyklejone taśmą do ścian; stęchła woń skisłego mleka unosiła się z dywanu za każdym razem, gdy przesunęłam krzesło. Spotkanie było formalnością. Profesjonaliści, których wynajął mój ojciec (wytworni i delikatni), naradzili się już z państwowymi pracownikami socjalnymi (przepracowanymi i o tlenionych włosach) i obmyślili plan. Siedem lat w prywatnym szpitalu psychiatrycznym, dopóki nie skończę osiemnastu lat, nadzór kuratora przez pięć lat potem. Nawet nie musiałam zeznawać. W końcu już się przyznałam. Patrzyliśmy, jak sędzia składa podpis na moim planie; chwilę potem było po wszystkim.

Dorośli odsuwali krzesła na kółkach, bardzo zadowoleni (poza moim ojcem, którego twarzy nie widziałam), gdy powiedziałam:

– Wysoki sądzie?

Powiedziałam to w sposób, który ćwiczyłam w kabinie podczas swojej ostatniej przerwy na toaletę. Nikt mnie nie usłyszał, więc powtórzyłam głośniej:

– Wysoki sądzie? – Teraz wszyscy się odwrócili i spojrzeli na mnie. Poza moim ojcem, który nerwowo opuścił głowę, jakby wycelowano w niego jakiś przedmiot. I poza moją matką, która nigdy nie oderwała ode mnie wzroku. Płomienie wokół jej głowy stały się niebieskie i zaczęły dymić. – Wysoki sądzie? – powtórzyłam raz jeszcze. Trzy razy. Jak zaklęcie.

Prawnik i psychiatra próbowali mnie uciszyć – prawnik zagłuszając mnie, psychiatra szczypiąc mnie w rękę. Sędzia uciszyła ich oboje i wskazała, abym mówiła dalej.

– Czy można dłużej? – spytałam.

Sędzia wydęła wargi.

– Wydawanie wyroku zostało zakończone, Valerio. Teraz wszyscy idziemy do domu. – Jeden z kącików jej ust opadł w dół po tych słowach. Przypomniała sobie, że ja nie pojadę do domu, że mój ojciec pojedzie do domu sam; ja pojadę do zakładu dla obłąkanych; moja matka jest już w ziemi.

– Nie chodzi o wydawanie wyroku – odparłam. – Tylko o moją karę. Czy mogłaby pani ją przedłużyć?

Spojrzała na mnie, znów uciszając mojego prawnika.

– Proszę.

Jakoś się udało. Przedłużyła mi nadzór kuratora: dziesięć lat od moich osiemnastych urodzin zamiast pięciu.

– Będziesz miała dwadzieścia osiem lat, jak skończysz – ostrzegła mnie.

– Nigdy nie dożyję takiego wieku. – Czułam się wtedy tak pewna tego.

Przy końcu stołu głowa mojej matki osmaliła ścianę za nią. Uśmiechnęła się do mnie. Mimo wszystkich obietnic, które złożył wcześniej mój ojciec, teraz oparł głowę na dłoniach i zaczął płakać.

Zastaję Elliota i Rhetta przy stoliku na tyłach tajnego baru, popijających drinki o wyglądzie eliksirów. „Ostatnie słowa", mówią mi, co oznacza, że tak się nazywa ten koktajl.

– Hej, młody, jak się tu dostałeś? – pytam. Rhett ma tylko osiemnaście lat.

Ruchem podbródka wskazuje na ojca. Ale oczywiście domyśliłam się już, że Elliot musiał kogoś zbajerować.

– Świętujemy – mówi Elliot.

– Co świętujecie?

– Przyjęcie!

– Nie mów. Do której?

– UC Davis – oznajmia Rhett szybko, zanim jego ojciec zdąży mi to powiedzieć pierwszy.

– Hej, gratki. – Wsuwam się na siedzenie. Wypijam łyk ze szklanki Elliota: gin z limonką i innymi dodatkami. – Kto mi taki zamówi?

Elliot zaczyna opowiadać o swojej nowej instalacji *Midas*, którą ustawi w galerii Nity w następnym tygodniu; w jego głosie słychać dumę. Z układu ust Rhetta wnioskuję, że Elliot rozwodzi się nad tym już od dłuższej chwili. Wiem też, że Elliot będzie opowiadał o swoim dziele, dopóki Rhett nie zaproponuje, że je zobaczy. Jeśli Rhett nie zrobi tego szybko, Elliot będzie musiał poprosić go wprost, aby przyszedł, więc lepiej dla wszystkich będzie, jeśli Rhett sam się zaoferuje. Rhett jest jedyną osobą, którą Elliot naprawdę kocha. To część mojej kary, a ja ją akceptuję. Jeśli Elliot mnie nie kocha, to oznacza, że nic mu nie grozi.

Znajduję nogę Rhetta pod stołem i szturcham ją. Chłopak przytomnieje, mruga powiekami.

– Mógłbym przyjść ją obejrzeć – mówi Rhett. Znów go szturcham. – Twój pokaz. *Midas*. Brzmi naprawdę fajnie.

– Na pewno? – pyta Elliot. – Jest w ciągu dnia.

– Mam wolne w piątek.

– Może jeden z twoich nauczycieli pozwoliłby ci napisać recenzję?

– Recenzję?

– Mojego dzieła.

– Uhm. Nie chodzę na plastykę.

– Sztuka to uniwersalny przedmiot.

– W sumie.

– A poza tym, jeśli twoi nauczyciele nie dają ci dodatkowych zadań, tak naprawdę nie wykonują właściwie swojej pracy.

Elliot odwraca się, aby przywołać kelnera i zamówić następną kolejkę „Ostatnich słów", a gdy to robi, Rhett napotyka mój wzrok i kręci głową: „Och, tato".

Gdy wyszłam za Elliota, Rhett miał czternaście lat, a ja dwadzieścia trzy. Z początku denerwowałam się przy nim, nie z powodów typowych dla macochy, nie dlatego, że było mi bliżej wiekiem do niego niż do jego ojca, nie dlatego, że obawiałam się, że mnie nie polubi. Właściwie miałam nadzieję, że mnie nie polubi. „Nie mam dobrego kontaktu z dzieciakami", uprzedziłam Elliota, gdy zaczęliśmy się spotykać. A więc w porządku, został ostrzeżony.

Przedrostek „step" w angielskich słowach *stepmother*, „macocha", i *stepfather*, „ojczym", pochodzi od starogermańskiego słowa oznaczającego „osamotniony" i „osierocony", kojarzącego się z poczuciem wielkiej straty. I nic dziwnego! Spójrzcie, jak macochy zachowują się w baśniach. Chociażby ze względu na to mogłabym powiedzieć: „Dlaczego kochanie cudzego dziecka miałoby być naturalne? A nienaturalne, jeśli się tego nie robi?". Nienaturalnie jest niekochanie własnego dziecka, co do tego możemy się zgodzić. Możemy powiedzieć mojej matce, że została przegłosowana. Możemy to powiedzieć jej duchowi.

W pierwszy weekend, gdy Rhett zatrzymał się u nas, on i ja wpadliśmy na siebie na korytarzu wczesnym rankiem, oboje w piżamach. Zamarliśmy w bezruchu i gapiliśmy się na siebie. Podniósł rękę w ostrożnym powitaniu. Ja zwiałam z powrotem do sypialni.

Okazało się, że Rhett mnie polubił. Podobały mu się kolory moich włosów. Podobało mu się, że nie owijałam w bawełnę. Zaczął przychodzić do mnie ze starannie przećwiczonymi historyjkami o jakimś drobnym incydencie, który wydarzył się w szkole, a potem z prośbami o radę. Im bardziej wyniosła byłam, tym bardziej nalegał.

Powiedziałam Elliotowi, że nie mam dobrego kontaktu z dziećmi, ale nie powiedziałam mu o reszcie: o moich potwornych narodzinach, o bólach głowy mojej matki, o nieszczęsnych kotach, o znajomych ze szkoły, którzy opuszczali nasz dom z płaczem, bo byłam zbyt brutalna w zabawie, o szpitalu, w którym spędziłam nastoletnie lata. O wszystkich ludziach, których okaleczyłam czy zniszczyłam. Nie powiedziałam mu o Georgu ani o nadzorze kuratora. O swądzie spalonej skóry, który na zawsze pozostał w moich nozdrzach. Nie powiedziałam mu o tym.

A więc gdy Rhett przestał jeść, wiedziałam, że to moja wina. Z pewnością zrobiłam coś, że chłopak zaczął marnieć. To, co zrobiłam, zrobiłam, aby chronić nas wszystkich; przesunęłam się na sam skraj sceny. W weekendy, które Rhett spędzał z Elliotem, jeździłam na wycieczki z pracy albo wypełniałam dzień sprawunkami i lunchami. Potem Rhett trafił do szpitala, tej placówki czy innej, a weekendowe odwiedziny ustały. Oczekiwano ode mnie, że będę odwiedzać go tam w dni dla rodzin, oczywiście, ale trzymałam się za ramieniem Elliota, aby chłopak mnie nie widział.

Znałam tę scenę: prywatny szpital, gdzie rozpacz jest przepasana luksusem. Przed naszymi wizytami przeglądałam pudełka, które przygotował Elliot, wyciągając przedmioty, które przyjmująca Rhetta pielęgniarka z pewnością by usunęła – sznurówki, pióro kulkowe, płyn do płukania ust. W końcu Elliot to zauważył.

– Skąd wiesz, że nie pozwolą na płyn do płukania ust?

Wzruszyłam ramionami i odparłam:

– Zdrowy rozsądek. – Serce waliło mi jak młot.

Potem pozwalałam pielęgniarkom to robić.

Podczas jednego ze spotkań z Georgiem w tamtym czasie wskazałam na Apricity i powiedziałam:

– Szkoda, że nie może ci podać numeru. Szkoda, że nie masz maszyny, która może to zrobić.

– Jakiego numeru? – spytał Georg.

– Numeru. Jak przy promieniowaniu w powietrzu albo toksynach w wodzie. Jeśli numer jest dość wysoki, wiesz, że coś już nie jest bezpieczne. Do picia. Oddychania.

Georg zakasłał sucho.

– I ta wyobrażona maszyna przypisałaby ci numer?

– Po prostu mówię, że byłaby to obiektywna miara.

Rzucił mi piorunujące spojrzenie spod groźnych brwi.

– Myślisz, że jesteś toksyną?

Nie płakałam od dzieciństwa. Na pewno płakałam, gdy byłam dzieckiem, chociaż tego nie pamiętam. Gdy Georg zadał mi to pytanie, poczułam łzy czekające za oczami, niczym osoba, która trzyma dłoń na klamce, ale nie ma odwagi jej nacisnąć i przejść na drugą stronę.

W tej chwili pojawiły się moje wyniki Apricity – widziałam to po minie Georga, jego wygładzającym się czole. Zaczął odwracać swój ekran, aby mi je pokazać, co było niedozwolone. Nie żebym przejmowała się zasadami. Nie dlatego go powstrzymałam. Rzecz w tym, że nie chciałam zobaczyć czegokolwiek, co maszyna powiedziała mu o mnie. Nie zasługuję na szczęście. Nie chcę wiedzieć, gdzie go szukać. Gdy chwyciłam go za rękę, Georg się skrzywił. Gdy się odsunął, zobaczyłam, że moje paznokcie zostawiły maleńkie ślady na jego skórze.

Odwrócił swój ekran i spojrzał na mnie spode łba.

– Liczba jest w porządku.

– Przecież nie podaje ci liczby – zauważyłam.

– Jest w porządku – powtórzył i pokiwał głową. – Valerio. Nie jesteś toksyczna. Jesteś... jak to powiedzieć? Jesteś bezpieczna dla użytku publicznego.

Po odprowadzeniu Rhetta do autobusu, który odwiezie go do matki, Elliot i ja idziemy na degustację miodu. W Bayview jest sklep, który bierze miód z pasieki za budynkiem. Ściany sklepu są zastawione przezroczystymi szklanymi dzbanami, skośnie ciętymi jak ule, z kurkiem, przez który nalewa się miód, na dole. Gdy sprzedawca pomaga Elliotowi w znalezieniu najsłodszego miodu, podchodzę do okien na tyłach sklepu, skąd klienci mają widok na pszczoły. Właściwe ule to tylko zestawy ekranów: przypominają stare kredensy. Zajmuje się nimi pszczelarka z twarzą zasłoniętą siatką. Pszczoła miodna to jedyny gatunek pszczoły, który umiera po ukąszeniu. Jej wnętrzności uwalniają się wraz z kolcem żądła i odlatuje wypatroszona.

Nagle łyżka pojawia się u moich ust.

– Spróbuj tego – mówi Elliot.

Jest tak słodki, że przeszywa mnie dreszcz.

– Ten jest najsłodszy? – pytam.

– Nie. – Elliot dotyka koniuszka mojego nosa. – Ty jesteś najsłodsza.

Gdy w odpowiedzi pokazuję mu język, on tylko kładzie na nim kolejną porcję miodu.

Elliot nie wie, jaka jestem. Jego niewiedza to dla mnie zarówno nieskończone błogosławieństwo, jak i niekończące się wyszarpywanie wnętrzności.

Elliot jest frywolny. Elliot jest czarujący. Elliot jest nieszkodliwy.

Powinna być w folklorze jakaś istota, taka jak Elliot, która dźgnięta nożem, nie krwawi. Nóż wsuwa się w nią i wysuwa z niej srebrny, czysty.

Poznałam Elliota na jednej z imprez Nity. Poznałam Nitę, gdy pracowałam dla firmy marketingowej, która promowała jej galerię. Nicie spodobała się bluzka, którą miałam na sobie, więc zaprosiła mnie na swoją imprezę. Cała Nita.

Praca w marketingu była moją pierwszą po studiach. Gdy wyszłam ze szpitala, lekarze ostrzegli mnie, abym przygotowała się na trudny proces przystosowania. Ale studia nie były trudne. Znalazłam się pośród dzieciaków z internatów; moje poprzednie „więzienie" było na tyle podobne do ich studenckich mieszkań, że to, co mówiłam, nie budziło podejrzeń. Pod koniec czwartego roku zdobyłam dyplom lingwistyki. Słowa były takie jak ja – zmienne. Mój ojciec odwiedził mnie w szkole tylko raz, z okazji uroczystości jej zakończenia, nadal krzywiąc się, teraz nad kawałkiem białego ciasta. Słowo „tata" pochodzi od jednej z pierwszych sylab wypowiadanych przez dziecko.

Na tamtej imprezie u Nity, tej samej nocy, Elliot podszedł do mnie z dwoma drinkami. Zawsze przyciągałam ten typ mężczyzn – tych, którzy podchodzą do kobiet nie z propozycją drinka, lecz z samym drinkiem. Aby zacząć pogawędkę, skrytykowałam duży obraz, który Nita zawiesiła nad kominkiem. „Bohomaz", chyba tak go nazwałam.

Elliot spojrzał na róg płótna, mrużąc oczy.

– Możesz przeczytać podpis twórcy?

Nie musiałam. Wiedziałam już, co tam było napisane, z jego uśmiechu.

– Cholera. To twój, prawda?

Uprawialiśmy seks w pokoju gościnnym na stosie kurtek innych ludzi. Wiedziałam, że jest starszy. Czy wiedziałam, że był żonaty? Że był ojcem? Musiałam to wyczuć, chociaż tamtej nocy zdjął obrączkę przed imprezą.

A więc gdy mówię, że Elliot jest nieszkodliwy, wiem, że jego była żona nie zgodziłaby się z tym twierdzeniem. Mam na myśli to, że Elliot jest nieszkodliwy dla mnie. Co nie oznacza, że go nie kocham. Czy go kocham? Tak. Na tyle, na ile ktoś taki jak ja jest zdolny do takich uczuć. Może nie czuję tego tak jak inni. Skąd w ogóle możemy wiedzieć, na ile podobne są nasze uczucia? Nie znamy pochodzenia słowa *love*, „miłość". To jedno z pierwszych słów, zawsze oznaczało tylko siebie.

ELLIOT I JA WYCHODZIMY ZE SKLEPU po zakupie słoja miodu, tak ciężkiego, że nie możemy go sami unieść. Zostanie dostarczony do naszego mieszkania jutro. Nie musimy już nigdzie iść, więc się wałęsamy. Okolica Bayview przez lata należała do stoczni; potem podczas drugiej wojny światowej, urządzono tu laboratorium do testowania wpływu materiałów radioaktywnych na zwierzętach, później była opuszczona, a jeszcze później powstały tu mieszkania komunalne. Teraz ludzie młodzi, zamożni i beztroscy odebrali dzielnicę dla siebie. Mijamy sklep ze skórzanymi rękawiczkami dla kierowców, restaurację, która serwuje tylko dziczyznę, i kolejne dwa tajne bary – jeden zamaskowany jako kwiaciarnia, drugi jako bank. Dalej, gdy mijamy salon wirtualnej rzeczywistości, robię coś, czego nigdy wcześniej nie robiłam. Sugeruję, abyśmy weszli do środka. Mówię:

– Zagrajmy.

– Zagrajmy? Oboje? – Elliot mruga.

Kiwam głową.

Udaje atak serca.

Elliot uwielbia gry. Nie mamy zestawu do wirtualnej rzeczywistości w naszym mieszkaniu (ciągle odmawiam), więc Elliot czasem chodzi do VRcade, sam lub z Rhettem. Nigdy nie pyta, dlaczego nie chcę iść. Wyjaśnia to sobie tak: „Kobiety lubią tylko własne gry, wszyscy to wiedzą".

Pracownica salonu wirtualnej rzeczywistości to starsza babka o włosach tak różowych jak moje. Uśmiecha się na mój widok.

– Wiśnia? – pyta, dotykając czubka swojej głowy.

Wiem, że ma na myśli kolor swojego naboju z farbą.

– Magenta – mówię, dotykając swojej głowy.

Pochyla się do przodu i pyta niemal szeptem:

– Wiesz, skąd pochodzi to słowo?

Właściwie wiem.

– Od miasta we Włoszech. Odkryli tam ten barwnik.

– Ale czy wiesz, że gdy miasto przetrwało bitwę, nazwali barwnik od ziemi zbroczonej krwią?

Kręcę głową. Tego nie wiedziałam.

Podaje nam maski i rękawice.

– Bawcie się dobrze, dzieciaki.

Potem szybko jak wąż chwyta mnie za nadgarstek, a palcem wolnej dłoni kiwa między naszymi twarzami, swoją i moją.

– To jakby patrzeć w zaczarowane zwierciadło.

Salon jest dobrze wyposażony, nasza kabina czysta, a menu gier bogate. Skroluję tytuły, mając nadzieję, że jej tu nie będzie. W końcu to stara gra. Ale jest, między *Walką Aligatorów* a *Wizją Astronautów*.

– *Wesołe Miasteczko?* – mówi Elliot, gdy wyświetlam to na ekranie. Jego głos wyraża właśnie to: wesołość.

– Spójrz na datę. To właściwie vintage.

– Jak ty – mówię.

– Jestem lepszy niż vintage, kotku. Jestem klasykiem.

Ekran pokazuje wesołe miasteczko nocą, jasne całuny namiotów z konkurencjami, piskliwą muzykę, wrzeciona diabelskiego młyna zakończone światłami. Opuszczam maskę, a park pogłębia się i rozszerza wokół mnie, jakbym była w jego środku; świat jest dość przekonujący, tyle że rozpikselowany w rogach. Mimo to czuję rozległość krajobrazu właściwą dla dzieciństwa, powietrze wypełniające mnie od płuc aż do policzków, to, że każdy oddech jest dobry. Elliot pojawia się obok mnie. Jego awatar został źle przełożony i w grze jego dłonie są zbitkami pikseli, jakby trzymał dwa nieostre bukiety.

Jego awatar zwraca się do mnie z beznamiętnym uśmiechem. Głos Elliota ryczy w słuchawce mojej maski:

– Twoja twarz!

– Co? – Podnoszę do niej ręce, ale oczywiście czuję tylko plastik maski.

– Cała jest rozstrzelona. W pikselozę.

– Twoje ręce też – zauważam.

– Na pewno chcesz w to grać?

– Musimy zdobyć kandyzowane jabłko na patyku, aby rozpocząć rozgrywkę. Tam jest stoisko.

Ruszam przez tłum troskliwych rodziców i roześmianych dzieci. Grę zaprogramowano po taniości i ci sami ludzie pojawiają się w różnych miejscach w tłumie; kobieta z kocimi uszami, chłopiec wskazujący niebo, mężczyzna z zielonym balonikiem przywiązanym do nadgarstka.

– Grałaś w to już – mówi Elliot, doganiając mnie.

– W dzieciństwie – przyznaję.

– Myślałem, że nienawidzisz gier.

– Który dzieciak nienawidzi gier?

Twarz jego awatara pozostaje blado uśmiechnięta, ale oczywiście to jedyna mina, jaką może zrobić. Zauważam budkę z kandyzowanymi jabłkami przed nami. Czuję, jakbym chowała nóż za plecami. Czuję, jakby prowadzono mnie na rzeź. Obie te rzeczy na raz. Dlaczego zasugerowałam, abyśmy zagrali w tę grę, jeśli nie zamierzałam mu powiedzieć? Czy to już? Czy zamierzam powiedzieć mu teraz? A jeśli to zrobię, czy odwróci się ode mnie? Czy mnie zostawi? Czy wtedy będę szczęśliwa?

Podchodzimy do stoiska. Sprzedawczyni jabłek dostała więcej szczegółów niż ludzie w tłumie. Ma potargane siwe włosy i nabrzmiały pieprzyk tuż pod okiem, jeden z tych, który każe się zastanawiać, czy przez cały czas się go widzi kątem oka – jak plamę na horyzoncie.

– Zamów jedno – mówię do Elliota.

Jabłko w wielu językach to kolejne słowo, które zawsze oznaczało tylko siebie. Właściwie odnosiło się do każdego owocu, warzywa, a nawet orzecha. Wszystkie owoce były jabłkami. Ziemniak był „jabłkiem ziemi” (i nadal jest po francusku: *pomme de terre*). Daktyle po angielsku nazywano „palczastymi jabłkami” (*finger apples*). Banan w średnioangielskim był „rajskim jabłkiem” (*apple of paradise*).

Jabłko, które stara kobieta podaje Elliotowi, to zwykłe czerwone jabłko, choć czerwieńsze od prawdziwego, czerwone jak serce – od warstwy cukru. Elliot podnosi je do twarzy. Usta jego awatara pozostają zamknięte w uśmiechu, ale rozlega się chrupnięcie, jakby wgryzł się w owoc.

Chrupnięcie rozbrzmiewa po całym parku i wraca do naszych uszu zmienione; staje się warkotem śmigieł. Z nieba zaczynają spadać mężczyźni.

Może to nie są mężczyźni. Może to kobiety. Albo potwory. Nie widać, kto jest za maskami. Był to popularny temat, gdy wyprodukowano *Wesołe Miasteczko*: zamaskowani zabójcy. Byli we wszystkich filmach, serialach i grach. Czasem wysyłał ich rząd, co w *Wesołym Miasteczku* jest zasugerowane poprzez helikoptery. Czasem mieli nadnaturalne moce, prześlizgiwali się przez szczelinę między wymiarami. Badacze popkultury pisali, że ten trop reprezentował strach przed establishmentem, poczucie dysocjacji od ja i tak dalej, aż wszystkie współczesne problemy zostały należycie wyrażone. Słowo „maska" w większości języków odnosi się do przebierania, ale jego celtyckie pochodzenie przekłada się jako „ciemne chmury zbierają się przed burzą". A łacińskie *masca* oznacza „wiedźmę".

W grze zamaskowane postaci opuszczają się z nieba na linach tak cienkich, że wydaje się, jakby chwytały się brzegów nocy i zsuwały po nich. Gdy docierają do ziemi, wyciągają noże z pochew i podrzynają gardła ludziom w parku. Gardło jednego z mężczyzn z zielonym balonem. Gardło dziewczynki z dwoma długimi warkoczykami. Nawet gardło sprzedawczyni jabłek. Na ich szyjach widać krwawe łuki, czerwone krople zmieniają się w powietrzu w maleńkie kwadraciki pikseli.

– Tędy! – mówię do Elliota i uciekam od rzezi, z dala od parku, z dala od gry.

Gra nazywa się *Wesołe Miasteczko* ze względu na wrażenie, jakie miała wywołać, i dlatego, że rozgrywa się w wesołym miasteczku. Jeśli zagrasz w nią zgodnie z założeniem, możesz wchodzić do różnych budek i namiotów i jeździć na różnych karuzelach, chowając się przez zamaskowanymi zabójcami, zbierając broń do walki z nimi i zabijania ich. Jeśli zagrasz do końca, jeśli „wygrasz", w końcu zabijesz przywódcę zamaskowanej armii, uratujesz dziecko uwięzione na szczycie diabelskiego młyna i ukradniesz jeden z helikopterów, aby odlecieć do... dokąd? W jakieś bezpieczne miejsce, przypuszczam. Nie wiem. Nigdy w to tak nie grałam.

Na obrzeżach gry znajduje się wąski pas przestrzeni otaczający wesołe miasteczko, ciemne pola obramowujące jasne namioty i sznury lampek. Zamaskowani zabójcy są też i tu, ale mniej liczni. Ta przestrzeń została stworzona dla graczy, którzy czują się przytłoczeni rzezią w lunaparku, amatorów, którzy potrzebują odzyskać punkty życia albo przećwiczyć podstawowe ruchy. To moja matka odkryła to pole. A ja odkryłam płonący dom.

BÓLE GŁOWY MOJEJ MATKI narastały, im byłam starsza. Gdy wracałam ze szkoły do domu, witała mnie w progu z opisem bólu tego dnia: „Jak kamienie miażdżące moje skronie. Jak olbrzym ściskający moją czaszkę. Jak rój pszczół w moim mózgu". Potem odsuwała się od drzwi, wpuszczała mnie do środka i dreptała z powrotem do swojej pogrążonej w półmroku sypialni. Nigdy nie powiedziała wprost, że to ja byłam przyczyną jej bólu głowy, ale wiedziałam. Jeśli przyniosłam jej herbatę, krzywiła się z każdym krokiem, gdy się zbliżałam, i choć brała kubek z moich rąk, podnosiła go do ust i przyglądała mi się ponad jego krawędzią, nigdy się nie napiła. Bała się, że ją otruję. Nigdy mi tego nie powiedziała, ale słyszałam, jak kłóci się o to z moim ojcem za zamkniętymi drzwiami.

– To tylko mała dziewczynka – mówił. – To twoja córka.
Odpowiadała:
– Tak. Stąd to wiem.

Teraz wiem, że moja matka miała chorą głowę i nie chodziło o bóle. Lekarze mi to wyjaśnili, a ja ufam ich specjalistycznej wiedzy. Ale wiedzieć coś, to jedno, a co innego czuć. Dla dorosłych to dwie różne rzeczy. Dla dzieci – jedno i to samo.

Dostałam tę grę w prezencie na jedenaste urodziny. Po tym, jak moja matka otworzyła mi drzwi – informacja o bólu głowy tego dnia: „Jak ptaki wydziobujące mi oczy" – i w godzinach przed powrotem mojego ojca z pracy grałam w *Wesołe Miasteczko*, ściszając dźwięk, aby matka mogła odpoczywać. Potem pewnego dnia usłyszałam szmer jej kapci zbliżający się korytarzem, zatrzymujący się za moimi plecami. Nie ośmieliłam się odwrócić w obawie, że widok mojej twarzy sprawi jej ból. Siedziałam zupełnie nieruchomo i grałam dalej.

Przez tydzień było tak samo. Zaczynałam grać, a ona przychodziła i patrzyła. Zanim wyłączyłam grę, była już z powrotem w swoim pokoju. Potem, pewnego dnia, znowu usłyszałam szmer kapci, cichy odgłos przesuwania poduszki na kanapie i nowy dźwięk: szelest jej włosów, gdy włożyła drugą maskę na głowę. I pojawiła się obok mnie – awatar z twarzą mojej matki. Musiała go stworzyć, gdy byłam w szkole. A jednak nie odwróciłam się, by na nią spojrzeć – ani w życiu, ani w grze. Widziałam jednak jej awatara, z jego miłym beznamiętnym uśmiechem. Zastanawiałam się, jak wyglądały jej oczy bez bólu.

Oddaliła się; wyszła z wesołego miasteczka na ciemne pola. Poszłam za nią. Przez wiele dni przemierzałyśmy razem pola, pozwalając, aby zamaskowani zabójcy zabili nas, gdy nas znaleźli. Raz rzuciła się przede mnie pod nóż zabójcy, poświęciła się dla mnie. Wezbrało we mnie uczucie, którego nie doświadczyłam nigdy wcześniej ani później. Nieważne. Obie zginęłyśmy.

Potem pewnego dnia zauważyłam błysk na horyzoncie. Odłączyłam się od matki, która szła przodem, i pobiegłam w jego stronę, a gdy ekran nie podzielił się na dwie części, wiedziałam, że idzie za mną. Podeszłyśmy do płonącego domu. Stałam z daleka, podczas gdy moja matka weszła do środka. Chwilę później pojawiła się w oknie, płonąca migoczącym ogniem. Stała tam i machała do mnie. Zerknęłam przez ramię, podniosłam maskę i zobaczyłam przez przezroczysty plastik jej maski, że uśmiech był nie tylko na jej awatarze, ale i na jej prawdziwej twarzy. Nie musiała mi mówić, że jej ból głowy w końcu ustał – jakby wypaliły go wyobrażone płomienie.

– Tam – mówię do Elliota i widzę go w oddali, mały dom w płomieniach.

– Co jest w środku? – pyta Elliot. Jego awatar biegnie za moim przez ciemne pola. – Broń? Przejście?

Nie mówię mu, że dom to tylko wrzucony od niechcenia element krajobrazu, drobny detal, aby świat wydawał się bardziej realny. Nie mówię mu, że w środku nie ma nic poza ogniem. Podchodzimy do drzwi, na tyle blisko, że gdyby ogień był prawdziwy, słychać byłoby trzask płomieni trawiących drewno. Ale nie jest prawdziwy, więc tańczy bezgłośnie, zmieniając kolor.

– Zostań na zewnątrz – mówię do Elliota. – Przejdź dokoła i zajrzyj przez okno.

– Wchodzisz do środka?

– Tak.

– Dlaczego mam zostać na zewnątrz?

– Zobaczysz.

Wchodzę do domu. Przed oczami mam pomarańczowe i żółte błyski. Nie ma żaru. Języki ognia błyskają i zacinają się na końcu obramowania mojej maski. „Języki ognia", mówimy, jakby ogień mógł mówić, jakby z nas drwił, jakby węszył w powietrzu niczym wąż. Podchodzę do okna i widzę, że na zewnątrz jest Elliot – stoi tam, gdzie mu kazałam.

– Co teraz? – pyta.

Łatwiej mi powiedzieć, gdy mam z maskę na twarzy.

– Grałyśmy w tę grę po moim powrocie ze szkoły.

– Co? Kto?

– Moja matka i ja.

– Nigdy nie opowiadasz o swoich rodzicach.

– Teraz to robię.

Milknie, a potem kiwa głową. „Mów dalej".

– Robiłyśmy to. To wszystko. Stała w domu, w którym teraz jestem. A ja stałam tam, gdzie ty jesteś, i przyglądałam się jej. Była tam szczęśliwa.

W kabinie VR Elliot i ja stoimy ramię w ramię; w grze naprzeciwko siebie. W kabinie mamy na twarzach maski;

w grze nasze twarze są odsłonięte, chociaż mojej twarzy
nie ma, są tylko rozstrzelone piksele. Elliot stoi na ciem-
nej zimnej równinie. Ja jestem w środku, płonę. Nie słyszy
tego, co wyznaję, ale ja nie mówię do niego. Czeka, abym
mu powiedziała. Czterdziestu bywalców lunaparku ginie
w czasie, gdy na mnie czeka. Liczę ich po krzykach. Dodaję
kolejne do mojego rachunku.

   – Chcesz grać dalej? – pyta.
   – Chodzi o to, że nie wiem, czy to rozumiała.
   – Kto?
   – Moja matka.
   – Czego nie rozumiała? Jak się w to gra?
   – Że tak naprawdę nie płonęła.

OTO, CO POWIEDZIANO w sądzie rodzinnym:
   Że byłam w wieku, w którym mogłam już zdawać sobie
sprawę z tego, co robię.
   Że byłam za młoda, aby zrozumieć konsekwencje.
   Że moje przeprosiny wyrażały skruchę.
   Że wzięłam kanister czystej benzyny ze sprzętu kem-
pingowego i zapałki z kuchennej szuflady, gdzie je trzy-
mano.
   Że musiała wtedy drzemać na kanapie; lekarstwo na ból
głowy było tak silne, że nie obudziło jej chlapnięcie benzy-
ny ani to, że była mokra.
   Przespała twardo trzask zapałki.

OTO, CZEGO nikt nie powiedział:
   Że byłam na podwórku, gdy to się stało, sama, ponieważ
nie mieliśmy już kotów.
   Że zapach palonej skóry i włosów pojawił się pierwszy,
na korytarzu i z tylnych drzwi, przed dymem, przed gorą-
cem, przed jej krzykami.
   Że płonęła, gdy tam dotarłam.
   Że wstała, płonąca, i kręciła się po pokoju.
   Że wyglądała jak jedno z kół ognistych w lunaparku.

Że nie pamiętam, żebym brała benzynę czy zapałki, choć wiedziałam, gdzie je przechowywano.

Że nie pamiętam, żebym to zrobiła.

Ale musiałam to zrobić.

Musiałam.

Prawda?

Że stałam tam i wpatrywałam się w grę płomieni.

Że myślałam, aby objąć ją, spróbować ugasić ogień, ale ostatecznie nie chciałam ryzykować siebie dla niej.

Że gdy powiedziałam im: „Przepraszam", gdy powtarzałam to w kółko, to do tej zbrodni się przyznałam. Nie że ją podpaliłam, lecz że patrzyłam, jak płonie.

Przez chwilę, gdy zobaczyła mnie tam, próbowała przestać krzyczeć.

Przez chwilę próbowała mi pomachać.

Nie powinnam mieć adresu Georga, ale oczywiście go mam. W piątym roku mojego nadzoru kuratorskiego zostawił płaszcz na oparciu krzesła, a gdy wyszedł do łazienki, przejrzałam jego portfel i zapamiętałam adres. Gdy Elliot i ja wychodzimy z VRcade, zmyślam zapomnianą wizytę i jadę trzema pociągami do domu Georga. Na miejscu znajduję bungalow, prawie tak mały jak płonący dom, jego omszałe krawędzie. Siedzę na progu przez ponad godzinę, zanim zasłona się odsuwa i pojawia się twarz mężczyzny – nie Georga, więc Samuela. Chwilę później drzwi za mną otwierają się ze skrzypnięciem. Georg wychodzi i delikatnie przysiada na progu obok mnie.

– Valeria. – Stuka w zapalniczkę, tani kawałek plastiku, która tkwi między moimi dłońmi jak bombka. – Zapomniałaś swoich papierosów?

– Spaliłam resztę twojej dzielnicy – kłamię.

– Naprawdę? – Teatralnie rozgląda się po domach, nieruchomych i śpiących.

– I sierociniec.

– Ach, tak?

– I szpital. Oddział dla chorych na białaczkę. Te wszystkie łyse dzieciaki. I tak miały umrzeć, prawda?

– Valerio.

– Powinnam móc spalić siebie, prawda?

– Spalić się? Tą zapalniczką?

– Może niecałą. Może tylko część dłoni. Kawałek ręki.

– Niecałą siebie?

– Powinnam. Ale nie.

– Cóż, to ulga. Ale dlaczego choćby kawałek?

– Mówiłam ci, nie mogę tego zrobić. – Wiercę się na progu. – Nawet kawałka.

Georg milczy, ja też. Potem wyciąga rękę i pstryka zapalniczkę. Płomień unosi się między moimi dłońmi. Patrzymy, jak drży. Podnosi kciuk; płomień gaśnie.

– Nie spaliłaś tych budynków – mówi.

– Mogłam.

– Nie spaliłaś tych małych dzieci.

– Skąd wiesz?

– Jesteś niegroźna.

– Maszyna ci to powiedziała?

– Ja to mówię: jesteś niegroźna.

Gdy obejmuje mnie, jego koszula pachnie czymś, co gotował, czymś z czosnkiem. Próbuję nie trząść się za bardzo w jego ramionach. Staram się, aby moje łzy i gluty nie poplamiły jego ramienia. Bo nie chcę skrzywdzić nikogo ani niczego, nawet tej koszuli. Georg się tym nie przejmuje. Obejmuje moją głowę i mocno przytula moją twarz do swojego ramienia, a gdy kończę płakać, puszcza ją.

Pociągam nosem i ostrożnie dotykam swoich oczu i nosa.

– Wiesz, że słowo „ogień" nie ma pochodzenia? – mówię. – Zawsze oznaczało ogień, nigdy nic innego.

– Hm. – To oznacza, że ogień był jedną z pierwszych rzeczy. – My też byliśmy jedną z pierwszych rzeczy. Czy tak?

– Kto?

– My. Ty i ja. Ludzie. – Georg wpatruje się we mnie. Za nim stoją rzędy domów, maleńkich i niespalonych. – Byliśmy jedną z pierwszych rzeczy?

– Tak.

– Tak?

– Jasne. – Pociągam nosem i przecieram oczy. – Byliśmy tu, aby wypowiedzieć to słowo.

Kiwa głową, jakbym udowodniła, że ma rację.

– Byliśmy jedną z pierwszych rzeczy i to wystarczy, Valerio. To wystarczy.

7

KRÓLOWA KRZYKU

PEARL NIE POZNAŁA KOBIETY, która otworzyła jej drzwi. Cóż, nazwanie jej kobietą było pewną przesadą. Nie mogła być o wiele starsza od Rhetta, może tuż po dwudziestce. Opierała się o drzwi, jakby była z nimi w zmowie. Może była córką klienta, z którym Pearl miała się tam spotkać. Albo jego dziewczyną? Umowa o poufności, którą podpisała, nie zawierała żadnych szczegółów poza nazwą kancelarii prawnej anonimowego klienta. Zważywszy na tę całą tajemniczą otoczkę, Pearl pomyślała, że może rozpozna klienta na miejscu. Podczas wielogodzinnej podróży, gdy szofer wywoził ją z dala od miasta, a spomiędzy wzgórz otaczających Calistogę wyłaniała się budowla z drewna i szkła, do której drzwi wreszcie teraz pukała, Pearl wyobrażała sobie wilcze uśmiechy różnych aktorów, sztuczny grymas pewnego byłego gubernatora, przywodzący na myśl wyszczerzone zęby wypchanego zwierzęcia, a nawet bladożółtą twarz prezesa Bradleya Skrulla. Nie wyobrażała sobie jednak tego, tej dziewczyny, tej młodej kobiety – drobnej, pomijając oczy i piersi – te były powiększone do granic możliwości. Ta dziewczyna była jak postać z japońskiej kreskówki. Nie, była jak leśne zwierzątko z japońskiej kreskówki. Gdy otworzyła usta, Pearl spodziewała się piśnięcia.

Lecz głos, który się z nich wydobył, był zaskakująco ochrypły, niemal chłopięcy.

– Apricity, zgadza się?

– Tak. Jestem z Apricity. Pearl. – Wyciągnęła rękę.

– Calla – odparła dziewczyna z nutą zakłopotania w głosie, którą Pearl odczytała jako: „Ale pani to oczywiście wie". Oczywiście Pearl nie wiedziała tego. A więc to była klientka Pearl, ta seksowna kreskówka.

Zamiast uścisnąć jej dłoń, dziewczyna złapała Pearl i gwałtownie pociągnęła ją w głąb domu. Pearl pozwoliła się holować przez ciąg urządzonych przez dekoratorów wnętrz pomieszczeń, z ich korespondującymi barwami, obfitością ozdobnych poduszek i nieznośnie dziwacznych bibelotów – były tam znaki drogowe z macicy perłowej, ruchome zawieszki z papierowymi meduzami, ptasie gniazdo wypełnione żołnierzykami. Podczas tej radosnej wycieczki Calla utrzymywała bystry potok słów, które wydobywały się z jej ust w takim tempie, że gdy Pearl w końcu uchwyciła jakieś zdanie, uczepiała się jego końca z całych sił.

– …i wtedy odesłałam ich wszystkich, abyśmy mogły się spotkać tylko we dwie.

Jakby na sygnał, z pomieszczenia obok odezwał się głos:

– Callo?

– Cóż, wszystkich oprócz Marilee. – Dziewczyna wciągnęła Pearl do miejsca, które okazało się pseudorustykalną kuchnią, kuchnią wiedźmy, wraz z piecem chlebowym i poobijanym miedzianym garnkiem tak dużym, że dałoby się w nim ugotować dziecko. – Ale Marilee to nie wszyscy.

Przeciwnie, Marilee zdawała się uosabiać wszystkich, a raczej – kogokolwiek. Była połączeniem wszystkich kobiet w średnim wieku; reprezentowała ich wagę – uśrednioną pulchność, która nie do końca była nadwagą – fryzury zlane w cieniowany krótki bob w kolorze ziemistego brązu, ich płócienne spodnie i kardigany połączone w ten niewyróżniający się zestaw. A jednak – Pearl mrugnęła – czegoś tu brakowało. Dopiero po chwili zrozumiała: brakowało zmarszczek od uśmiechu. Wokół oczu i ust Marilee widniała dziwna gładkość. Botoks, założyła, dopóki nie napotkała spojrzenia Marilee i nie zrewidowała swojej opinii. Uznała, że kobieta nie miała zmarszczek od uśmiechu z bardziej oczywistego powodu.

– Jestem menedżerką Calli – przedstawiła się Marilee.

– Praktycznie zastępuje mi matkę. – Calla promieniała za dwie. – Wie pani, to ona powiedziała mi, jak po raz pierwszy użyć tamponu.

– Nie dramatyzuj. Przeczytałaś instrukcję na opakowaniu.

– Cóż, więc kupiła mi moje pierwsze tampony.

– To może być prawda – przyznała Marilee.

– Wcześnie zaczęłaś – powiedziała Pearl.

– Co? Miesiączkować?

– Pracę. – Pearl starała się, aby zabrzmiało to ogólnikowo. – Pracę w branży.

Marilee zerknęła na Pearl i szybko odwróciła wzrok, a Pearl z tego jednego spojrzenia wywnioskowała, że kobieta oceniła ją i to właściwie: Marilee wiedziała, że Pearl nie ma pojęcia, kim jest jej klientka. Jeśli to uraziło tę kobietę, nie okazała tego i przeniosła znów swoje chłodne spojrzenie na Callę.

Pearl przypuszczała, że tak naprawdę nie miało to żadnego znaczenia, nie dla zadania, które ją czekało. Mogła przeprowadzić test Apricity u zupełnie obcej osoby z równą łatwością (a może nawet byłoby jej łatwiej) co u bliskiego znajomego. Ale liczyła się też uprzejmość. Pearl miała zatrzymać się w tym domu – „w obiekcie", jak mówiła umowa – przez następne dwa tygodnie, więc pewnie powinna dowiedzieć się, jakim wątpliwym talentem rzekomo dysponowała ta dziewczyna, a zarządzała ta kobieta.

– Rozumiem, że będziemy sporządzać codzienne plany satysfakcji – powiedziała Pearl.

– To głupie, prawda? – odparła Calla.

– Hm. Czyżby?

– Wyjątkowo. Założę się, że nigdy nie musiała pani robić codziennych testów Apricity. To jakby codziennie chodzić na przegląd u dentysty! Albo... na hydrokolonoterapię!

Pearl spojrzała na Marilee w poszukiwaniu wsparcia, lecz wzrok menedżerki pozostał skupiony na Calli.

– Ja… Cóż, to chyba dość intensywna seria…

– Przecież wynik Apricity danej osoby nie zmienia się z dnia na dzień!

– Właściwie raport satysfakcji może się zmienić na przestrzeni życia danej osoby. Wraz ze zmianą postrzegania szczęścia, może się też zmienić droga ku niemu.

Calla nawet nie mrugnęła, słysząc kwestie, które znała z instrukcji.

– Ale z dnia na dzień? Chyba nie.

– To byłoby nietypowe – przyznała Pearl.

– Prawda? Powiedziałam Flynnowi, że to głupie, ale on odparł, że albo to, albo terapia, a ja nie ufam tym ludziom. To oni są wariatami! Nie sądzi pani?

– Terapeuci?

– Och, wszyscy: psychologowie, psychiatrzy, psycholog szkolny. Miałam raz terapeutę, który powiedział, że mój typ osobowości sugeruje, że prawdopodobnie mogłabym… nieważne. W każdym razie powiedziałam Flynnowi: żadnych terapeutów. A on odparł: no to coś w zamian. A więc pani. Pani jest naszym czymś w zamian.

– Flynnowi?

– Jednemu z producentów. Cóż, tak naprawdę głównemu producentowi. Mówi, że musimy zadbać o moją stabilność psychiczną czy coś tam. To naprawdę zbędne, ponieważ, jak często mu powtarzam, to nic wielkiego. Nie wiem, co ich zdaniem miałoby się wydarzyć.

– Callo – odezwała się Marilee, ale dziewczyna ją zagadała.

– W końcu jestem profesjonalistką. To nie moje pierwsze… jak to się mówi? Wrotki? Pokazy rasowych kotów?

– Rodeo – odparła Pearl. – To nie jest moje pierwsze rodeo.

– Rodeo? Serio? „Wrotki" bardziej mi się podobają. Jak mówiłam, to nie moje pierwsze wrotki. To nie jest nawet mój piętnasty raz na wrotkach. Ale oni wszyscy zachowują się, jakbym miała...

– Callo – powtórzyła Marilee, tym razem głośniej, a dziewczyna nagle urwała.

– Nie zamierzałam jej powiedzieć.

– Testy Apricity będą się odbywać codziennie – Marilee zwróciła się do Pearl. – Zgodnie z umową.

– Czy preferuje pani którąś porę dnia? – spytała Pearl i zerknęła ukradkiem na Callę.

– Damy pani znać – odparła Marilee.

– Tylko nie za wcześnie – wtrąciła Calla.

– A czy jest cokolwiek, na co powinnam... zwrócić uwagę w wynikach?

– Damy pani znać – powtórzyła Marilee, a Pearl wiedziała, że właśnie ją odprawiono.

Zaprowadzono Pearl na górę i pozostawiono samą w apartamencie dla gości, urządzonym z przepychem pseudogotyku. Przeszła się po pomieszczeniach, badając palcami tapicerkę i armaturę, i potwierdziła to, co wywnioskowała już wcześniej. Prawnicy, auto z szoferem, dom pośród wzgórz – tu były duże pieniądze.

Chociaż wychowała się w rodzinie należącej do klasy średniej, a jej rodzice wykonywali zawody detektywa i optyka, w dorosłym życiu nauczyła się, jak odnaleźć się wśród bogaczy. Pierwszą praktykę zaliczyła w rodzinie Elliota, a potem jeszcze prawie dekadę z klientelą Apricity. To w końcu ich było stać na test maszyny szczęścia, i byli to ci sami ludzie, którzy pragnęli go najbardziej desperacko, gdy pieniądze wykluczyły najbardziej oczywistych podejrzanych stojących za nieszczęściem – znój, chorobę i niedostatek – a prawdziwy winowajca nadal pozostawał tajemnicą.

Tym razem jednak, zamiast pewnego siebie dyrektora czy obwieszonej błyskotkami przedstawicielki śmietanki towarzyskiej, właścicielką tej całej obfitości była dziewczyna, która ledwie przestała być nastolatką. Pearl zadzwoniła do Rhetta, aby zapytać go, czy słyszał o celebrytce o imieniu Calla.

– Chodzi ci o Callę Pax? – Rhett odebrał po pierwszym dzwonku. Ostatnio zawsze odbierał telefony od Pearl w ramach niewypowiedzianej umowy, aby zapewniać się nawzajem (samych siebie?), że ostatnio jest lepiej.

– Nie wiem. Młoda. Ruda. Biuściasta.

– W ostatnim filmie, w którym ją widziałem, miała niebieskie włosy, ale to nic nie znaczy, ciągle je zmienia.

– Czyli to aktorka?

– Mamo! Nawet nie spróbowałaś sprawdzić, kim jest, zgadza się?

– Wolę twoje streszczenia – odpowiedziała Pearl. Po części była to prawda, ale prawdą było też to, że chciała mieć wymówkę, aby do niego dzwonić.

Rhett wyjechał na studia – był to jego pierwszy rok na UC Davis. A Pearl? Pearl została w domu i martwiła się. Martwiła się, gdy dziewczyna Rhetta, Saff, wyjechała na studia w Northwestern. Status ich związku był niejasny dla Pearl; Rhett określił go jako: „Jesteśmy w kontakcie". Wyobrażała sobie, jak Saff poznaje jakiegoś opiekuna studentów z akademika na Midwestern i łamie Rhettowi serce. Pearl martwiła się, gdy Rhettowi przydzielono jakiegoś studenta z zagranicy do pokoju. Wyobrażała sobie Rhetta i tego obcokrajowca stojących na ogromnym dziedzińcu, mrugających i rozglądających się w oszołomieniu. Martwiła się jadowitymi profesorami i snobistycznymi chłopakami z bractw, i saldem na karcie Rhetta do stołówki. Naprawdę powtarzała sobie, że nie powinna się martwić. Rhettowi szło teraz o wiele lepiej. Pearl była więc o wiele bardziej czujna i pełna uznania dla syna jednocześnie. Musiała tego ciągle dotykać, jak brzucha figurki jakiegoś bożka. Wiedziała, że wkrótce będzie musiała się opanować, zanim patyna się zetrze i Rhett zacznie unikać jej telefonów.

– Wyszukaj ją teraz, gdy rozmawiamy – poinstruował ją Rhett. – Nazwisko Pax, P-A-X.

Pearl posłusznie wyszukała nazwisko i wyświetliła wyniki w pokoju. I tak, w kręgu wokół wysokiego łóżka, na którym siedziała, pojawiły się hologramy dziewczyny, która wcześniej otworzyła jej drzwi. Cała armia. To, co Rhett powiedział o jej włosach, było prawdą: postaci miały włosy niebieskie, blond, czarne, różowe. Ale to nie różnice między hologramami dziewczyn były warte uwagi. Warte uwagi było podobieństwo.

– Czego ona się tak boi? – spytała Pearl.

– Jak to?

– Każda z nich krzyczy.

I to była prawda. Każda z tych przezroczystych Call o włosach we wszystkich kolorach tęczy miała szeroko otwarte usta.

– Cóż, tym się zajmuje. Jest królową krzyku.

– To coś związanego z muzyką?

– Mamo. To aktorka.

– Czyli… gra w horrorach?

– Jasne. *Skórowanie kosą? Skórowanie kosą II: Łagodne ostrze?*

– Coś mi to mówi – skłamała.

– Ale teraz robi nie tylko horrory. Gra w różnych filmach: o porwanych córkach, mszczących się narzeczonych, potworach niszczących miasto, terrorystach niszczących miasto, meteorach niszczących miasto. Jest znana w wirtualnej rzeczywistości. Aha, i ma swój dzwonek.

– Co?

– Pewnie masz już go na ekranie. Jak to się nazywa? Standardowa opcja.

Pearl wystukała na ekranie „Powiadomienia i dźwięki". Calle zniknęły, zastąpiła je lista, a między Beethovenem a cymbałkami pojawił się dzwonek o nazwie Calla.

– Znalazłam – oznajmiła Rhettowi z zachwytem w głosie.

– Puść go.

– Nie, bo usłyszą.

– Kto usłyszy?

– Jestem w biurze – skłamała znów Pearl. – Poza tym chyba mogę się domyślić, jak brzmi.

– No, to jest krzyk.

– Czyli w tych filmach i grach, i tak dalej, ona tylko… krzyczy?

– To znaczy gra. Różne postaci.

– I wszystkim coś grozi.

– Pewnie. Musi być jakiś powód, że jest, no wiesz…

– Królową krzyku. I dlatego jest sławna?

– Bardzo. Właściwie nie mogę uwierzyć, że nigdy o niej nie słyszałaś.

– Wiesz, że nie oglądam filmów tego typu.

– Mamo, to są różne filmy. Och, spodobałyby ci się. Jej fani dzielą się na dwie frakcje: Calla Żyje i Calla Ginie.

– Słucham?

– Calla Żyje i Calla Ginie. – W głosie Rhetta pojawiła się radość, odwieczna przyjemność płynąca z szokowania matki. – Tak jak powiedziałaś, zawsze jej coś grozi, więc niektórzy z jej fanów lubią filmy, w których wychodzi żywa z opresji, a inni wolą, gdy ktoś ją załatwi.

– Załatwi? – powtórzyła.

– Poszukaj: diagram Calli Pax.

– Na pewno chcę to zobaczyć? – Mimo obaw wystukała polecenie na ekranie i nagle zawirował przed nią diagram w jaskrawych kolorach, a w środku każdego jego trójkątnego kawałka chwiał się maleńki rysunek przedstawiający Callę z krzyżykami zamiast oczu. Jedna z nich jęczała z nożem rzeźnickim w piersi, inna szamotała się z liną okręcającą się wokół jej szyi, głowa trzeciej toczyła się między jej rysunkowymi stopami. Diagram przedstawiał nie tylko to, jak często postaci Calli przeżywały bądź ginęły, lecz także to, kiedy ginęły i w jaki sposób. Pearl znalazła jeden jedyny element wykresu, na którym Calla stała nieruchoma i niedręczona, z kropkami oczu zamiast krzyżyków.

– Przeżywa tylko w dwudziestu procentach przypadków?

– To by się zgadzało. Gdy wychodzi nowy film z Callą, robi się zakłady.

– Ludzie stawiają pieniądze na to, czy jej postać umrze czy nie?

– Tak. To grubsza sprawa. Zamykają plany zdjęciowe dla nieupoważnionych. Usuwają strony ze scenariusza. Każą wszystkim, którzy pracują przy filmie, podpisać papier, w którym jest napisane, że mogą ich pozwać, jeśli cokolwiek wycieknie.

– Umowę o poufności – rzekła Pearl.

A więc o to chodziło, to stało za tą całą tajemniczością. Producenci nie chcieli tłumić szumu wokół filmu, który teraz robili, nie chcieli zakłócić obstawiania zakładów.

Pearl odczytała z wykresu:

– W trzydziestu sześciu procentach przypadków zostaje dźgnięta, w osiemnastu uduszona, w siedmiu – zastrzelona. Czym jest „śmierć od orlego pióra"? Trójkąt przedstawiał trzepoczący ruch, ale był zbyt wąski, aby mogła dostrzec, co się działo z rysunkową Callą.

– Ach, tak. To jest niezłe. Widzisz, ona jest pod namiotem ze znajomymi na urwisku, ale jest taka stara legenda, że… Czekaj. Dlaczego pytasz o Callę Pax? Chyba nie robisz jej testu Apricity, co?

– Nie, nie, nie – zaprzeczyła Pearl.

– Ale mówiłaś, że jesteś w pracy.

– Rozważają zatrudnienie jej do promocji. – Pearl usiadła na brzegu łóżka i wyrecytowała przykrywkę z podpisanej przez nią umowy o poufności.

– Naprawdę? Dla Apricity? Dziwne. Bo przecież u was wszystko kręci się wokół szczęścia, prawda? A Calla Pax to terror, śmierć i tak dalej. Chyba że ma to być ironiczne?

– Tak – odparła Pearl. Wróciła już do powiadomień i dźwięków; jej palec wisiał nad przyciskiem, który miał odtworzyć dzwonek *Calla*. Wyobraziła sobie krzyk uwolniony z jej chrapliwego głosu. – Myślę, że ma to być ironiczne. – Zauważyła, że tapeta w pokoju gościnnym nie przedstawiała tak naprawdę klasycznego wiktoriańskiego kwiatowego wzoru, lecz szeroko otwarte ludzkie usta.

– Obejrzałam wczoraj wieczorem parę pani filmów – powiedziała do Calli Pearl. Siedziały naprzeciwko siebie na kanapach w salonie obok holu, gdzie spotkały się (nie za wcześnie) następnego ranka. Karuzela z meduzami kręciła się leniwie nad głową Calli, machając mackami; na kominku za nią żołnierzyki strzegły swego gniazda, z karabinami skierowanymi na Pearl.

– Naprawdę? – rozpromieniła się dziewczyna. – Które?

– Tytuły...? Zaraz sobie przypomnę...

– Czy to były filmy akcji? One wszystkie brzmią tak samo. *Ostatnia kula, Czysta zemsta, Śmiertelny upadek.*

– *Śmiertelny upadek.* Właśnie ten widziałam. I ten, w którym grała pani córkę dyplomaty. W Japonii.

– *Zachodni wschód słońca, wschodnia krew.*

– I pierwsze *Skórowanie kosą.*

Calla uniosła brwi.

– Wow. Trzy razy długi metraż. Niech mi pani nie mówi, że zarwała pani noc na oglądanie filmów.

Pearl obejrzała nie trzy, lecz siedem filmów z Callą Pax; oglądała je jednak tylko do chwili śmierci postaci granej przez Callę, co zwykle zdarzało się nie później niż po trzydziestu minutach od początku, a często stanowiło scenę otwierającą. Jedynym filmem, który Pearl obejrzała w całości, był *Zachodni wschód słońca, wschodnia krew*, w którym Calla doświadczyła porwania, pobicia, napiętnowania i niemal została zgwałcona przez członka jakuzy, zanim uratował ją jej ojciec dyplomata, człowiek, który musiał porzucić swoje głęboko pacyfistyczne przekonania i pogodzić się z koniecznością wykorzystania agresywnej strony sztuk walki, aby ocalić cnotę córki i jej (drugorzędne, jak się zdawało) życie. Scena finałowa przedstawiała uratowaną Callę w ramionach ojca, ciała porywaczy na stosie u ich stóp i czerwoną kulę wschodzącego słońca za nimi.

– Była pani dobra – powiedziała Pearl. – Bardzo poruszająca.

Pearl nie kłamała. Chociaż same filmy, zwłaszcza gdy oglądało się siedem z rzędu, były niedorzecznymi montażami gradu kul i dekoltu, seryjnych zabójców i dekoltu, latających samochodów i dekoltu, Calla Pax była poruszająca. Gdy ścigano ją przez las (lub krętymi ulicami jakiegoś miasta za granicą czy przez katakumby, pośród starożytnej rasy hybryd ludzi i nietoperzy), oddech wiązł w gardle. Gdy w końcu znalazła się w sytuacji bez wyjścia, miętosiło się koc. Gdy umierała, zasłaniało się dłońmi usta. Gdy wydawała z siebie ten słynny krzyk Calli Pax, samemu czuło się ulgę.

– Staram się wczuć w postać tak, jakby była prawdziwa, ponieważ wtedy będzie prawdziwa także dla was – powiedziała poważnie Calla.

Po wyuczeniu się na pamięć całych stron z podręcznika szkoleniowego Apricity, Pearl potrafiła rozpoznać wyćwiczoną odpowiedź, gdy ją usłyszała.

– Ile miała pani lat, gdy wystąpiła pani w *Skórowaniu kosą*?

Oczy Calli rozbłysły.

– Pearl! Nie pyta się aktorki o wiek!

– Przepraszam. Ja...

Calla uśmiechnęła się szeroko.

– Żartuję. Miałam czternaście lat. Właściwie byłam płodem.

– A to taki dorosły film.

W *Skórowaniu kosą* Calla grała rezolutną dziewczynę, którą zabójca oskórował jednym ruchem, a długi cienki pas jej skóry powiesił na gałęzi drzewa przed oknem sypialni jej starszego brata. Było w tym mnóstwo krzyku. Na nieszczęście był to ostatni film, który Pearl obejrzała przed snem. Ocknęła się z poczuciem, że śniły jej się koszmary, chociaż żadnego nie zapamiętała.

– Och, tak naprawdę był nudny – powiedziała Calla. – Tyle godzin na fotelu makijażystki. Ale nie tak zły jak dwójka. Tam jestem bez skóry przez cały czas. – Wskazała na Pearl i zachichotała. – Ale ma pani minę!

Pearl zmusiła się do uśmiechu z nadzieją, że uda jej się pozbyć miny wyrażającej szok czy obrzydzenie, z której śmiała się Calla.

– Chodzi o to... Kto wymyśla takie rzeczy?

Calla pochyliła się w jej stronę.

– Faceci w średnim wieku w fotochromach i koszulkach z superbohaterami.

Kilka chwil później do salonu wszedł Flynn, producent, a Pearl zorientowała się, że ten opis trafnie oddawał jego wygląd.

Flynn przysiadł na oparciu kanapy i potargał włosy Calli.

– Cześć, supergwiazdo. Widzę, że dzisiaj jesteś rannym ptaszkiem!

– Cześć, Flynn – odparła Calla.

Pearl otworzyła usta, aby się przedstawić, ale Flynn ją ubiegł.

– Jestem Flynn, a pani musi być Pearl. – Wskazał na siebie, a potem na Pearl.

Szybko zmierzył ją wzrokiem; z początku pomyślała, że chodziło o jej figurę, ale potem zorientowała się, że odczytywał na ekranie jej dane.

Zanim Pearl zdążyła odpowiedzieć – jakby odpowiedź w ogóle była potrzebna po takim wstępie – Marilee weszła do pokoju i usiadła naprzeciwko Calli.

– Ustaliliśmy, że spotykamy się o jedenastej.

– Naprawdę? – prychnęła Calla. – Myślałam, że o dziesiątej.

Pearl nie widziała żadnego z nich ani nikogo innego od swojego przyjazdu poprzedniego popołudnia. Po rozmowie z Rhettem przez kilka godzin nie wychodziła z apartamentu dla gości, niepewna, czy wolno jej poruszać się po domu.

166

Gdy nadeszła pora kolacji, zeszła na dół i zobaczyła, że na pierwszym piętrze jest pusto, mimo że wszystkie światła były włączone. Na kuchennym blacie znalazła przykrytą tacę oznaczoną jej imieniem. Pod pokrywką była sałatka z jakichś dziwnych liści, sery i owoce. Nigdy w życiu nie jadła nic tak pysznego. Do tego pieczywo i wino. Po kolacji umyła talerz w zlewie, a butelkę z resztą zawartości zabrała na górę do pokoju, gdzie kontynuowała maraton filmów z Callą Pax. Podczas początkowych napisów w *Śmiertelnym upadku* na ekranie wyświetliła się prośba od Marilee o spotkanie następnego ranka o jedenastej, a podczas niesławnej sceny obdzierania ze skóry w *Skórowaniu kosą* dostała drugi alert od Calli, mówiący, że muszą przełożyć spotkanie na dziesiątą. Gdy Pearl zeszła na dół tego ranka o wpół do dziesiątej, zastała Callę, czekającą już na nią w salonie. Na stoliku przed nią stała kawa i koszyk z muffinami.

– Doskonale wiesz, na którą się umówiliśmy. – Marilee zwróciła się do dziewczyny.

Calla wpatrywała się w nią wojowniczo z udawaną niewinnością.

Pearl odwróciła wzrok i zajęła się futerałem maszyny Apricity, dłużej niż to konieczne gmerając przy zapięciach. Zauważyła, że Flynn niczego nie udawał i przyglądał się konfliktowi z jawnym zainteresowaniem.

– Tylko rozmawiałyśmy – powiedziała w końcu Calla. – O moich filmach. Podobały się Pearl. – Potem, jakby przyznając rację: – Nie martw się. Nic jej nie powiedziałam.

Pearl udało się nie podnieść głowy, ale jej kciuk zsunął się i jedno z zapięć torby otworzyło się z głośnym kliknięciem, które rozbrzmiało w pełnym napięcia pomieszczeniu. Równie dobrze mogłaby nagle poderwać głowę i zapytać: „Czego nie powiedziałaś o czym?".

Pearl wyprostowała się z uprzejmym uśmiechem na twarzy. Maszyna Apricity w jej dłoniach przypominała srebrny półmisek.

– Może zaczniemy? – spytała.

– Pani i ja zaczniemy – odparła Marilee. – Calla dołączy do nas o jedenastej. Zgodnie z planem.

Calla łypnęła na Marilee. Wzięła babeczkę z koszyka i odgryzła czubek, jakby w akcie buntu.

– Chodź, kochanie. – Flynn wyciągnął rękę do Calli, otwierając i zamykając dłoń. – Potrzebuję twojej opinii na temat pewnego kawałka.

Calla pstryknęła borówką z babeczki na stolik. Wstała z głębokim westchnieniem i niechętnie podreptała za nim. Jednak jej złość nie trwała nawet tak długo jak droga do wyjścia z pokoju i Calla powiedziała radośnie:

– Zdecydowanie potrzebujesz mojej pomocy. Masz okropny gust. Pamiętasz, jak w zeszłym tygodniu przyłapałam cię, jak śpiewałeś do…

– Zwykle niewiele mogę zrobić, by wstała przed południem, a dziś jest na dole i przygotowuje śniadanie. – Marilee zajęła wolne miejsce Calli i posłała srogie spojrzenie do Pearl. – Podała pani wcześniejszą godzinę spotkania, prawda?

– Naprawdę rozmawiałyśmy o jej filmach – zapewniła Pearl i dodała: – Wydaje się nieco samotna.

Marilee zamrugała.

– Tak. Cóż. Wybitni artyści tak mają.

Wybitni artyści? Na szczęście Pearl udało się powściągnąć uśmiech, zanim wypłynął na jej usta. W sposobie, w jaki Marilee to powiedziała, było coś, z czego Pearl wywnioskowała, że Marilee uważała Callę za jedną z nich, jedną z tych wybitnych.

– Rozmawiałyście o jej filmach – powtórzyła Marilee.

– Tak, tylko o nich.

– Co mówiła?

– Niewiele. Wspomniała na przykład o tym, że charakteryzacja do *Skórowania kosą* pochłaniała dużo czasu.

– Tak. Narzekała na to zawzięcie do końca zdjęć. Co jeszcze?

– Ty i Flynn weszliście w tej chwili. Marilee, chcę, aby pani wiedziała, że moja dyskrecja wykracza poza wyniki

Apricity. Nawet bez umowy o poufności nie ujawniłabym niczego, co się tutaj wydarzyło. – Pearl machnęła ręką w stronę pokoju.

Marilee przyglądała się Pearl przez długą niepokojącą chwilę.

– Bieżący projekt Calli jest tajny.

– Rozumiem. Nikomu o nim nie powiem.

– Nie powie pani, ponieważ nigdy się pani o nim nie dowie.

Pearl spuściła wzrok.

– Mój syn wyjaśnił mi zakłady.

– Zakłady?

– Calla Żyje albo Calla Ginie.

Marilee zbyła to skinieniem dłoni.

– To nie jest powód do obaw. To... nic takiego. Bieżący projekt jest tajny z innych powodów. Właściwie to kwestia licencji. Patentów i pewnych zgód.

– Na horror?

Marilee spojrzała na nią.

– Chodzi o wiele milionów. Wiele milionów dolarów.

– Och.

– Mówię to pani, aby zrozumiała pani, co jest stawką. Pod względem finansowym. Prawnym. Calla tego nie rozumie... a raczej nie chce zrozumieć. Lubi udawać nieświadomą, co oznacza, że nie będzie tak dyskretna, jak powinna. Wie pani, ona również podpisała umowę o poufności. Może pani jej pomóc uniknąć naruszenia jej postanowień i uratować ją i mnie przed kłopotami.

– Oczywiście. Ale... jak mogę to zrobić?

– Nie zadając jej pytań, spotykając się o czasie, który ja wyznaczę, wykonując swoją pracę i nic więcej. Jeśli przejrzy pani umowę, którą pani podpisała, zrozumie pani, dlaczego jest to korzystne również dla pani.

Pearl nie potrzebowała czytać ponownie umowy o poufności; reperkusje związane z każdym przeciekiem informacji były na tyle poważne, że pamiętała o nich całkiem dobrze.

– Przeprowadzę zatem testy i sporządzę raporty satysfakcji – powiedziała do Marilee. – Nic więcej.

– I podzieli się pani rezultatami ze mną.

– W porządku. A z Callą?

– Nie. Z nią nie.

– A jeśli zapyta?

– Proszę... uruchomić swoją wyobraźnię.

– Czy nie mogę jej po prostu wytłumaczyć, że nie mogę
jej powiedzieć?

– Może pani spróbować. – Marilee przekrzywiła głowę,
czekając, aż Pearl dojdzie do oczywistego wniosku: „Ale to
się nie uda".

– Czy powinnam przekazać pani raport, jeśli...?

– Codziennie. Będzie mi pani przekazywać raporty codziennie.

– Jak już mówiłam Calli, jest mało prawdopodobne, aby
jej raport satysfakcji zmienił się w tak krótkim czasie.

– Tak. Tak, jak powiedziała pani Calli, i jak ludzie
z pani firmy powiedzieli mnie. Rozumiem. Mimo to Calla
będzie miała codziennie test, a ja codziennie dostanę raport. Nawet jeśli będzie mi pani mówić to samo w kółko,
obiecuję, że się nie znudzę. – Zacisnęła usta, zastępując tym
uśmiech.

– Czy jest coś, na co powinnam zwrócić szczególną
uwagę?

– Na wszelkie oznaki niepokoju.

– Ma pani na myśli problemy psychologiczne? Lęk? De-
presję?

Marilee zmarszczyła czoło.

– My nie używamy tych słów. Brukowce używają tych
słów.

„I lekarze", pomyślała Pearl, ale powtórzyła:

– Oznaki niepokoju. W porządku. Jasne.

– Myśli, że ją gnębię, ale nic nie rozumie. – Marilee
podniosła porzuconą borówkę Calli ze stolika i wrzuciła ją
sobie do ust. – W ten sposób próbuję ją chronić.

Następne trzy dni przebiegały wedle tego samego schematu. Pearl budziła się wcześnie i zanosiła swoją tacę ze śniadaniem (drugiego dnia odkryła, że dostarczała ją pewna droga firma cateringowa) do ogrodu za budynkiem. Jadła na ławce nad stawem z karpiami koi, otoczonym pajęczynowatymi drzewami, bez żadnych widocznych sąsiadów. Marilee powiedziała Pearl, że ma do dyspozycji całe pierwsze piętro, ale na drugim miała się trzymać swojego apartamentu dla gości. „I proszę się trzymać z dala od wschodniego skrzydła!". Pearl pragnęła pożartować z Rhettem, ale umowa o poufności wykluczała to. Pozostałą część poranka Pearl spędzała na nadrabianiu zaległości w papierkowej robocie, zaniedbanej na jej ekranie od miesięcy. Poza tym zabijała czas do jedenastej, kiedy to spotykała się z Callą, aby przeprowadzić codzienny test i sporządzić plan satysfakcji.

Podczas tych spotkań Calla była gadatliwa jak zwykle, chociaż Marilee musiała z nią porozmawiać, bo dziewczyna nie próbowała już opowiadać Pearl o żadnych swoich filmach, a z pewnością nie o bieżących. Nawet gdyby spróbowała, Marilee zawsze była w pobliżu – wchodziła do pokoju i wychodziła z niego w związku z takim czy innym zadaniem. Calla nie pytała nawet, co zawierały jej raporty satysfakcji. Odpowiedź zawsze brzmiałaby „nic", a przynajmniej „nic niepokojącego". Właściwie jeśli chodziło o jej plany satysfakcji, ta lista była uroczo prostolinijna: „Jedz lody", „Spaceruj na świeżym powietrzu", „Przygarnij psa". Zgodnie z przewidywaniami Pearl, plan się nie zmieniał. Nie było żadnych „oznak niepokoju". Właściwie był to jeden z najmniej kontrowersyjnych planów satysfakcji, jaki Pearl widziała w życiu.

Codziennie w południe po Callę i Marilee przyjeżdżała limuzyna, która zabierała je, jak przypuszczała Pearl, na plan zdjęciowy. To zostawiało Pearl swobodę na resztę dnia – swobodę ograniczoną do domu i ogrodu. Przez pierwsze parę dni próbowała wykombinować więcej pracy, ale po dwóch godzinach spędzonych na nie-potrzebnym przeformatowywaniu formularza Apricity, przyznała, że lepiej spędzi czas na ponownej lekturze *Jane Eyre*. Żałowała, że nie wzięła modelu, nad którym właśnie pracowała – kolcopiórka małego (*Dasyornis longirostris*), w kolorze błota, z wyjątkiem opalizujących końców skrzydeł i ogona.

Nikt nie wracał do domu na kolację, jeśli nie liczyć firmy cateringowej przygotowującej tacę Pearl.

Pearl spędzała wieczory w apartamencie dla gości, systematycznie poznając dorobek Calli. Czasem po północy słyszała, że Calla wróciła, gdy do jej pokoju dobiegał ze schodów głos Marilee zapędzającej dziewczynę do spania. Jakiś czas potem Pearl zapadała w głęboki, miękki sen.

W środku trzeciej nocy Pearl obudziła się częściowo na dźwięk czegoś, co brzmiało jak krzyk Calli. Pomyślała, że musiał jej się przyśnić jeden z filmów i znów zasnęła. Gdy rano to sobie przypomniała, nie była już taka pewna.

– Zauważyła pani? Obie mamy imiona pochodzące od rzeczy – powiedziała Calla podczas ich następnego spotkania, z wymazówką Apricity nadal wetkniętą do ust.

Pearl pomyślała, że dziewczyna wygląda na zmęczoną; spod kryjącego makijażu przezierał ziemisty kolor.

– Tak? – odparła Pearl.

– Calla Pax. Proszę pomyśleć. – Podała patyczek Pearl.

– Lilia pokoju?

– Właściwie to nie jest moje prawdziwe imię. To znaczy teraz jest. Marilee i ja je wymyśliłyśmy.

– Jak się pani naprawdę nazywa? – spytała Pearl.

– Już nawet nie pamiętam! – odparła dziewczyna, z błyszczącymi oczami. Oczywiście nie mogła to być prawda, chociaż Pearl pomyślała, że to dość smutny żart.

– Wie pani co? – powiedziała Calla. – Ja nawet nie lubię lilii. Pokój jest w porządku, ale na tym koniec. A pani? Lubi pani perły?

Pearl się uśmiechnęła.

– Nie bardzo.

– Gdy powiedziała mi pani, jak się nazywa, od razu sprawdziłam, czy je pani nosi. To znaczy perły. – Pochyliła się do przodu i szepnęła: – Ucieszyłam się, że nie. Wyobraża sobie pani, że nosi pani perłowy naszyjnik i kolczyki? Albo te długie sznury pereł? „Cześć, nazywam się Pearl!".

Pearl się roześmiała.

Calla oparła się w fotelu.

– Nie może się pani w to wkręcić.

– W co?

– W to, jak panią nazywają.

Pearl zerknęła na korytarz, którym Marilee przeszła kilka chwil wcześniej.

– Callo – powiedziała cicho – dobrze się pani czuje?

– Kto? Ja? – Dziewczyna odpowiedziała uśmiechem tak głośnym – na swój sposób – jak jej krzyk. – Oczywiście, że dobrze się czuję! Jak inaczej miałabym się czuć?

W NOCY ZNÓW OBUDZIŁ JĄ KRZYK. Tym razem Pearl całkiem się wybudziła i wiedziała, że nie jest to film. Wstała i szybko ruszyła korytarzem. Krzyki prowadziły ją, aż dotarła do drzwi, zza których dobiegał hałas. Nie ustawały, przerywane jedynie oddechami, które je zasilały. Nie ustały nawet, gdy Pearl zapukała. Gdy otworzyła drzwi, przemknęło jej przez myśl ostrzeżenie Marilee, aby trzymała się własnego pokoju.

Najpierw pomyślała, że Calla się obudziła, bo dziewczyna siedziała na łóżku z szeroko otwartymi oczami i ustami. Ale nie odwróciła się, by spojrzeć na Pearl – nie można byłoby powiedzieć, że patrzy na cokolwiek. Wciąż spała. Pearl wiedziała, że nie powinno się budzić lunatyka, choć nie pamiętała, czy ten strzęp mądrości miał oparcie w nauce. Poza tym nie mogła pozwolić, aby dziewczyna dalej krzyczała. Podeszła do łóżka – monstrum stojącego na samym środku pokoju – chwyciła ramię dziewczyny i potrząsnęła nim.

Potrząsanie nie było konieczne. W chwili, gdy Pearl dotknęła Calli, jej usta zamknęły się, urywając krzyk w pół, a jej spojrzenie stało się świadome. Mrugnęła do Pearl, wymamrotała jej imię, a kobieta poczuła przypływ opiekuńczości, czułej i gwałtownej. Gdzie w tym wszystkim byli rodzice tej dziewczyny? Czy przyjaźniła się chociaż z kimś? A może była tylko ona, Marilee i producenci, tacy jak Flynn?

– Śnił ci się koszmar – powiedziała Pearl.

– Och. – Dziewczyna przełknęła ślinę i przetarła oczy dłonią zwiniętą w pięść, jak dziecko. – Krzyczałam?

Pearl nie zamierzała o tym wspominać, ale co innego wyjaśniłoby jej obecność w tej sypialni? Skinęła głową.

Usta Calli wykrzywiły się w grymasie.

– Marilee nazwałaby to próbą.

– To okropne – rzuciła mimowolnie Pearl.

– Żartuję. Proszę, niech pani nic nie mówi Marilee. O koszmarach. Zacznie tu sypiać.

– Chodzi o… ten film, który kręcisz?

Czoło Calli zmarszczyło się i wygładziło.

– Nie powinnam o tym mówić.

– Jasne. Oczywiście. – Pearl zagryzła wargę, świadoma, że postępuje odwrotnie, niż obiecała Marilee, przekonując Callę, aby jej się zwierzyła, zamiast ją od tego odwodzić.

Po chwili milczenia Calla powiedziała:

– Może pani usiąść.

Pearl nadal się wahała. Calla przesunęła się, a Pearl usiadła na brzegu łóżka. Pościel była ciepła i pachniała nieco metalicznie. Ozon. To słowo przyszło jej na myśl. Był to zapach, który pojawiał się przed burzą z piorunami. Nie mieli w San Francisco burz z piorunami. Właściwie, Pearl zdała sobie teraz sprawę, nie widziała burzy z piorunami od dzieciństwa, chociaż nadal pamiętała ten zapach.

– Czego się pani boi? – spytała nagle dziewczyna.

– Chodzi ci o teraz? Czy w ogóle?

– Boi się pani czegoś w tej chwili?

– Nie.

– Chodzi mi... no, wie pani... o pani lęki. Tak ogólnie. Wiem, że to niegrzeczne pytanie. – Calla opuściła podbródek. – Powie mi pani mimo to?

– W porządku. Boję się, że się uduszę. I boję się węży. Boję się ich od dzieciństwa.

– Czego jeszcze?

– Mojego syna. – Pearl nie planowała, że to powie, ale wymknęło się jej. – To znaczy nie boję się jego. O niego. Boję się o niego.

– Dlaczego?

– Bo długo chorował. – Pearl wzięła oddech i zmusiła się do uśmiechu. – Ale już mu lepiej.

– Boi się pani, że znów zachoruje? – Calla wpatrywała się w nią.

– Oczywiście. I... – Pearl przerwała, lecz po chwili postanowiła ciągnąć dalej. – Boję się tego, co się dzieje teraz.

– Z nim?

– I ze mną.

– Teraz, gdy nie musi się już pani nim opiekować – rzekła Calla, a Pearl spojrzała na nią, zdumiona przenikliwością dziewczyny.

Calla uklękła i przysiadła na piętach.

– Chce pani wiedzieć, czego ja się boję?

Pearl skinęła głową.

– Oceanu. Nie rekinów czy utonięcia, ale po prostu oceanu. Bycia pośrodku niego. To rodzaj lęku przestrzeni. I boję się, że będę operowana i znieczulenie przestanie działać, ale tylko częściowo, więc będę czuła wszystko, ale nie będę mogła powiedzieć chirurgom, że się obudziłam. I boję się pająków i karaluchów, i stonóg. I bycia pogrzebaną żywcem. Bycia pogrzebaną żywcem z pająkami i karaluchami, i stonogami. Podobno człowiek boi się albo zwierząt z mnóstwem nóg, albo zwierząt bez nóg. Pani i ja jesteśmy pod tym względem przeciwieństwami. To ewolucyjny lęk.

Ale tak naprawdę większość lęków taka jest. Aktywują ciało migdałowate, coś jak mózg, który mieliśmy, zanim wykształciły nam się większe mózgi.

– Jesteś specjalistką od strachu. Ale to chyba zrozumiałe.

Calla położyła się na łóżku i podciągnęła kołdrę do brody.

– Nie powstrzymuje mnie to przed baniem się. – Ziewnęła. – Spróbuję teraz zasnąć.

Pearl wstała. Przystanęła przy drzwiach.

– I żadnych koszmarów.

Calla prychnęła.

– Marzenia.

Następnego ranka Marilee przesiedziała z nimi całą sesję Apricity. Ani Calla, ani Pearl nie wspomniały o tym, co się wydarzyło poprzedniej nocy. Mimo przekonania Pearl, że nic się w nim nie zmieni, w planie satysfakcji Calli pojawił się teraz nowy punkt, niejasny rozkaz: „Śpij”. Pearl pokazała to Marilee, gdy dziewczyna szykowała się na górze do wyjazdu limuzyną. Zgodnie z obietnicą złożoną Calli nie wspomniała o koszmarach.

– Chciała pani, aby panią ostrzec…

– Chodzi o jej grafik pracy, to wszystko – odparła szorstko Marilee. – To nieuniknione, lecz na szczęście przejściowe.

– Gdy plan satysfakcji się zmienia – a nie zdarza się to często – odzwierciedla to znaczną zmianę w kondycji psychicznej. Zrobiła pauzę, lecz Marilee nie odpowiedziała. Pearl kontynuowała. – Myśli pani, że może chodzić o film, który kręci? Mam na myśli jego treść. Czy to może zakłócać jej sen?

– Calla zajmuje się tym od wczesnej młodości.

– Otóż to – powiedziała Pearl. Spojrzenie, które rzuciła jej Marilee, wywołało natychmiastowe: – Przepraszam. – Choć Pearl wcale nie miała ochoty za nic przepraszać, pomyślała kilka minut później, gdy warkot limuzyny ucichł na końcu ulicy. Naprawdę, wcale nie było jej przykro.

Pearl zadzwoniła do Rhetta po raz trzeci w ciągu trzech dni. Nie pamiętała, o czym rozmawiali, ale o niczym zakazanym.

– Mamo – powiedział pod koniec rozmowy – na pewno u ciebie wszystko w porządku?

PEARL PRÓBOWAŁA NIE ZASNĄĆ TAK DŁUGO, jak mogła, ale tej nocy nie było żadnych krzyków, a gdy zasnęła, żadne krzyki jej nie obudziły. Być może Calla też zmusiła się, by nie zasnąć. Podczas ich sesji następnego dnia na pewno wyglądała, jakby tak było. Miała podkrążone oczy, a włosy nieumyte i nieuczesane, i chociaż utrzymywała swój typowy strumień trajkotania, teraz jakby nie zauważała, że powtarza te same wątki, a nawet te same zdania.

Tego popołudnia Pearl wyjęła swój ekran i jeszcze raz wyświetliła diagram, patrząc, jak barwny krąg rysunkowych przedstawień Calli wzdycha, chwieje się i wciąż upada. Gdy była w wieku Calli, ona i Elliot właśnie się pobrali i przeprowadzili do miasta; wkrótce miał się urodzić Rhett. Pearl podjęła pracę jako nocna sekretarka maklera, który handlował na zagranicznych rynkach. Bywało, że przez grafik jej szefa musiała przejść pięć przecznic i przez odrapane osiedle w środku nocy; ciążowy brzuch niosła przed sobą niczym dar. Gdy teraz o tym pomyślała, musiała przyznać, że było to szokująco głupie. Pewnej nocy jakiś mężczyzna zastąpił jej drogę, a ona pomyślała: „Już po mnie". Ale nie zaatakował jej. Przeciwnie, położył dłonie na jej brzuchu i z promienną miną wybełkotał: „Niech cię Bóg błogosławi, niech cię Bóg błogosławi". Gdy odszedł, powłócząc nogami, Pearl zorientowała się, że nie bała się, nawet przez chwilę. Ależ była młoda! Jaka zawzięta! Teraz widziała też, jak krucha była tamta jej zawziętość!

Pearl zostawiła wiadomość dla cateringu pod pokrywką tacy z lunchem. Tej nocy, po wyjściu Marilee, zapukała do drzwi sypialni Calli z pudełkiem wiśniowych lodów, które przyniosła jej obsługa cateringu. I dwiema łyżeczkami.

– Martwię się, że zachlapię ci pościel – powiedziała Pearl, chociaż zbliżały się już do dna pudełka. – Właśnie zauważyłam, że ten pokój jest zupełnie biały.

– To replika tego ze *Skórowania kosą*.

– Och, Callo.

– W horrorach sypialnie zawsze są białe. Ze względu na krew.

– Nic dziwnego, że śnią ci się koszmary.

Calla zmarszczyła brwi.

– To nie ma z tym nic wspólnego.

– Ten film, który teraz kręcisz, musi być naprawdę straszny. Skoro mnie zatrudnili.

Dziewczyna wzruszyła ramionami.

– Flynn i Marilee są po prostu nadopiekuńczy. – W jej głosie pojawiła się świadomość, może nawet nieufność. To oczywiste, że miała doświadczenie z ludźmi starającymi się coś wybadać; musiała znać ton ukrytego motywu.

– Pomyślałam, że może cię zaciekawić, co jest w twoim planie satysfakcji – spróbowała Pearl.

Calla odłożyła łyżeczkę.

– Nie może mi pani tego mówić.

– Wiem. Ale i tak uważam, że powinnam. Mówi, że powinnaś spać, Callo. Spać. A teraz myślę, że powinnaś mi opowiedzieć o filmie, który kręcisz. Myślę, że ci szkodzi i…

– Nic mi nie jest!

– …i że pomogłoby, gdybyś komuś o tym powiedziała.

Patrzyły na siebie; dziewczyna hardo wysunęła podbródek.

– Gdy tu przyjechałam, odniosłam wrażenie, że chyba chciałaś mi coś powiedzieć.

– Proszę posłuchać… To nie jest tak, że robię wszystko, co każe mi Marilee.

– Wobec tego w porządku.

– Chodzi o to, że jeśli pani powiem, ona się dowie. Zwolni panią. Powiedziała to pierwszego ranka, gdy zmieniłam godzinę spotkania. A ja nie chcę, żeby pani odeszła. Nie dopóki… nie dopóki nie skończymy kręcić moich scen.

Albo naprawdę nie będę mogła zasnąć. Dobrze? W porządku, Pearl? – Wyciągnęła ręce i położyła dłonie na dłoniach Pearl. W jej olbrzymich oczach skupiało się całe nikłe światło w pokoju; lśniły nim.

– W porządku – ustąpiła Pearl.

– To możemy porozmawiać o czymś innym?

– Tak, dobrze.

Jadły lody w milczeniu.

– Mogłabym… – Calla urwała. – Mogłabym opowiedzieć pani mój koszmar. Marilee nie mówiła, że nie mogę o nim mówić.

– Opowiedz.

Calla przekrzywiła głowę.

– Śni mi się, że biorę udział w eksperymencie.

– Naukowym?

– Tak. W laboratorium. I te wszystkie rzeczy, których się boję – stonogi, ocean i to wszystko, o czym pani mówiłam – naukowiec mi to robi.

– A ty krzyczysz – powiedziała Pearl.

– Dlatego to robi. Na tym polega eksperyment. Ma mnie zmusić do krzyku. – Dziewczyna mówiła z namysłem, nie odrywając wzroku od Pearl.

– Callo? Czy naukowcem we śnie jest Flynn?

Usta dziewczyny się wykrzywiły.

– Co? – spytała Pearl.

– Chodzi o to, że to trochę oczywiste, nie sądzi pani?

Odniósłszy puste pudełko i łyżeczki do kuchni, Pearl stanęła przed szafką z kluczami obok drzwi garażu. Znała symbole na brelokach; dopasowała je do samochodów po drugiej stronie ściany. Pearl rozmyślała, co się wydarzy za tydzień, gdy jej robota się skończy. Wróci do miasta, do swojego mieszkania. Pustego mieszkania. Rhetta nie było. Elliota nie było od dawna. Ostatni mężczyzna, z którym się spotykała, David, usunął się z jej życia stopniowo, sprawnie, jakby wyciągał wtyczkę ze ściennego gniazdka.

Nie mogła go winić. Z Rhettem było okropnie. Pearl była przeszyta strachem niczym wspornikiem – jak jeden z jej modeli. Ale ze strachem przyszła i pewność. Strach odsiewał to, co zbędne, nadawał jasny kurs naprzód. Pearl wiedziała, co musiała zrobić: ratować swojego syna. Stała nad jego łóżkiem co noc, tak jak stała nad łóżkiem Calli.

Z tą myślą Pearl zdjęła jeden kluczyk z haczyka i wsunęła go do kieszeni szlafroka.

Całe popołudnie przypominało sekwencję z filmu Calli Pax. Pearl pożyczyła (ukradła) jeden z samochodów z garażu i po codziennym spotkaniu z Callą wsiadła do niego, aby śledzić limuzynę przez wzgórza, potem drogą 101 i dalej do biurowca znajdującego się kilka przecznic od lotniska hrabstwa Sonoma. Zaparkowała po drugiej stronie ulicy i obserwowała, jak Calla i Marilee wchodzą do budynku, a limuzyna odjeżdża. Pearl sprawdziła na ekranie adres i dowiedziała się, że biurowiec był pusty; zwykle wynajmowały go firmy transportowe. W pierwszej chwili pomyślała, że to plan zdjęciowy. Lecz na parkingu stało tylko kilka samochodów i nie było ani śladu sprzętu czy ekipy. Po kolejnej godzinie czekania, gdy nikt inny nie wszedł do budynku ani z niego nie wyszedł, przeszła na drugą stronę ulicy i sama weszła do środka.

Budynek był – co mówiło samo za siebie – równie pusty co parking. Nikt nie obsługiwał recepcji, hol był opustoszały. Na ścianie wisiała staroświecka tablica informacyjna z przyczepianymi literami, ale wszystkie leżały na stosie pod szklaną gablotą. Pearl i tak nie potrzebowała pomocy, ponieważ gdy stała tam, zastanawiając się, w którą stronę pójść, hol rozbrzmiał krzykami Calli.

Pearl podążyła w stronę dźwięku i uderzyło ją nagłe *déjà vu*. Ale kogo by nie uderzyło, gdyby biegł długim, nieznanym korytarzem, niewyróżniającym się niczym poza drzwiami, przy akompaniamencie krzyków w oddali? Każdy znał jakąś wersję tego samego koszmaru.

Gdy Pearl dotarła do drzwi, okazało się, że nie tylko nie zamknięto ich na klucz – były nawet uchylone. Pearl otworzyła je z trzaskiem mocą swojego pędu i zrobiła dwa chwiejne kroki w głąb pomieszczenia. Znalazła się w przestrzeni biurowej; stanowiska pracy były chaotycznie stłoczone pod przeciwległą ścianą. Były tu wszystkie znajome twarze. Flynn, producent, stał przed dużym ekranem wyświetlanym przez jednego z dwóch nieznajomych, stojących po jego bokach. Odwrócił się, gdy weszła, lecz jego oczy były przysłonięte przez przyciemniane soczewki; widziała w nich dwa małe lśniące wizerunki jej samej. Marilee siedziała kilka stóp dalej w fotelu biurowym, mierząc Pearl swoim najbardziej miażdżącym spojrzeniem. Krzyki nadal rozbrzmiewały wokół nich, nieznośnie przeciągając tę chwilę i popychając ją w następną.

Calla.

Calla leżała pośrodku pomieszczenia, na plecach, w szklanym zbiorniku. „Szklanej trumnie", poprawił Pearl jej umysł. Dziewczyna wytwarzała nie tylko dźwięk, lecz także ruch; jej dłonie panicznie omiatały twarz i ciało, czepiając się ścian, ciemne plamki sfruwały z koniuszków jej palców. Pearl zorientowała się, że dziewczyna była pokryta robakami. Nagle Calla się odwróciła. Gdy zauważyła Pearl przez szybę, jej krzyki na chwilę ustały i zapadła cisza. Ich oczy się spotkały. Potem krzyki znów rozbrzmiały; przerodziły się w imię Pearl.

Pearl znów rozejrzała się po pomieszczeniu – Marilee wstawała z fotela, Flynn robił krok w kierunku drzwi, młody mężczyzna stał przy zbiorniku Calli ze styropianową chłodziarką – i stwierdziła, że nic nie rozumie.

– Gdzie są kamery? – spytała.

Nikt jej nie odpowiedział.

Pearl ruszyła do przodu; ominęła Flynna, przecisnęła się obok Marilee (nie było to łatwe, bo kobieta próbowała chwycić ją za ramię), aż wreszcie dotarła do zbiornika i otworzyła go gwałtownym ruchem. Calla zarzuciła jej ręce na szyję; była pokryta robakami i pająkami, ale Pearl nie pozwoliła sobie nawet na jedno wzdrygnięcie, gdy wyjmowała dziewczynę. Postawiła Callę na nogach i pomogła jej strzepnąć robaki, które szybko rozpierzchły się na wszystkie strony. Gość z chłodziarką zrobił jeden niepewny krok w jedną stronę, potem drugi w drugą, aż Marilee ruszyła zdecydowanie do przodu, podniosła stopę i zgniotła stonogę z głośnym chlupnięciem.

Westchnęła.

– Musimy zatrudnić kogoś od dezynsekcji. – Spojrzała na Pearl. – Jak pani myśli, co robiliśmy?

– Ona była przerażona!

– Zgadza się.

Calla strzepywała ostatnie robaki z koszuli, a Pearl zauważyła teraz przyssawki na piersi, nadgarstkach i szyi dziewczyny.

– To nie jest film – powiedziała Pearl, myśląc o tym, co Calla opowiedziała jej poprzedniej nocy. Rozejrzała się uważnie po pomieszczeniu, tym razem powoli. – To eksperyment.

– Przygotujemy dla pani dodatkowe formularze do podpisu. – Flynn stanął przy ramieniu Pearl. – Czy powinniśmy ją włączyć? – zwrócił się do Marilee. – No wiesz... – Wskazał ręką dokoła. – Widziała to. A nam przydałby się administrator.

– Co tu się dzieje? – spytała Pearl.

Marilee znów ciężko westchnęła.

– Stąd się biorą przecieki.

– Proszę się nie martwić. Podpiszę wasze formularze.

Flynn wskazał w kierunku dwóch mężczyzn.

– Czy powinniśmy poprosić naszych naukowców, aby to wyjaśnili?

„Naukowców?", pomyślała Pearl. Wyglądali jak studenci w niebieskich dżinsach.

– Czy mogę... czy mogę jej powiedzieć? – spytała cicho Calla. Już prawie się uspokoiła, choć jej palce nadal drgały. Zerkała to na Flynna, to na Marilee.

Marilee skinęła głową: „Możesz powiedzieć".

Calla zwróciła się do Pearl, zatykając włosy za uszy. Miała duże, odstające uszy. Urocze. Światło przeświecało przez nie, sprawiając, że jakby świeciły na różowo.

– To jest jak film – zaczęła Calla. – W pewnym sensie. Wie pani jak to jest, gdy ogląda się film i czuje to, co bohater? Czy gdy w horrorze ściga go zabójca, pani też się boi?

– Jasne.

– Cóż, to jest podobne, tylko bardziej… – Oczy Calli otworzyły się szerzej i cofnęła się gwałtownie. Wetknęła dłoń we włosy, pogmerała w nich i wytrząsnęła pająka. – Tak będzie przez cały dzień – rzuciła do Marilee.

– Gdyby nam nie przeszkodzono…

– Pozwól mi opowiedzieć jej do końca. – Zwróciła się znów do Pearl. – Tworzymy jakby takie samo uczucie, tylko bardziej bezpośrednie. Flynn i oni – naukowcy – sprawiają, że się boję, i rejestrują to.

– Rejestrują? Co rejestrują?

– Łomot serca, mrowienie dłoni, przypływ adrenaliny. Ale chodzi o coś więcej. Rejestrują emocje, to, jak ich doświadczam. A potem mogą przenosić je na innych ludzi. Mogą sprawić, że ludzie sami je poczują. – Przykłada dwa palce do mostka. – Mój strach.

Pearl dotknęła ręki Calli.

– W jaki sposób?

– Najbardziej obiecującą drogą jest ta słuchowa – powiedział jeden z naukowców. – I oczywiście słuchowo-wizualna. Zastanawiamy się nad nałożeniem ścieżek na *Skórowanie kosą*.

– Albo czujników w masce i rękawicach VR – wtrącił drugi naukowiec – z dodatkowymi detektorami pulsu.

– Chłopaki, chłopaki! – Flynn podniósł ręce. – Przestańcie mówić. Teraz będzie musiała podpisać wszystkie formularze.

Pearl położyła dłoń na drugiej ręce Calli, tak że teraz trzymała dziewczynę naprzeciwko siebie.

– Co jeszcze ci zrobili?

– Ma pani na myśli coś poza robakami? – Calla wzruszyła ramionami i spojrzała na swoje stopy. – Inne rzeczy, o których pani mówiłam. Grzebanie żywcem. Operację pod niepełnym znieczuleniem.

– Chyba nie...

– Nie. Tylko udawali. Dlatego to przestało działać. Bo wiedziałam, że to udawanie, przestałam się bać. Dlatego w tym tygodniu zrobiliśmy robaki. Ocean jest trudniejszy – założenie czujników, ekipa nurków.

– Traumatyzują cię.

– Nic mi nie jest.

– Tramuatyzujecie ją. – Pearl zwróciła się do pozostałych. – Wiecie, że tak jest. Zatrudniliście mnie, bo wiecie, że tak jest.

– Podpisała pani umowę... – zaczął Flynn.

– Czy możecie przestać mówić o papierach?!

– Nic mi nie jest – powtórzyła Calla. – Zgodziłam się to zrobić. Chcę to zrobić.

– Ale dlaczego?

Spojrzenie dziewczyny było równie stalowe co spojrzenie Marilee.

– Ponieważ to sztuka.

– Callo. To nie jest...

– Jest. A ja jestem w tym dobra. Lepsza niż ktokolwiek inny.

– Lepsza w byciu ofiarą?

– Ale ja nie jestem ofiarą. Panuję nad tym.

– Krzyczysz we śnie.

– Cóż, to moja specjalność. – Calla wyswobodziła jedną rękę z uchwytu Pearl i podniosła ją do twarzy. Maleńki niebieskawy piwniczny robak biegł wzdłuż jej kończyny. – Jestem królową krzyku.

Pearl odwróciła się do Marilee, ale menedżerka miała zadarty podbródek i uśmiechała się lekko, z dumą, co było dla niej nietypowe.

Flynn pokiwał głową.

– Możemy to wykorzystać w reklamie.

Pearl spoglądała na tych dwoje profesjonalistów, dwoje dorosłych, czekając, aż jedno z nich wkroczy i to przerwie.

Nagle poczuła dłoń szukającą jej dłoni, palce splatające się z jej palcami. Calla.

– Czy zostanie pani i mi pomoże? – Znów była zwykłą dziewczyną, nie aktorką. – Proszę, Pearl. Proszę?

Pearl patrzyła, jak piwniczny robak wchodzi na samą górę ramienia Calli i znika pod rękawem dziewczyny. Po chwili ujęła jej dłoń i pomogła wejść z powrotem do zbiornika.

Za tydzień Pearl wróci do domu; zapach jej własnego mieszkania po tak długiej nieobecności wyda jej się obcy i znajomy zarazem. Będzie chodzić od pokoju do pokoju, na końcu wejdzie do pustej sypialni Rhetta. Kołdra w kratę będzie podciągnięta aż do poduszek, pościel pod nią niepomięta i nieużywana. Usiądzie na krawędzi łóżka syna. Wyjmie ekran z etui, powie mu, czego chce: listy dźwięków. Naciśnie opuszką palca: „Calla". Gdy krzyki dziewczyny otoczą ją, wypełniając pokój, Pearl podniesie głowę, nabierze powietrza do płuc i szeroko otworzy usta. Nie wyda żadnego dźwięku.

8

CZĘŚCI CIAŁA

Kobieta powiedziała:
– Chodź, kochanie, masz rzęsę na policzku.
A Calla pochyliła się ku niej.
„Dlaczego to zrobiłaś?", spytała ją potem Marilee. Och, ile powodów Calla mogłaby wymienić! Mogłaby powiedzieć:
„Ponieważ Lynley Hart, prezenterka Gray Hour i dwukrotna laureatka nagrody Peabody, poprosiła mnie o to".
„Ponieważ jej krótka siwa fryzura jest narodowym symbolem dziennikarskiej powagi".
„Ponieważ powiedziała mi, że właśnie została babcią. Chcesz powiedzieć, Marilee, że pragniesz, abym stała się osobą, która nie ufa babciom?".
Niezależnie od tego, jaki był powód, Calla pochyliła się, z zamkniętymi oczami – światła reflektorów na scenie rozgrzewały jej twarz – oczekując, że majestatyczne palce Lynley Hart musną jej policzek i sprawią, że zabłąkana rzęsa poszybuje gdzieś daleko. Ale palce kobiety minęły policzek Calli i zacisnęły się na rzęsie, wciąż przytwierdzonej do powieki Calli. Jednym sprawnym ruchem nadgarstka Lynley wyskubała rzęsę. Calla krzyknęła. Nie był to jej filmowy krzyk za milion dolarów, raczej skrzek oskubywanego ptaka, którego, jak później pomyślała Calla, sama trochę przypominała.
Gdy otworzyła załzawione oczy, Lynley Hart siedziała już wygodnie rozparta w fotelu. Nie była ani trochę zakłopotana tym, co przed chwilą zrobiła. Z wewnętrznej kieszeni żakietu wyjęła foliową torebkę i wrzuciła do niej rzęsę. Obie wpatrywały się w nią, w tę małą część Calli.

– Pani też? – spytała Calla.

Usłyszała odległy rumor, gdy Marilee próbowała przecisnąć się przez krąg kamer i ludzi z ekipy, krzycząc coś do chłopaka Calli – jej tajnego ochroniarza. Ostatnim razem, gdy Calla go widziała, stał twardo przy bufecie i zajadał kostki marmurkowego sera, jak Pac-Man kulki. Był bezużyteczny. Ale on pewnie powiedziałby to samo o niej. W końcu to ona pochyliła się do przodu z zamkniętymi oczami i zrobiła coś, czego nie powinna.

„Dlaczego to zrobiłaś?", spytała ją potem Marilee.

A Calla mogła odpowiedzieć: „Bo powiedziała do mnie «kochanie»".

W kręgu kamer i świateł Calla rzekła do Lynley: „Nie wierzy pani w to, prawda? Chodzi mi o to, że jest pani racjonalną, mądrą osobą".

Uśmiech Lynley Hart był elementem osadzonym na stałe w strukturze jej twarzy. Jej usta zaledwie drgnęły. A Calla od razu wiedziała, że ta kobieta będzie udawała, że nic nie zrobiła, że to, co właśnie się wydarzyło… wcale się nie wydarzyło.

– Nadal kręcimy? – spytała Calla. – Czy może mi pani przynajmniej tyle powiedzieć?

– Przestaliśmy kilka pytań temu.

Oczywiście. Lynley Hart nie chciałaby, aby istniało nagranie, na którym zeskubuje fragmenty ciała młodej aktorki. Jej wzrok wzniósł się ponad dziewczyną i spoczął na osobie, która stała na uboczu – jakimś producencie czy kamerzyście. Calla zastanawiała się, czy ekipa była w to zamieszana, czy po zdjęciach pokroją jej rzęsę na milimetry, a każdy weźmie część dla siebie. Lynley skinęła głową, a nad jej ramieniem pojawiło się błyskające czerwone światło, którego Calla wcześniej nie zauważyła.

– Dziękuję, że dzisiaj przyszłaś, Callo – powiedziała gładko Lynley. – Zawsze miło jest gościć w programie młodą aktorkę.

Lynley wysunęła dłoń w pustą przestrzeń pomiędzy nią a Callą do zdecydowanego uścisku, który kończył każdy z jej wywiadów. Marilee milczała. A może wynieśli ją wcześniej ze studia, zakneblowaną i szamoczącą się. Calla zorientowała się, że nadal zasłania oko dłonią. Ostrożnie opuściła rękę i spojrzała na wyciągniętą dłoń Lynley z paznokciami spiłowanymi w kwadrat. Calla poczuła, jakby wkładała dłoń w pułapkę. Ale Lynley Hart dostała już od niej to, czego chciała; nie było nic więcej, co pragnęłaby wziąć. Calla zanurzyła więc dłoń w świetle reflektora. Suchy uścisk i koniec.

W POMIESZCZENIU ZA KULISAMI Calla i jej chłopak na niby siedzieli naprzeciwko siebie na kanapach i obserwowali palce Marilee przebiegające zwinnie po ekranie, wysyłające wściekły rój pogróżek. Menedżerka chciała wezwać lekarza, aby obejrzał oko Calli, ale doktor Fleming wyjechał za granicę, a jej zdaniem nie mogli ufać jego zastępcy. Calla zgodziła się z Marilee. Obcy lekarz mógł zrobić wszystko. Mógł ukraść pobraną fiolkę jej krwi.

– To tylko rzęsa – powiedziała Calla. – Nic mi nie jest.

– Dlaczego, do licha, się pochyliłaś? – spytała Marilee.

Calla mogła odpowiedzieć: „Bo w kółko gram rolę szlachetnej panny, a jedno można powiedzieć o szlachetnej pannie – kieruje się głosem serca".

– Chyba dlatego, że mnie poprosiła.

Usta Marilee zacisnęły się w wąską kreskę, otwierając się tylko, by mogła mruknąć:

– Bo cię poprosiła.

Calla mogła przypomnieć, że przecież ciągle coś robiła, bo Marilee ją o to poprosiła, ale nie zrobiła tego. W końcu Marilee też mogła nazwać Callę małym głąbem, a nie zrobiła tego. Powściągliwość sprawia, że świat się jakoś kręci.

Ponieważ nie udało się wezwać lekarza, Marilee uparła się, że sama obejrzy oko Calli; kazała jej otworzyć oko i przyjrzała się mu. Z tak bliska, że pory na nosie Marilee wyglądały jak nasiona truskawki; jej oddech pachniał miło miętówką, spod niego wyzierała kwaśna woń kawy. Zawołała udawanego chłopaka Calli, aby się z nim skonsultować. Pochylił się usłużnie. Calla widziała, że denerwował się, gdy tak bardzo się do niej zbliżał. Wolno mu było dotykać ją tylko przed kamerami lub wtedy, gdy ktoś spróbował ją zaatakować; tak było w umowie.

– Widzę to – powiedziała Marilee. – Ślad po rzęsie. Widzisz ten punkcik? O, tutaj.

– Mieszek – podpowiedział pomocnie chłopak na niby.

– Co? – warknęła Marilee.

– Tak się to nazywa. – Zniknął z oczu Calli. – Ta dziurka, gdzie włos wyrasta ze skóry. Mieszek włosowy.

– Oko mi wysycha – poskarżyła się Calla, a Marilee w końcu cofnęła dłoń, choć bardzo niechętnie.

– Zniszczę tę kobietę – oznajmiła.

– To tylko rzęsa. Odrośnie.

Marilee zmarszczyła czoło, nieprzekonana.

– A jeśli nie, wszczepię sobie implant, okej?

Udawany chłopak Calli parsknął.

Marilee jednak jak zwykle nie była w nastroju na żarty Calli.

– To wina Flynna, ot co.

– Nie obwiniaj Flynna – odparła Calla. – To dziecko. Czterdziestoszcścioletnie dziecko.

– Dziecko, które psuje wszystkie swoje zabawki – oznajmiła Marilee. – Nigdy nie powinnam była pozwolić, aby namówił cię na tę cholerną fuchę z wirtualną rzeczywistością. Wiesz, kogo kręci wirtualna rzeczywistość i mitologia jednocześnie? Dziwaków. Szczególną grupkę maniaków eskapistów.

– Ale właśnie dlatego się tego podjęliśmy – przypomniała jej Calla. – Bo to dziwacy decydują o tym, co stanie się kultowym klasykiem.

Jeśli masz szczęście i nakręcisz kultowy klasyk w młodości, możesz odcinać od niego kupony na starość i ożywić swoją karierę, gdy dotrzesz do miejsca, które w innym wypadku byłoby przepaścią pomiędzy rolą młodej dziewczyny a rolą jej matki. W każdym razie taki był plan. Marilee i Calla go omówiły. I dlatego Calla zgodziła się zagrać wyrocznię w grze VR *Góra Mythos*. Dlatego poszła do studia i pozwoliła, aby pomazali ją farbą, dzięki której jej skóra wyglądała jak spękana skała, dlatego zadarła ciężkie spódnice, które przewiązali wokół jej talii i wspięła się na ten gipsowy cokół. Dlatego recytowała swoje kwestie tubalnym głosem:

„Podróżuj krętą drogą, sztandar swój wznieś wysoko – tam to napotkasz".

„Zanurz jej głowę raz w oliwie, jej stopy dwa razy w oceanie, a potem przysuń jej palec do płomienia".

„Strzeż się tego, kto kroczy bezszelestnie za tobą. Strzeż się stuknięcia w twe ramię".

Były to dwa dni czytania kwestii, jeden dzień tworzenia min do naniesienia na awatar w grze i jeszcze jeden przyjmowania póz do różnych wątków historii, które mógł aktywować gracz – głowa skłoniona na znak łaski, ręce wzniesione w przywoływaniu bogów, halka odsunięta, by ukazać jedną pierś, oraz pozbawiony gracji upadek z cokołu. Fragment gry, w której Calla-wyrocznia rozpryskiwała się w drobny mak, był oczywiście czymś, co autorzy animacji dodali później, efektem specjalnym. Gracz mógł wziąć kawałek roztrzaskanej wyroczni i zachować go w swoim ekwipunku. Okruch ten miał magiczne właściwości, które zwiększały celność, odporność i szczęście gracza.

Na tyle, na ile ktokolwiek mógł to stwierdzić, to właśnie stąd wzięła się plotka, że kawałek Calli Pax mógł poprawić twój życiowy los. Może zaczęło się od dowcipu lub żartu w jakimś płodnym zakątku Internetu, lecz tego ranka pasmo włosów wyrwanych z głowy Calli było na sprzedaż w darknecie za trzy tysiące dolarów, tampon nasączony jej krwią miesiączkową ukradziony z jej śmietnika za cztery tysiące dolarów, strzęp tkaniny z bluzy, którą miała na sobie Calla (to wydarzenie zaowocowało zatrudnieniem chłopaka na niby/tajnego ochroniarza) za siedemset pięćdziesiąt dolarów. Każdy chciał dorwać kawałek niej.

– Dość! – powiedziała Marilee, chowając swój ekran i wiadomość, która się na nim wyświetliła. – Porozmawiam z producentem tej kobiety. – Wymaszerowała z pokoju za kulisami, zostawiając Callę samą z jej udawanym chłopakiem.

Spojrzeli po sobie. Wzruszyła ramionami. Odpowiedział wzruszeniem ramion. Był jej chłopakiem na niby dopiero od dwóch tygodni; byli sobie praktycznie obcy, nawet jeśli zdarzało się, że jego dłonie dotykały całego jej ciała. Wziął do ręki pistolet z farbą, wybrał pasmo swoich włosów i zaczął farbować jego koniec. Nawet nie sprawdził wcześniej pojemnika, zauważyła Calla. Pistolet okazał się naładowany mleczną żółcią.

– Dobrze byś wyglądał jako blondyn – zauważyła Calla. I tak było. Był bardzo urodziwy. Wstała, usiadła na oparciu kanapy i rozejrzała się po pokoju w poszukiwaniu jedzenia.

– Wynieśli wszystko na scenę dźwiękową – powiedział jej chłopak na niby. Blond podpełzł już do połowy długości włosów. Odłożył pistolet do farbowania i wyciągnął z kieszeni kurtki jakieś zawiniątko: serwetkę z krążkami sera w tym samym kolorze co jego zafarbowane włosy. Podszedł do kanapy i zaoferował jej łup.

– Dzięki – powiedziała i wzięła jeden kawałek. – Muszę się posilić, wiesz. Żeby ta rzęsa odrosła.

Kącik jego ust i nozdrze uniosły się. Ładnie mu z tym szyderczym uśmiechem. Marilee pozwoliła Calli, aby sama go wybrała. Przesłuchali pięćdziesięcioro aktorów, połowę facetów, połowę dziewczyn. Wszyscy byli biegli w sztukach walki, wszyscy myśleli, że przesłuchanie dotyczy roli kaskaderskiej w następnym filmie Calli. Czterdzieścioro dziewięcioro nadal tak myślało. Calla nie wybrała go z uwagi na jego ciosy łokciem czy *kiai*, lecz ze względu na ten jego szyderczy uśmiech. Potrafiła rozpoznać wyćwiczoną minę i widziała, że tę ćwiczył w lustrze.

A jeśli musiałeś ćwiczyć szyderczy uśmiech, pomyślała, nie byłeś szydercą.

– Chowasz ser w kieszeni? – Calla sięgnęła po kolejny kawałek. – Trochę jak mysz.

Uśmiechnęła się od ucha do ucha i jadła dalej z otwartymi ustami, mieszając ser i ślinę w kleistą pastę. Czasem Calla lubiła robić obrzydliwe rzeczy, aby ujrzeć na twarzach ludzi zmieszanie, gdy widzieli, jak zachowuje się naprawdę – inaczej, niż sobie wyobrażali. Lecz udawany chłopak Calli wydawał się niezrażony jej żuciem. Wziął kolejny kawałek sera i przytrzymał go między zębami.

– Taką mam politykę – powiedział z serem w zębach. – Zawsze muszę mieć przy sobie trochę jedzenia.

– W razie apokalipsy, co?

Otworzył usta; ser wpadł do środka.

– Apokalipsy i niskiego poziomu białka. Sprawdzi się w obu wypadkach.

– Grałam w filmie o apokalipsie i wystąpiłam w reklamie dotyczącej niskiego poziomu białka.

– Czyli wiesz, jak to jest.

– W sumie to zagrałam w pięciu filmach o apokalipsie.

– Długa apokalipsa.

Skrzywiła się.

– Pięć różnych apokalips.

– Jak w tym wierszu Roberta Frosta: „Niektórzy mówią, że świat skończy w płomieniach. Inni – że zamarznie"*.

– Niektórzy mówią, że koniec świata sprowadzą morskie potwory. Inni, że trzymetrowe nietoperze wampiry – zaimprowizowała Calla.

Miała szesnaście lat i jeszcze nie była sławna, gdy zagrała w filmie o nietoperzu wampirze. Przekupywała wtedy asystentów, aby powiedzieli jej, co mówili agenci na castingu

---

* Some say the world will end in fire, | Some say in ice. Początkowe wersy wiersza Fire and Ice (Ogień i lód) Roberta Frosta w tłumaczeniu Rut Klingofer – przyp. red.

po jej wyjściu z sali. Dwieście dolarów za nagą prawdę – taki był układ. W produkcji o nietoperzach Calla ubiegała się o drugoplanową rolę trajkoczącej przyjaciółki głównej aktorki, która w połowie filmu zostaje poddana wiwisekcji w katakumbach.

– Powiedzieli, że nie byłaś dość hoża – oznajmiła jej asystentka, gdy spotkały się w umówionym kącie na parkingu.

– Hoża? – spytała Calla. Nie znała tego słowa; miała dopiero szesnaście lat.

– No wiesz. Chodzi o cycki. – Asystentka uniosła brew i wskazała własne piersi, spłaszczone pod sportowym stanikiem. – Powiedzieli, że ich nie masz.

Calla spojrzała na swoje piersi.

– To znaczy dużych. Mówią, że trzeba mieć duże do wiwisekcji. Mówią, że tego chcą widzowie. Zobaczyć cycki oddzielone od dziewczyny. – Asystentka zagryzła wnętrze policzka. – To samo ze śmiercią przez uduszenie, powiedzieli. Muszą widzieć, jak falują. – Jej dłoń poruszała się już niecierpliwie u jej boku, gotowa przyjąć zapłatę. – Hej, ale podobało im się, jak czytałaś. „Ta przynajmniej umie grać". Tak powiedzieli.

– Dzięki. – Calla wręczyła jej banknoty. – To... hm... przyda mi się.

I ostatecznie okazało się to przydatne, nie tyle informacja, co skromny dekolt Calli, ponieważ zamiast w roli przyjaciółki poddanej wiwisekcji, ostatecznie obsadzili ją w głównej roli. I zanim piersi Calli pojawiły się dwa lata później (i to jakie), była już dość sławna, aby mordowano ją tak, jak sama zechciała.

– Widziałem ten film o nietoperzach wampirach – powiedział udawany chłopak Calli. Niższym głosem wyrecytował slogan: „Zło używa echolokacji".

– Reżyser to wymyślił. Był prawdziwym głupkiem. Zamiast wołać: „Akcja!", krzyczał: „Echolokacja"! Uwierzysz?

– To wcale nie jest głupie. To jest świetne. – Wziął znów do ręki pistolet od farby i rzucił przez ramię: – Byłaś w nim dobra, tak w ogóle.

Calla znała formułę komplementów wypowiadanych komuś w twarz: prawda zawsze była o jedno oczko niżej. Jeśli ktoś powiedział, że byłeś świetny w filmie, tak naprawdę uważał, że byłeś dobry. Jeśli ktoś powiedział, że byłeś dobry, uważał, że byłeś tylko w miarę w porządku. Calla sądziła, że uodporniła się już na krytykę, lecz niespodziewanie poczuła ukłucie bólu w związku z tą mizerną pochwałą. Kim był ten mały udawacz, ten mały szarlatan, aby uznać, że była tylko w miarę w porządku?

Dlatego spytała:

– Czyli chcesz być aktorem, co?

Pytanie było nieuprzejme, bo możesz sobie chcieć być aktorem do woli, ale nie jesteś nim, nie tak naprawdę, dopóki jakiś agent na castingu, producent i reżyser nie powiedzą, że możesz nim być.

Ale chłopak na niby wyglądał raczej, jakby uwaga Calli zrobiła na nim wrażenie, zamiast go obrazić, albo jakby zrobiło na nim wrażenie to, że ktoś go obraził. Otworzył usta i już chciał się odezwać, jednak cokolwiek zamierzał powiedzieć, przerwał mu dzwonek połączenia przychodzącego do Calli. Chwilę zajęło jej znalezienie ekranu w torbie Marilee. Gdy go rozwinęła, ujrzała znajomą twarz. To Pearl!

Calla chciała odebrać, ale zawahała się; jej dłoń zastygła, gdy pomyślała: „A co jeśli Pearl też chciała uszczknąć kawałek niej? Wyciągnąć rękę, z paznokciami ostrymi jak szpony, i nożyczkami ukrytymi w dłoni, i…?".

Nie, Pearl była jej przyjaciółką. Aby to podkreślić, Calla stuknęła zdecydowanie w środek czoła Pearl, odbierając połączenie.

Gdy twarz dziewczyny pojawiła się na ekranie, Pearl skupiła wzrok:

– Calla!

Jej zwykle starannie uczesane krótkie włosy były zwichrzone, a kołnierzyk przekrzywiony, jakby go szarpała. Wyglądała na potarganą wiatrem, niepokojem.

– Proszę tak na mnie nie patrzeć – powiedziała Calla. – Nic mi nie jest. Widzi pani? – Przesunęła ekran w dół, skanując swoje nietknięte ciało, i z powrotem w górę, do twarzy Pearl, na której teraz malowało się zdziwienie.

– Callo. Co..?

– Dzwoni pani w związku z tą sprawą, prawda? I tym, że jestem teraz jak kieł słonia czy małpia łapa, czy co tam?

– Królicza łapka – podpowiedział jej udawany chłopak gdzieś za jej plecami.

– Jak królicza łapka – powtórzyła Calla. – Taki amulet na szczęście?

– Cóż, w sumie tak. – Pearl bawiła się swoim kołnierzykiem. – W pewnym sensie.

– Jak pani widzi, nic mi nie jest. Wie pani, jaka jest Marilee. Zatrudniła goryla. Okej, zwykle goryl nie zwraca na mnie uwagi, tylko wcina ser. – Calla zerknęła na swojego chłopaka na niby. – Ale pewnego dnia jakiś gość sięgał do moich włosów, a on totalnie powalił go na chodnik.

– Twoich włosów? – Pearl ścisnęła dwoma palcami grzbiet nosa. – Och, Callo.

– Nie słyszała mnie pani? Położył go na łopatki!

– Tak mi przykro.

– Dlaczego jest pani przykro? Wiem, wiem, to zwykły wyraz współczucia, niekoniecznie przyjęcie odpowiedzialno...

– Jest mi przykro, bo to nasza wina! – wypaliła Pearl.

– Ależ skąd – odparła natychmiast Calla, ignorując pustkę w piersi, w której nagle rozległo się echo wampirzo-nietoperzych katakumb. Nie Pearl. Przecież jej mogła ufać. – To jakieś internetowe dziwactwo.

Ale Pearl nie słuchała; mówiła do kogoś poza ekranem. „Nie. Nie sądzę... W porządku. Przestań. Powiedziałam: w porządku". Zwróciła się znów do Calli.

– Mój współpracownik chce z tobą porozmawiać... Czy byłoby to możliwe?

– Może powinienem pójść po Marilee – zasugerował udawany chłopak Calli.

Zignorowała go. Powinna była się domyślić, że dostał takie instrukcje.

– Jasne – powiedziała głośno do Pearl. – Porozmawiam z każdym.

Calla usłyszała za plecami dźwięk otwieranych i zamykanych drzwi, gdy jej chłopak na niby potruchtał, żeby wypaplać, co się dzieje. Pearl zniknęła z ekranu, a jej miejsce zajął przygarbiony mężczyzna z wysuniętym do przodu podbródkiem i ramionami prawie na wysokości uszu. Ale nie, jednak nie był zgarbiony; spiął się, jakby zapędzono go w róg i szykował się do skoku.

– Panno Pax! – powiedział i jeszcze bardziej się spiął. – Cóż za zaszczyt.

– Dziękuję.

– Wie pani, co zrobiłem, gdy po raz pierwszy oglądałem *Skórowanie kosą*?

– Uhm. Co?

– Wskazałem na ekran – teraz też wskazał na swój ekran – i powiedziałem: ona. Ona!

Calla zerknęła przez ramię i z zaskoczeniem odkryła, że miała nadzieję, że jej chłopak na niby jednak wróci z Marilee.

– ...reżyserem projektów specjalnych – mówił skulony mężczyzna, gdy się odwróciła. Dotknął dłonią piersi, jakby ten tytuł był jego imieniem. – Ale może mi pani mówić po imieniu: Carter. Pracuję z Pearl – naszą Pearl – tu, w Apricity.

– Miło mi pana poznać.

– Wzajemnie, panno Pax. Wzajemnie.

– Uhm, Pearl właśnie powiedziała, że...

– Panno Pax, panno Pax, panno Pax! Gdyby pani... gdyby pani mogła? Gdyby pani pozwoliła? Chcę pani o czymś powiedzieć. A właściwie coś zaoferować. Gdybym tylko mógł – gdyby była pani tak uprzejma, aby pozwolić mi o tym opowiedzieć?

– Pewnie – powiedziała. – Śmiało, proszę strzelać.

Carter zdjął dłoń z piersi, ułożył w kształt broni i udał, że strzela do ekranu. (Calla stłumiła pragnienie, aby umrzeć na niby).

– Mam dla pani propozycję... – zaczął i urwał, a po chwili milczenia dodał: – ...pracy.

– Co? W Apricity?

Carter uśmiechnął się powoli.

– Jako Apricity.

– Jako?

– Zgadza się.

Ale zanim mógł powiedzieć jej cokolwiek więcej, Marilee wmaszerowała do pokoju i zabrała ekran z rąk Calli. Carter i jego zaskakująca propozycja poszybowały wysoko nad jej głową i z dala od jej rąk.

„Pearl i ten Carter powinni skorzystać z właściwych kanałów", poinformowała Callę Marilee po skonfiskowaniu jej ekranu. Była wściekła, że Pearl skontaktowała się z Callą potajemnie i w kółko to powtarzała. Marilee umówiła się na spotkanie w Apricity następnego dnia – miała na nie pójść tylko ona i agent Calli. Dziewczyna nie miała brać w nim udziału; była to kara za tupet Pearl, która ośmieliła się zadzwonić bezpośrednio do niej.

– I żadnych pogaduszek z Pearl w międzyczasie – ostrzegła ją Marilee.

Zjeżdżali windą na parking budynku *Gray Hour*. Chłopak na niby Calli stał przy guzikach i udawał, że nie słucha.

– Nie obwiniaj Pearl – powiedziała Calla do Marilee. Nie przekazała jej jednak, co powiedziała Pearl o odpowiedzialności za ludzi, którzy próbowali ukraść kawałki niej.

– Nie wiń Flynna. Nie wiń Pearl. Naprawdę, Callo, kogo twoim zdaniem powinnam winić za to kłopotliwe położenie? Ciebie? Mnie? Przypuszczam, że mnie.

Calla potrząsnęła głową.

– Nie ciebie. Nikogo. Los.

Marilee cmoknęła z dezaprobatą.

– Ty nie wierzysz w los.

I była to prawda; Calla nie wierzyła w los. Znała celebrytów, którzy wierzyli, że jakieś bóstwo miało pochylić się nad ich kołyską i kredą napisać znak przyszłej sławy na ich niemowlęcych czołach. Calla nie miała podobnych złudzeń. Aż głupio wierzyła w determinację: leżenie w kałuży sztucznej krwi, dopóki nie wyschła i nie przykleiła się do skóry, ćwiczenie trupich grymasów w lustrze, aż nie mogła patrzeć na swoje odbicie przez wiele dni, płacenie asystentom za obelgi, których nikt inny nie powiedziałby jej w twarz. Calla wierzyła też w szczęście, ale w to nieoczywiste. Nie kaskadę monet z automatu do gier, lecz mrugnięcie okiem, drobny gest, migotliwy blask w powietrzu. Jak szczęście, że twoje piersi rozwinęły się późno, co zapewniło ci główną rolę zamiast roli najlepszej przyjaciółki poddanej wiwisekcji.

Winda brzęknęła i drzwi się otworzyły.

– Fotografowie – powiedział udawany chłopak, ostrym ruchem podbródka wskazując przeciwległy koniec parkingu, gdzie stał zaparkowany samochód.

Marilee zaklęła plugawym szekspirowskim bluzgiem.

– Nie, zaczekaj. – Sprawdziła na swoim ekranie. – Zaaranżowałam to. Wy dwoje – wskazała na Callę, potem na jej chłopaka na niby – przygotujcie się.

– Ile? – spytał udawany chłopak.

– Cóż... jest wczesne popołudnie. – Marilee chrząknęła. – Powiedzmy czwórka. Słodko, bez obłapiania.

– Jak twój oddech? – spytała Calla.

– Serowy – odparł.

Wyszli z windy, a udawany chłopak Calli sunął obok niej, z dłonią w jej dłoni. Paparazzi już ich zauważyli; błysnęły lampy, jak suche letnie błyskawice, i rozległy się krzyki: „Tutaj! Tutaj! Calla! Spójrz, tutaj!". Lecz Calla nie patrzyła na żadnego z nich, ponieważ jej chłopak na niby był tuż obok niej, unosił jej podbródek i dotykał jej policzka, a ona nawet nie musiała go prosić, aby przyoblekł swój szyderczy uśmiech, zanim ją pocałuje, nie musiała podpowiadać, że na zdjęciach wyglądałoby to jak emocje; sam już uśmiechał się szyderczo. A za tym szyderczym uśmiechem jego oddech pachniał, jak zapowiedział, serem – wilgotnym i przypominającym angielski krem. Choć niezupełnie przyjemny i z pewnością niepociągający, ten zapach jakoś się jej podobał. Otworzyli usta na zaledwie chwilę, a jego dłoń powędrowała w jej włosy. Odsunęli się od siebie. Proszę. Tak właśnie wyglądała czwórka.

Gdy Calla mijała fotografów, jej strach rozwinął się jak prześcieradło, uniesione i strzepnięte, aby się przewietrzyło. Nałożyła sztuczny uśmiech na twarz i kątem oka wypatrywała dłoni, która wyłoniłaby się jak wąż, by ją chwycić, błysku noża, kogoś wychylającego się z podnieconego tłumu. Czuła mięśnie ramienia jej udawanego chłopaka napinające się wokół niej, gotowe do kontrataku. Gdy tylko znaleźli się za przyciemnianymi szybami samochodu, zabrał rękę z jej ramion i szybko się odsunął. Skuliła się na siedzeniu, obejmując się rękami. Dopiero po chwili zrozumiała, że z tego strachu zapomniała zdjąć uśmiech z twarzy.

Spotkanie z Apricity było zaplanowane na rano, dzięki czemu Calla miała całą noc na grasowanie po domu. Nie mogła znaleźć sobie miejsca, wyobrażała sobie rolę, w którą mogłaby się wcielić. Wyobrażała sobie własne ciało, lecz z zamglonymi oczami i ustami szeroko otwartymi ze zdumienia; wyobrażała sobie, jak wsuwa się do swego ciała niczym do kombinezonu, ożywia je i porusza nim. „Jako Apricity", powiedział współpracownik Pearl. Pewnie miał na myśli rolę rzeczniczki. Calla była już twarzą perfum, ekranu, linii odzieżowej i organizacji dobroczynnej na rzecz dzieci.

Jako Apricity, pomyślała Calla, mijając swojego udawanego chłopaka, drzemiącego w swobodnej pozie na kanapie.

„Jako Apricity", pomyślała, gdy weszła po schodach do łazienki i przetrząsała toaletkę w poszukiwaniu różdżki do lakieru i obcinacza do paznokci. Usiadła na brzegu wanny i różdżką odciągnęła barwnik z paznokci, które następnie obcięła, pozwalając mętnym skrawkom opaść na podłogę. Skrzywiła się, gdy za głęboko obcięła paznokieć kciuka; skóra pod spodem miała różowy odcień ciała noworodka. Zamiotła ścinki na dłoń i pomyślała: „Mała fortuna", po czym strzepnęła je do kosza pod umywalką.

Potem zeszła na dół i dotknęła ramienia chłopaka na niby, które zwisało z boku kanapy. Natychmiast otworzył jedno oko, jak sowa lub kot. A więc jej udawany chłopak udawał, że śpi. Wstał i poszedł za nią do jej sypialni, choć nie powiedziała: „Chodź ze mną", nawet się nie uśmiechnęła. Zatrzymali się pośrodku jej pokoju i stali teraz zakłopotani naprzeciwko siebie.

– Mniej więcej szóstka? – Uniósł brwi. – Siódemka?

Skrzywiła się.

– To nie należy do naszej umowy.

– Hej. Tylko żartowałem.

Zrobił krok w jej stronę, zawahał się, lecz po chwili dotknął jej policzka.

Seks był dziwny. Calla nie mogła się powstrzymać, by nie myśleć, że pieścił części jej ciała w kolejności, od góry do dołu, jakby miał jakąś listę w głowie. A jego szyderczy uśmiech, który tak jej się wcześniej podobał? Teraz pragnęła, by zniknął. Szyderczy uśmiech w końcu rozpłynął się w sekundach przed jego orgazmem, lecz jego twarz bez niego wydawała jej się czymś, czego nie miała prawa widzieć, więc zamknęła oczy, udając rozkosz.

Gdy stanął nago w nogach łóżka, jego twarz była zaczerwieniona, z przyjemności lub zażenowania. Calla nie wiedziała, co było prawdziwe. Zwinął swoją bieliznę w kulkę w dłoni.

– To było miłe – powiedziała Calla, po cichu stosując zasadę umniejszania o jeden. Co zdumiewające, jej udawany chłopak jakby zaakceptował tę wątłą pochwałę z nieśmiałym uśmiechem. Włożył dżinsy i wrócił na swoją kanapę.

Calla była pewna, że przyśnią jej się koszmary, może o skórzastych nietoperzych skrzydłach albo o półce, na której przechowywano części jej ciała w rzędzie szklanych słojów. Ale zasnęła, a gdy zaledwie chwilę później, jak jej się wydawało, otworzyła oczy, był już poranek.

Biuro Apricity mieściło się w głębi dzielnicy biznesowej, gdzie wysokie budynki rzucały po południu spiczaste cienie. Calla patrzyła na rozciągające się cienie z wnętrza samochodu; ich krawędzie zaostrzały się z minuty na minutę. Patrzyła na tłumy ludzi sunących po siatce chodników niczym elementy jakiegoś misternie zaprogramowanego systemu. Odwróciła się na bok w fotelu i oparła stopy o drzwi samochodu, wbijając obcasy w podłokietnik. Calla mogła się zabrać na przejażdżkę na spotkanie – Marilee w końcu zgodziła się na tyle w obliczu uporczywych błagań dziewczyny – ale miała zostać w samochodzie. Więc Calla i jej chłopak na niby czekali przed wejściem przez ponad godzinę.

Jej udawany chłopak zabijał czas, co rusz zmieniając stację radiową; piosenkarz nie mógł skończyć wersu, by nie przerwał mu szybki ruch nadgarstka. Teraz, gdy zostali sami, Calla zastanawiała się, czy wspomni o poprzedniej nocy. Oczekiwała, że spróbuje zrobić coś ukradkiem: pocałować ją, musnąć pieszczotliwie, może nawet spojrzeć jej w oczy. Ale on jak zwykle trzymał się na dystans, obejmując ją przy ludziach i cofając rękę, gdy drzwi samochodu się zatrzasnęły. Calla nie była pewna, czy czuła ulgę, czy rozczarowanie w związku z jego brakiem uwagi.

Przede wszystkim była sfrustrowana. Marilee, Pearl i cała reszta byli tam, w tym biurowcu, i podejmowali decyzje w jej sprawie, jakby była jakimś produktem, jakimś – Calla zdecydowała się sięgnąć po to słowo – towarem. Delikatnie kopnęła w drzwi, raz-dwa, w maleńkim napadzie złości. Potem zrozumiała, że nie musi kopać w drzwi;

mogła je po prostu otworzyć, gdyby chciała. Usiadła i tak właśnie zrobiła.

Jej chłopak na niby odwrócił się gwałtownie.

– Co robisz?

– Idę na spotkanie.

Otworzyła drzwi do końca i pomimo jego protestów wyskoczyła z samochodu. Wylądowała na chodniku i o mało nie zderzyła się z przejeżdżającą na rowerze kurierką.

– Cholera! – Kurierka gwałtownie zahamowała. Jej skóra była pokryta strupami i tatuażami, trudno było odróżnić jedne od drugich. – Patrzysz w ogóle, jak... – Zauważyła twarz Calli. – Calla Pax.

Calla pomyślała, że powinna powiedzieć swojemu udawanemu chłopakowi, że tak wygląda sława: ludzie co rusz powtarzają ci, że jesteś sobą.

W tej chwili, za plecami kurierki, Pearl wyszła z budynku Apricity i ruszyła chodnikiem szybkim krokiem.

– Pearl! – zawołała za nią Calla. Bez powodzenia. – Pearl!

Tymczasem kurierka gmerała przy swoim ekranie. Calla ominęła ją błyskawicznie i pobiegła chodnikiem w kierunku miejsca, gdzie zniknęła Pearl. Teraz widziała Pearl przed sobą, jej zielony płaszcz kołysał się w rytm kroków. Nieuprzejmie przepchnęła się obok mężczyzny w goglach do ekranu – „Hej!", powiedział – przeskoczyła nad małym psem, chwyciła Pearl za rękę i gwałtownie odwróciła do siebie.

Pearl spojrzała na nią, potem przeniosła wzrok na coś za jej plecami. Calla też się odwróciła. Jej udawany chłopak i kurierka rowerowa podążali za nią. Kurierka nagrywała Callę ekranem.

– Czy możemy porozmawiać? – spytała Calla.

Pearl z typową dla niej operatywnością skinęła głową i rozejrzała się uważnie dokoła.

– Chodźmy... – Wskazała na prywatną kabinę na końcu przecznicy.

Pohalsowały w jej stronę. Tłum ludzi sunących na obiad spowalniał je; udawany chłopak i kurierka kontynuowali pościg. Gdy dotarły do kabiny, Pearl wyjęła z kieszeni swój ekran. Wystukała coś na nim i drzwi otworzyły się na oścież.

– Co z nimi? – spytała Pearl.

Pozostali dwoje dogonili je.

– On idzie, ona nie – powiedziała Calla, chwytając udawanego chłopaka za rękaw.

Cała trójka wcisnęła się do kabiny. Kurierka rowerowa nie próbowała wejść za nimi, tylko z lekko zaskoczoną miną filmowała dalej przez przezroczyste drzwi, gdy się zasuwały. Na szczęście kabina był wolna od śmieci i smrodu uryny. Otwarcie jej kosztowało na tyle dużo, że kabiny były zwykle dość czyste, lecz czasem biznesmeni po *happy hour* uważali, że warto zapłacić tę cenę, aby chwiejnym krokiem wejść do środka i się wysikać.

– Ogród japoński, okres Edo – powiedziała Calla.

Ściany kabiny pozostały przejrzyste; niektórzy przechodnie zerkali teraz z zaciekawieniem na filmującą kurierkę rowerową.

– To starszy model. – Pearl sprawdzała coś na swoim ekranie. – Podstawowe opcje.

– Noc. Plaża. Zima – rzucił chłopak na niby.

Ściany kabiny pociemniały, zasłaniając kurierkę i ulicę. Za nimi kłębił się czarny ocean; fale rozbijały się o biały jak kości piasek pod ich stopami. Ponad nimi nocne niebo kłuło w oczy punkcikami gwiazd. Naturalny układ gwiazd był strategicznie wymazany, zamiast niego widać było wzór tworzący oczy i usta: uśmiechniętą buźkę. Calla uśmiechnęła się do twarzy na niebie.

– Czy ta kobieta cię ścigała? – spytała Pearl.

– Tak jakby. Może. Taa.

Pearl skrzyżowała ręce i potarła ramiona dłońmi, jakby poczuła zimową temperaturę plaży, chociaż w kabinie było raczej aż za ciepło.

– Powinniśmy zadzwonić do Marilee?

– Nie – odparła Calla. – Powinna mi pani powiedzieć, co się działo na spotkaniu.

Udawany chłopak Calli zaczął coś mówić. Calla dotknęła jego nadgarstka, aby zasygnalizować, by milczał; musiał źle zrozumieć jej zamiar, bo wziął ją za rękę. Ku swemu zdumieniu, pozwoliła mu na to.

– Jako Apricity – rzekła Calla; te słowa rozbrzmiewały zapętlone w jej umyśle. – Ten gość, Carter, powiedział, że chcą mnie zatrudnić „jako Apricity". Co miał na myśli?

Pearl westchnęła.

– Chce użyć twojego głosu. Myśli, że klientom bardziej się spodoba, jeśli maszyna będzie do nich mówić.

– Moim głosem?

– Nagrają, jak wypowiadasz listę sylab, fonemów, popularnych słów, a potem użyją swojego oprogramowania, które złoży to, aby brzmiało, jakbyś ty mówiła. Czy raczej jakby maszyna mówiła jako ty. – Pearl rozłożyła ręce. – Na tym polega ta praca.

Calla próbowała to sobie wyobrazić, te małe srebrne pudełka przemawiające jej głosem. Otworzyła usta i zamknęła je, nagle obawiając się wydać jakikolwiek dźwięk.

– Jest coś jeszcze. – Calla zmusiła się, by to powiedzieć. – Wczoraj powiedziała pani, że ci ludzie… – Wskazała na skrawek gwieździstego nieba, gdzie wcześniej znajdowały się drzwi kabiny.

– To moja wina – przerwała Pearl. Zagryzła wargę i przytaknęła. – Tak. To nasza sprawka. Apricity.

– Jak to?

– Gdy Carter po raz pierwszy wpadł na pomysł, aby użyć twojego głosu, potrzebował dowodu, że ludziom się on spodoba. Dlatego zasugerowałam – Pearl stuknęła kciukiem w swoją pierś i powtórzyła – to ja zasugerowałam, aby puścił go w sieci, na różnych forach. Bo nie mógł zapytać wprost. A potem, no cóż, idea uległa wypaczeniu. Pomysł, by Calla Pax mówiła ludziom, co mają zrobić, aby byli szczęśliwi, przerodził się w myśl, że Calla Pax mogła uszczęśliwić ludzi. A ta w jakiś sposób – nie wiadomo jak – zmieniła się w to.

– Ale nie ma pani pewności, że... – zaczęła Calla.

– Ależ mam. Cofnęłam się i prześledziłam to, co zamieścił w internecie Carter, sprawdziłam, dokąd trafiło. To nasza wina. Moja. I tak bardzo, bardzo przepraszam.

– Nie musi pani przepraszać.

– Ależ muszę. Nie chcę, żebyś cierpiała. Byłam taka zła na Marilee, gdy znalazłam cię w tamtym zbiorniku, w tamtej trumnie, pokrytą robakami. A teraz wiem, że sama do tego doprowadziłam. – Gwałtownie podniosła ręce. – Teraz tkwimy w tej przeklętej przezroczystej trumnie razem.

Podniosła głos, a gdy wypowiedziała słowo: „przezroczystej", kabina odebrała to jako polecenie. Gwiazdy zniknęły. Ocean zakotłował się jeszcze raz i zwinął w stronę horyzontu. Ściany znów stały się przezroczyste, odsłaniając ulice miasta na zewnątrz. Tyle że teraz nie było widać ani miejskiej ulicy, ani miejskiego chodnika, ani niczego. Poza ludźmi tłoczącymi się wokół kabiny.

Kurierka rowerowa wciąż stała przed drzwiami kiosku, wciąż filmowała. Musiała symultanicznie streamować na swoim feedzie albo powiadomiła innych kurierów, a może nie zrobiła żadnej z tych rzeczy i wieść rozeszła się sama. Niezależnie od tego, jaka była przyczyna, kabinę otaczały teraz dziesiątki ludzi, może setka. A gdy ściany stały się przezroczyste, tłum ujrzał Callę.

Ci ludzie nie krzyczeli ani nie napierali. Nie próbowali przewrócić kabiny na bok. Po prostu przysuwali się, krok za krokiem, jak potężna masa. Zbliżali się coraz bardziej, aż przywarli do ścian kabiny, a Calla zobaczyła linie na ich dłoniach, tuziny linii, z których można by wyczytać ich losy.

– Co robimy? – spytał jej chłopak na niby.

Pearl w kółko wypowiadała imię Marilee do swojego ekranu. Ich spanikowane głosy wydawały się Calli ciche i odległe, jakby odłożyła ekran w trakcie rozmowy i zaczęła się oddalać.

W końcu Pearl dodzwoniła się do Marilee. Próbowała wyjaśnić sytuację, a udawany chłopak Calli wtrącał dodatkowe informacje. Oboje dopiero po chwili zauważyli, że Calla zdążyła wysunąć dłoń z dłoni swojego udawanego chłopaka i szarpnęła drzwi kabiny.

Tłum czekał na nią. Gdy Calla wyszła na zewnątrz, rozległo się ciche westchnienie, dziwnie przypominające echo otwierających się drzwi kabiny. Ludzie stojący najbliżej cofnęli się, ustępując Calli miejsca, aby mogła stanąć na chodniku. Czuła obecność Pearl i swojego udawanego chłopaka tuż za plecami, gdy próbowali ją chwycić i wciągnąć do środka, lecz tłum wtłoczył się przed nich i zagrodził im drogę. Calla zrobiła kolejny krok do przodu i jakby na jej rozkaz dłonie zaczęły głaskać ją delikatnie, bardzo delikatnie, wyznaczając granicę pomiędzy jej ciałem a pustką.

9

MEBLE WYGLĄDAJĄ ZNAJOMO

A WIĘC WRÓCIŁEM. Sto lat i jeden rok później. Mój pokój pachnie, jakby należał do domu kogoś innego, olejkami i mydłami innej rodziny. Czy tak kiedyś pachniałem? Jedynie jaszczurzy smród Lady jest znajomy. Stukam w szybę na powitanie. Jest z tyłu, za swoimi gałęziami. Na moje stukanie wykonuje pozorowany ruch głową i obserwuje mnie kątem oka.

Na ścianach mojego pokoju widnieje obraz kwitnących glonów wzdłuż wybrzeża, fluorescencyjnych i pokrytych brudną pianą. Ustawiłem je tak przed wieloma miesiącami, gdy przyjechałem do domu na ferie zimowe. Właśnie skończyłem kurs oceanografii i byłem nakręcony tym, jak to ludzie żyją sobie beztrosko, wrzucając trucizny do kąpieli. Ściany z wodorostami są brzydkie, lecz szczere. Założę się, że mama chce zmienić moje ściany codziennie od końca ferii. Oczywiście mogłaby po prostu zamknąć mój pokój, ale nie potrafiłaby się do tego zmusić. Mama. Zawsze musiała zostawić drzwi uchylone choć odrobinę.

Glony kłębią się na powierzchni wody, tworząc falbanę maleńkich baniek. Powrót z uczelni na lato przypomina nocowanie w domu znajomego, którego zawsze odwiedzałeś tylko popołudniami. Meble wyglądają znajomo, ale w innym świetle przestrzeń wydaje się obca.

Mama puka we framugę. Ciekawe, od kiedy mi się stamtąd przygląda, ale z drugiej strony, co mogła zobaczyć? To, jak stoję tutaj i patrzę na ściany?

– Co zjadłbyś na kolację? – Uśmiecha się odważnie. – Panie ze stołówki w twoim akademiku dały mi wszystkie swoje najlepsze przepisy – na zapiekankę z makaronem i tuńczykiem, kotlet *de volaille*, mielonkę.

Żart jest niezręczny. Temat jedzenia nadal jest niezręczny, chociaż oboje pragnęlibyśmy, aby było inaczej. Co oczywiście sprawia, że jest niezręcznie. Przez to całe pragnienie.

– Mieliśmy też Taco Tuesday – mówię.

– Taco Tuesday?

– Dzięki aliteracji smakowało jeszcze lepiej.

Uśmiecha się, tym razem prawdziwie. W porządku. Cieszy mnie to.

– Ale sałata zawsze była przywiędła – ciągnąłem. – Nauczyły cię, jak taką zrobić?

Mama grała jak zawodowa aktorka.

– Nauczyły mnie wszystkich swoich sztuczek.

Mój ekran świergocze do mnie. Nie chcę na niego patrzeć przy niej, ale nie mogę się powstrzymać. Wysuwam go z kieszeni, rozwijam i zerkam. Tak, to Saff. Zdjęcie, którego nie mogę rozszyfrować. Zwój tkaniny? Sęk?

Mama specjalnie patrzy na coś za mną, gdy sprawdzam mój ekran, co jest chyba formą zapewnienia prywatności.

– Straszne – wzdycha.

Dopiero po sekundzie rozumiem, że mówi o kwitnących glonach. Wyciąga rękę i dotyka ściany, która migocze pod jej palcami, sprawiając, że glony zdają się zanurzać w wodzie i znów wypływać na powierzchnię. Nie powinno się dotykać ściany w ten sposób, ale nawet jej tego nie mówię. Przecież to wie.

– Naukowcy stworzyli gatunek węgorza, który zjada przerośnięte glony – mówię. Dowiedziałem się o tym na zajęciach z oceanografii.

– Udało się?

– Tak jakby. Węgorze zjadły glony. A potem parę gatunków ryb.

– Biedne ryby.

– Wiesz, tak to jest, gdy ufasz węgorzom…

Unosi brwi pytająco.

– Wszyscy wiedzą, że są śliskie – mówię. Badum-tss.

Mama znów się uśmiecha. I znów mnie to cieszy. Chociaż, prawdę mówiąc, chciałbym, żeby sobie stąd poszła, abym mógł w spokoju spojrzeć na swój ekran.

W KOŃCU IDZIE DO SKLEPU. Po składniki do tacos. Gdy domowy system zarządzania oznajmia, że wyszła, wyjmuję znów ekran i przyglądam się zdjęciu, które wysłała mi Saff. Wyświetlam je powiększone na suficie i próbuję się dopatrzeć, co to jest.

Jestem prawie pewny, że zdjęcie przedstawia przeciwległą stronę jej łokcia. Wiecie, to małe marszczące się miejsce we wnętrzu ręki, tam, gdzie się ona zgina. Ale trudno stwierdzić na pewno, bo zdjęcie zrobiono z bliska, w półmroku, a skóra Saff sama z siebie jest ciemna, ale myślę, że to jest właśnie to. Przeciwna strona łokcia Saff.

Chyba powinienem dodać, że tylko wydaje mi się, że to Saff wysyła mi te zdjęcia. Przychodzą z nieznanego numeru. Pierwsze dostałem w połowie stycznia, tydzień po tym, jak Saff i ja zdecydowaliśmy, że skoro studiujemy na różnych uczelniach w różnych miastach i wiemy różne życia, nie powinniśmy już ze sobą rozmawiać ani do siebie pisać. Nie powinniśmy rozmawiać ani pisać... i wtedy przyszło pierwsze zdjęcie.

Przedstawiało jakieś zatłoczone miejsce; zrobiono je z miejsca dość nisko nad ziemią. Był to zamazany obraz nóg i butów różnych ludzi, którzy szli żwawym krokiem. „Może to dworzec kolejowy", pomyślałem. Kilka dni później mój ekran podświetlił się od kolejnego zdjęcia, następne kilka dni później znowu, i tak dalej, i tak dalej. Po jakimś czasie zacząłem odsyłać własne zdjęcia.

Nie mogę zapytać, czy zdjęcia są od niej, ze względu na naszą umowę o nierozmawianiu i niepisaniu. Poza tym to lato spędza w Evanston ze swoim nowym chłopakiem. A przynajmniej tak powiedziała Ellie, która powiedziała

Josiah, który powiedział mnie. Może to chłopak Saff zrobił zdjęcie jej ręki.

Pstrykam fotkę glonów na mojej ścianie i odsyłam pod nieznany numer.

Jeszcze zanim zdążę odłożyć ekran, znów świergocze. (Mój dzwonek to skrzypienie kołatka, wymarłego w 2029). Tym razem to nie Saff, lecz mój współlokator, Zihao. Cóż, właściwie były współlokator, ponieważ ten rok akademicki się skończył i teraz mieszkamy w innych pokojach. Zi jest na lotnisku. Chce, abym wiedział, że jest zmęczony, a kolejka po kawę jest bardzo długa. Komunikuje to używając emoji, swego ulubionego języka. Twierdzi, że emoji są bardziej wyrafinowaną formą komunikacji niż same słowa, ale podejrzewam, że prawdziwym powodem jest to, że Zi lubi oglądać, jak obrazki kołyszą się i tańczą. Sam jest w ciągłym ruchu.

„Jeśli zasnę w kolejce po kawę, czy ludzie za mną podniosą mnie i przesuną do przodu?", pisze. Ten pomysł jednak wymaga użycia słów; tylko połowę wiadomości stanowią emoji.

Odpowiadam, że nie, że ludzie w kolejce połączą garść słomek, żeby stworzyć jedną długą słomkę. Jeden koniec włożą do dzbanka za ladą, a drugi do jego ust.

„Amerykańska pomysłowość!", odpowiada. To właśnie kazałem mu mówić, gdy zbije go z tropu coś, co robią ludzie w naszym kraju.

Uśmiecham się i rzucam swój ekran na łóżko. Gdy ląduje, świergocze raz jeszcze, jakby w proteście.

To znów Zi: „Ojej! Mam nadzieję, że czeka mnie dobry lot".

Zi rzuca przynętę. Mawia, że jeśli ja nauczę go, jak być Amerykaninem, on nauczy mnie, jak być człowiekiem.

Przewracam oczami i odpowiadam: „Mam nadzieję, że czeka cię dobry lot, Zi".

Mama faktycznie znalazła sposób na to, jak podać zwiędłą sałatę. Myślę, że mogła ją włożyć do piekarnika. Unoszę brwi na widok miski oklapłej zieleniny, którą stawia przede mną. Zwykle mama nie ciągnie żartu po tym, jak go wypowie, podczas gdy tata wraca do niego, dopóki nie przestanie być zabawny, a czasem i potem. Gdy mówię to na głos, mama wygląda na zirytowaną.

– Nie rozmawiałam z twoim ojcem od trzech dni – mówi sztywno.

– Nie powiedziałem, że kazał ci zrobić zwiędłą sałatę. Powiedziałem, że to coś, co mógłby zrobić.

Pracowicie składa taco.

– Przyjdzie na kolację, tak w ogóle.

– Na tę kolację? Dziś?

– Tak. Dlaczego nie?

– Och, bo właśnie ją jemy.

Mama wzrusza ramionami.

– Powiedziałam mu: o siódmej.

– System – wołam – która jest godzina?

– Siódma trzy wieczorem – donosi domowy system zarządzania.

Spoglądam na mamę, ale ona tego nie widzi, bo jest skupiona na swoim taco. Układa każdy pojedynczy skrawek sałaty i sera, jakby składała jeden ze swoich modeli. Mama jest taka sama jak mój pokój – znajoma, ale spowita dziwnym światłem.

– Twój tata jest ostatnio mniej solidny niż zwykle. Chociaż – dodaje pod nosem – nadal tu przychodzi. – Zerka na mnie ukradkiem. Gdy odkrywa, że na nią patrzę, mówi: – Przepraszam. Głośno myślę.

Co jest kolejnym sposobem na powiedzenie, że zapomniała, że tu jestem. W porządku. Dawno mnie tu nie było.

– Twój ojciec zawsze jest tu mile widziany – mówi.

– Tak, wiem.

– Nadal się przyjaźnimy.

– Tak, tak.

Biorę kęs mojego taco i widzę, jak jej ramiona rozluźniają się delikatnie, gdy zaczynam jeść – jakby były zamocowane na tym samym zawiasie, co moja szczęka. Nie sądzę, by wiedziała, że to robi. Czuję się przez to winny, jasne, ale jednocześnie jakiś głosik we mnie ryczy: „Przestań się mną przejmować!".

– Dzwoni do ciebie? – pyta. – No wiesz, na uczelnię?

– Co jakiś czas.

– Nie kazałam mu. – Odgryza kęs swojego idealnego taco, które rozpada się i osypuje na jej talerz. – To znaczy, nie przypominałam mu. Jeśli dzwonił, to z własnej inicjatywy.

– Tak przypuszczałem.

Robi zamieszanie wokół swojego zniszczonego taco, manipuluje dłońmi, próbując wymyślić, jak ratować swoje dzieło.

– Czy, hm, Val dzwoniła?

– Czy Val dzwoniła do mnie? Nie.

– Myślałam, że może dzwoniła.

– Och. Dlaczego?

– Aby sprawdzić, jak ci idzie na pierwszym roku studiów. – Patrzy na mnie wymownie. – W końcu była twoją macochą.

– W sumie. – Nigdy nie myślałem o Val w ten sposób. Nawet gdy występowała w jakiejś historii, którą komuś opowiadałem, nie nazywałem jej swoją macochą, tylko Val. Tęskniłem za nią, jasne. Ale szczerze? Gdy tata powiedział mi, że odeszła, wiadomość wywołała tylko rwący ból, który po chwili się rozpłynął – coś jak emocjonalny ekwiwalent uderzenia się młotkiem w kciuk. Chyba nigdy nie oczekiwałem, że zostanie na stałe.

– Była twoją macochą – powtarza mama. – Nawet się z tobą nie pożegnała.

Mama dzwoniła co trzy dni, gdy byłem na uczelni. „Tak często, jak możesz to znieść, tak rzadko, jak ona może", podsumowała Saff (zanim przestaliśmy ze sobą rozmawiać).

Zi był zachwycony telefonami od mamy. Jeśli zadzwoniła, gdy byłem w łazience lub na korytarzu, odbierał połączenie. Pewnego razu po powrocie do pokoju zastałem ekran zwrócony w stronę biurka Zi, który pokazywał mojej mamie pracę swoich stóp. Jego stopy szurały na terakocie, a piłka podskakiwała pomiędzy nimi szybko niczym planeta na orbicie. Maleńka twarz mamy na ekranie wyrażała zachwyt. Mama chyba nawet klaskała.

Większość dzieciaków na uczelni zakłada, że Zi jest kolejnym bogatym zagranicznym studentem, którego rodzice każą mu zdobyć amerykański dyplom z biznesu, ale tak naprawdę jest tu na stypendium piłkarskim. Dzięki „piłkarskiej kasie", jak mówi Zi. Jest naprawdę dobry. Przeszedł proces rekrutacji i tak dalej. Ma włosy dość długie, aby mógł je zebrać w kikut końskiego ogona, żeby nie wchodziły mu do oczu podczas meczu. Jego nogi wyglądają jak wyrzeźbione z drewna, przypominają łuk czy wiolonczelę, są piękne w swej funkcjonalności.

– Moja mama uważa, że jesteś miłym chłopakiem – powiedziałem raz do Zi.

– A ja myślę, że jest miłą mamą. – Leżeliśmy na naszych podwójnych łóżkach w akademiku przy zgaszonym świetle. Chwilę później zapytał: – Naprawdę tak powiedziała?

– Miałbym skłamać?

– Oczywiście. Naprawdę mnie lubi?

– Pewnie. Obchodzi cię to?

– Czy obchodzi mnie, czy twoja mama mnie lubi? – Zi powtórzył moje pytanie, jakby ono samo w sobie było odpowiedzią.

Mamie w końcu udaje się zebrać kawałki taco i ugryźć kęs.

– Czy Zi spakował się bez problemu? – pyta, czytając w moich myślach.

– Jest na lotnisku. W kolejce po kawę.

Ale nie, już go tam nie ma. Teraz Zi jest już na pokładzie, szybuje gdzieś ponad nami, wierci się w swoim fotelu i denerwuje pasażera obok. Ale wyobrażam go sobie nadal w kolejce do budki z kawą, jak ziewa i przekłada piłkę stopami, i wyjmuje ekran, żeby mi o tym wszystkim powiedzieć.

Mama miała rację, żeby nie czekać na tatę. Przychodzi dopiero po kolacji. Właściwie jestem już w swoim pokoju, po tym, jak umyłem zęby i przebrałem się w piżamę, gdy w końcu się zjawia. Domowy system nie obwieszcza jego przybycia; po prostu nagle słychać tubalny głos taty w holu:
  – Iii... wrócił!
  Nie wiem, czy chodzi mu o mnie, czy o niego.
  Zanim zdążę się wesprzeć na łokciach i zmusić, by otworzyć oczy, tata już zagląda przez próg, wsuwa do mojego pokoju głowę i ramiona, reszta ciała zostaje na korytarzu. Val nazywa tatę „przyjazną latarnią". Cóż, kiedyś go tak nazywała.
  – Światło już zgaszone, co? – mówi.
  Mrugam do niego.
  – Padłem. Było mnóstwo pakowania dzisiaj.
  – „Pakuję wszystkie moje troski i niedole..."* – śpiewa cicho.
  Prawdę mówiąc, ostatnio unikałem taty. Celowo nie odbierałem połączeń od niego i odpowiadałem na nie filmikami i memami. Starałem się utrzymać lekki i niezobowiązujący ton, „Cześć, staruszku!", „Ha, ha, ha", tak jak on. Naprawdę przykro mi, że Val go zostawiła. Ale trudno, żeby było mi totalnie i zupełnie przykro po tym, jak zostawił mamę i mnie.
  – Naprawdę jesteś skonany, co? – Tata przekrzywia głowę, mierzy mnie wzrokiem.
  Jestem prawie pewny, że wie, że go unikałem, ale nie naciska, nie przejmuje się ani nie robi aluzji, jak robiłaby to mama. Tylko przechyla głowę i zaciska usta w kreskę,

---

* Wers piosenki *Bye Bye Blackbird* – przyp. red.

która nie jest ani uśmiechem, ani grymasem, i daje mi czas. Trudno powiedzieć, czy zostawia mi przestrzeń, czy po prostu się nie przejmuje.

– Tyle pakowania – mówię. – Chyba nawet moje sny zostaną dostarczone w pudłach do przeprowadzki.

Chichocze.

– Wobec tego pozwolę ci się nimi zająć.

Zatrzymuje go mój ekran; w pokoju błyska światło, jakby ktoś pstryknął nam zdjęcie. To kolejne zdjęcie od Saff. Światło odbijające się od powierzchni zbiornika wody – Basenu? Fontanny? Kałuży? Coś w tej wodzie i w tym świetle sprawia, że zdjęcie wydaje się podziemne. Czy ona jest pod ziemią?

– To od Saff – mówię bez namysłu.

I bez namysłu włączam projekcję zdjęcia, aby pokazać je tacie.

Podchodzi bliżej, obraz odbija się w jego okularach.

– Hm – mówi. – Ciekawy kadr.

Widzicie? Taki właśnie jest tata. Mówicie mu, że wasza była dziewczyna wysyła wam tajemnicze, być może zrobione pod ziemią zdjęcie, a on na to: „Ciekawy kadr".

– Może chodziła na kurs fotografii albo coś – mamroczę.

– Powiedz jej, że ma oko.

– Nie mogę jej nic powiedzieć. Nie rozmawiamy już ze sobą.

Tata przekrzywia głowę o kolejne kilka stopni i nie mówi ani słowa. Ale, żeby być sprawiedliwym, co właściwie miałby odpowiedzieć?

„Zabiłeś rozmowę", Zi lubi mi powtarzać. „Udusiłeś ją. Zastrzeliłeś. Zamordowałeś siekierą".

Tata wycofuje się do drzwi.

– Cieszę się, że jesteś w domu – mówi.

A ja nie mówię, że to już nie jest jego dom. Że tak naprawdę nie jest już nawet mój.

Rano wspinam się na górę. Nieskoszona trawa szemrze przy moich łydkach, a co kilka kroków stado maleńkich żółtych ptaszków wzbija się z niej nagle obłokiem. Im wyżej wchodzę, tym jest stromiej, aż muszę chwytać się przypominającej plaster miodu kory sosen, aby się podciągnąć. Po chwili trawa się przerzedza i zmienia w hałdy krystalicznego piasku, który przemieszcza się pod moimi stopami, a potem piach zmienia się w głęboki puszysty śnieg, który zasysa moje kroki i tłumi wszelki dźwięk. Na szczycie nie ma ani trawy, ani śniegu, ani piasku. Szczyt jest nagą skałą, gładką i lśniąco szarą, jakby ktoś odwirował go w wirówce do skał. Na jednym zboczu szczytu stoi winylowe krzesło, jedno z tych, które zobaczylibyście w małomiasteczkowym bistro. Opadam na nie, zdyszany po wspinaczce.

Mimo że się ich nie spodziewam, nie wzdrygam się, gdy para dłoni spoczywa na moich ramionach. Nie czuję tych dłoni, jedynie widzę ich cień kątem oka. Wyobrażam sobie ich ciężar, palce tańczące wzdłuż grzbietów moich łopatek. Odwracam się i widzę awatara Zi, uśmiechającego się do mnie jednostajnie.

Zi i ja poświęciliśmy mnóstwo czasu naszym awatarom. Nawet pozwoliliśmy sobie nawzajem dokonać ostatecznych poprawek, bazując na teorii, że inni ludzie widzą cię trafniej niż ty sam siebie. W rezultacie awatar Zi jest zasadniczo jego sobowtórem, jeśli zignorujecie lisie uszy i złote oczy, na których dodanie nalegał. Ale mój? Zi uczynił mnie jakieś dwadzieścia trzy razy bardziej przystojnym, niż jestem, choć przysięga, że tego nie zrobił.

Wstaję i odwracam się twarzą do niego. Zi podnosi rękę i pstryka mnie w policzek. Tego też nie czuję.

– Goniłem za tobą aż na samą górę – mówi. – Nie słyszałeś, jak cię wołałem?

– Nie. Przepraszam. Musiałem wyruszyć znacznie wcześniej. – I musiało tak być, bo Zi może mnie prześcignąć w dowolnym dniu tygodnia.

I jest to dowolny dzień tygodnia, a raczej każdy dzień tygodnia, gdy wspinamy się na górę. Robimy to każdego ranka od października. Wszystko zaczęło się, gdy trener Zi zlecił mu górę, aby poprawić jego wytrzymałość na boisku, ale Zi wstydził się grać w wirtualnej rzeczywistości sam, bo musiał w masce maszerować w miejscu pośrodku naszego pokoju w akademiku. Dlatego stał się dla mnie utrapieniem, błagając mnie, wpędzając w poczucie winy i przekupując, aż w końcu zgodziłem się wspinać na górę razem z nim. Typowe dla Zi. Ostrzegłem go, że nie będę w stanie wejść na szczyt, i miałem rację. Pierwsze kilka razy ledwo udało mi się dotrzeć do drzew i już wypluwałem płuca. W drugim tygodniu dotarłem do piasku. Pewnego ranka, gdy w końcu dotarłem do śniegu, wiwatowaliśmy i kopaliśmy w siebie białym puchem, który wirował i wzbijał się niczym mała zamieć, pozbawiony temperatury i nietopniejący.

Tamtego dnia zrozumiałem coś ważnego w związku z tą górą, coś, czego nie powiedziałem Zi: aby dotrzeć na szczyt, potrzebowałem energii. Musiałem jeść.

Wszyscy – mama, Saff, Josiah, wszyscy – martwili się, że będę miał nawrót, gdy pójdę na studia. Hej, nawet ja. Ja też się martwiłem. Cała literatura fachowa mówiła, że może się to zdarzyć. Trzeba zachować czujność. Unikać wyzwalaczy. Żadnych zachowań, które mogłyby być wstępem. Do diabła, pewnie dlatego Saff nie rozstała się ze mną natychmiast po ukończeniu liceum. Przez kilka pierwszych tygodni nic mi nie było. Jedzenie w akademiku było nijakie, ciastowate i bez smaku. Ale wtedy, powoli, zacząłem znów wymyślać zasady. Same warzywa. Przeżuć dwadzieścia razy, zanim przełknę. Obowiązkowy łyk wody między kęsami. I wiedziałem, że tak to się zaczęło poprzednio – od drobnych zasad prowadzących do ważniejszych. Żadnego jedzenia przed kolacją. Pięćset kalorii dziennie. Pięćset kalorii co drugi dzień.

I wtedy Zi namówił mnie na wspinaczkę.

– Naprawdę mnie nie słyszałeś? Jestem na szczycie. – Zi nadal nawija o pościgu za mną.

– Wołałem: Rhett! Rhett! W ogóle cię to nie obchodzi?

Jedną z fajnych rzeczy w tym, że Zi pochodził z Chin, było to, że w przeciwieństwie do prawie każdej osoby, którą spotkałem wcześniej, nie znał Rhetta Butlera z *Przeminęło z wiatrem*. To znaczy do dwóch tygodni temu, gdy dziewczyna na naszym korytarzu mu o tym powiedziała.

– Wiedz – mówię – że przewracam teraz oczami.

– A ja się do ciebie szeroko uśmiecham – odpowiada. Jego lisi uśmiech nawet nie drgnie. Jego złote oczy błyszczą zgodnie z tym, jak zostały zaprogramowane: co parę sekund. Zi znów dotyka mojego ramienia. Prawie to czuję. – Widziałeś się już z przyjaciółmi?

– Nie. Wczoraj wieczorem jadłem kolację ze starymi. Właściwie tylko z mamą. Ojciec się spóźnił. W sumie to zachowują się jakoś dziwnie. – Gdy to mówię, zdaję sobie sprawę, że to prawda.

– Spotkasz się dziś z przyjaciółmi?

– Hej, Zi? „Słuchamy naszymi uszami, dużymi i okrągłymi".

Zi mówi to, gdy czuje, że go nie słucham. To z jednego z programów dla dzieci, które ogląda, gdy jestem na porannych zajęciach. Nie wie, że zawsze poświęcam mu uwagę.

– I nie, nie spotkam się dziś z Saff. Mówiłem ci, jest w Illinois. – Nie wspominam mu o zdjęciach, które mi wysyła.

– Przypomnij mi, jak daleko jest Illinois?

– Dobry Boże. Jak się dostałeś na studia? Musisz naprawdę dobrze grać w piłkę.

– No weź. Wiem, że jest gdzieś pośrodku. – Jego dłoń zsuwa się z mojego ramienia i stuka mnie w pierś. – Chciałem powiedzieć, że jest o wiele bliżej ciebie niż Pekin.

Cofam się o krok. W moim pokoju dochodzę do krawędzi łóżka. Na górze jestem nad przepaścią, ale nie można w nią spaść, skoczyć w nią ani nic takiego. Dłoń Zi wskazuje na środek mojej piersi.

– Powinienem już iść – mówię.

– Och, ojej, wow! – odpowiada Zi ze sztuczną wesołością. – Całkiem fajnie z mojej strony, że przyszedłem spotkać się z tobą tu na górze!

Uśmiecham się pod maską.

– Hm. Och. Wow. Całkiem fajnie z twojej strony, że przyszedłeś spotkać się ze mną tu na górze, Zi.

– W porządku. Teraz możesz iść. Miłego poranka, Rhett.

– Wzajemnie! – mówię i dopiero gdy zdejmuję maskę, a góra znika razem z Zi, zdaję sobie sprawę, że tam, gdzie on jest, nie jest rano. Pytam domowy system, która godzina jest w Pekinie, i dowiaduję się, że właściwie jest środek nocy.

ZASTAJĘ MAMĘ w salonie z miską płatków śniadaniowych. Kolejna dziwna rzecz. Mówiła, że na kanapie jedzą tylko flejtuchy. Pozwalała mi na to (pozwalała mi też jeść pod prysznicem), ale nigdy wcześniej nie widziałem, żeby sama tak robiła. Trzyma miskę na kolanach jedną dłonią, a druga spoczywa na Apricity obok niej.

– Pracujesz dziś z domu? – Skinieniem głowy wskazuję na jej dłoń na maszynie.

– Nie, nie. – Zsuwa dłoń z powrotem na kolana. – Tylko jestem spóźniona. – Dobrze spałeś?

– Jak na łóżku z dzieciństwa.

Uśmiecha się przelotnie; błyskają jej wargi i zęby. To zaskakujący widok na jej bladej twarzy.

– A ty dobrze spałaś? – pytam. Wiem, że lepiej jej nie mówić, że wygląda na zmęczoną.

A wygląda.

– Oczywiście. Jak inaczej miałabym spać?

– Znękana koszmarami? Zlana potem?

– Przestań! Spałam normalnie. – Przekrzywia głowę. – Ojciec cię obudził? Mówiłam mu, żeby chodził na palcach, ale wiesz, jak lubi tupać piętami.

– Budzik mnie obudził. Tata został do późna czy coś?

– Nie, nie. – Zerka na swoją dłoń na maszynie. – Wyszedł zaraz po tym, jak powiedział ci dobranoc. – Podnosi dłoń do piersi. – Niedługo po tym.

– I jesteś na niego wściekła?

– Oczywiście, że nie. – Gdy to mówi, przesuwa kolano, a miska z płatkami przechyla się i zawartość prawie się z niej wylewa. Chwyta ją.

Mrużę oczy.

– Wyglądasz, jakbyś była na niego wściekła.

Milczy przez chwilę, po czym mówi:

– Twój ojciec nie ma już tej mocy, by sprawić, abym się wściekła. Ludzie mówią o małżeństwach, że „dają radę”. Cóż, można powiedzieć, że my daliśmy radę się rozwieść, gdy wzajemne wkurzenie wygasło.

– Gdy wzajemne wkurzenie wygasło – powtarzam.

Uśmiecha się.

– Taco Tuesday.

– Dzięki aliteracji lepiej smakuje.

Po jej wyjściu do pracy sprawdzam skrzynkę domowego systemu w holu. Gdy przewijam dziennik, widzę, że tata wyszedł z mieszkania tego ranka, tylko godzinę przed tym, jak się obudziłem.

Spędzam poranek na inspekcji mieszkania, w którym spędziłem większość swojego życia; wychodzę na środek pokoju i powoli obracam się dokoła, odgadując zawartość szafek i szuflad, zanim je otworzę, by sprawdzić, czy miałem rację.

Mama złożyła kilka nowych modeli od mojego ostatniego pobytu w domu. Ustawiam je na stoliku do kawy: jakiś gatunek ptaka, jakaś łasica, jakiś anemon. Ostatni rozpoznaję; to kołatek. Taki sam jak ten, którego odgłos jest moim dzwonkiem.

Nie powiedziałem jej jeszcze, że zamierzam się specjalizować w naukach o ochronie środowiska. Nie powiedziałam jej o mnie i Zi. Zi mówi, że jestem tchórzem (regularnie wysyła mi emoji tchórza – obrazek tego zwierzaka), ale nie chodzi o to, że się boję – przynajmniej nie jej reakcji. Nie żartowałem, mówiąc Zi, jak bardzo mama go lubi. Trudno to wyjaśnić. Chodzi o to, że jestem ja, który jest tam na uczelni z Zi, oraz ja, który żył w tym mieszkaniu, który jest tu znów.

Robię zdjęcie kołatkowi i wysyłam je Saff. Odpowiedź przychodzi prawie natychmiast.

Saff przysyła mi zdjęcie bielonej ściany z bazgrołami graffiti, które może miały przedstawiać serce, ale puszka obsunęła się w trakcie.

Tym razem rozpoznaję, co to.

To graffiti, to „nieserce", znajduje się na bocznej ścianie sklepu na końcu przecznicy, do którego chodzimy po nasze „drobne zapominajki", jak mama nazywa niezbędne rzeczy, które nagle się skończyły: żarówki, baterie, mydło. Jest to też ten sam sklep, do którego chodziliśmy z Saff po jej przekąski, a czasem gdy z niego wyszliśmy, Saff przystawała i wodziła palcem po „niesercu".

Czy jest tam teraz? Podchodzę do okna, ale nawet gdy przycisnę policzek do szyby, nie widzę stąd sklepu.

Zakładam buty.

Saff nie ma przed sklepem. Nikogo tam nie ma. Wyświetlam zdjęcie Saff na ścianie. Pasuje. Moje serce świergocze jak dzwonek kołatka. Kasjer zerka na mnie zza lady. Jest nowy. Nie znam go; on nie zna mnie. Jest dość jasne, że nie podoba mu się, że stoję przed sklepem.

Robię własne zdjęcie graffiti „nieserca", próbując ustawić je tak samo, jak zdjęcie Saff. Odsyłam je. Gdy już myślę, że nie odpowie, ekran świergocze w mojej dłoni.

„Jesteś tam".

Wpatruję się w wiadomość, czekając, aż te słowa przejdą w kolejne zdjęcie.

Kciuk mi drga, gdy piszę: „Gdzie jesteś?".

– Hej! – kasjer woła kasjer ze sklepu. – Hej, ty!

Przychodzi odpowiedź: „Nie tam".

– Co ty robisz? – krzyczy.

– Nic. Tylko zdjęcie. – Podnoszę ekran, żeby mu pokazać.

Wychodzi zza lady.

– Nie możesz tu robić zdjęć.

Kiwam głową – okej, okej – wycofuję się z podniesionymi rękami i zmierzam do domu. Ale gdy docieram do naszego budynku, mijam go i idę dalej. Nie wiem. Nie mogę znieść przebywania tam teraz – z modelami sztucznych zwierząt mamy, obrazami glonów pływających po ścianach mojego pokoju, łazienkową wagą z tymi samymi plamami z mydła, które są tam od lat. Dwie przecznice dalej jest przystanek autobusowy. Wsiadam do 28, który jedzie do mieszkania taty. Byłem tam tylko raz, od kiedy się wprowadził, ale zamki rozpoznają mój odcisk kciuka.

Po drodze pstrykam zdjęcia: podrapanej szyby w autobusie, ulizanych włosów z tyłu głowy kierowcy, szarego mózgu gumy do żucia przyklejonej do boku fotela. Wysyłam je pod nieznany numer jedno po drugim – pięć, dziesięć, tuziny – tak wiele, że mogłyby być klatkami filmu, tak wiele, że można by ich użyć, aby prześledzić moją trasę.

Mieszkanie taty znajduje się na trzecim piętrze budynku, ale jadę windą aż na piąte, ostatnie. Robię zdjęcie guzika z piątką i jego świetlnej aureoli. „Wyślij".

Dach to cementowy płaskowyż z przemysłowymi wentylatorami i betonową barierką na wysokości pasa. Skrzynki ogrodowe w budynku są wypełnione kaktusami – czyjś pomysł na dowcip lub po prostu łatwy sposób na utrzymanie zieleni. Wybieram szczególnie złowieszczo wyglądającego kaktusa i robię zbliżenie jego kolców; potem siadam na krawędzi dachu, u podstawy betonowej barierki, abym mógł się o nią oprzeć plecami.

Próbuję pomyśleć o Saff. Zmieniam swoje wspomnienia o niej w nieruchome obrazy – tam i tam, i tam. Kiedyś była dla mnie taka ważna, a teraz jej nie ma. Może znaliśmy się dokładnie tyle czasu, ile powinniśmy. W końcu nie

wysyłam zdjęcia kolców kaktusa. Nie czuję się już kolcza-
sty. Ani smutny. Raczej pusty, jakby wiatr wiał przeze mnie
i wprawiał w trzepot moje krawędzie.

Mój telefon świergocze. Biedna Saff. Musiałem wysłać jej
ponad sto zdjęć. Pewnie myśli, że zwariowałem. Zmuszam
się, by spojrzeć na wiadomość.

„Przepraszam za brak pożegnania".

Mrugam na widok tych słów.

Ale przecież się pożegnała. Saff się pożegnała. Oboje się
pożegnaliśmy jeszcze w styczniu.

„Potrzebny mi był oddech".

„Wiem, że ty akurat to zrozumiesz".

Ekran migocze, co oznacza, że zaraz przyjdzie następna
wiadomość. Wpatruję się w niego w oczekiwaniu.

„Nie chcę, byś myślał, że o tobie zapomniałam".

„Albo że mi nie zależało".

Wtedy rozumiem.

„Val?". Prawie wypowiadam to do ekranu, ale nie robię
tego. Nie chcę, żeby myślała, że pomyliłem ją z kimś innym.

– W porządku – mówię zamiast tego. – U mnie w porządku. Dzięki za zdjęcia.

„Nie ma za co".

– Do widzenia – mówię.

„Do widzenia".

Po krótkiej chwili znów wstaję i robię zdjęcie miasta,
innych dachów, wyższych budynków, bardziej zadbanych
ogrodów; co zaskakujące, nie ma dziś mgły, więc robię
także zdjęcie horyzontu.

– Rhett?

Odwracam się. Tata stoi przy drzwiach na dach.

– System powiedział, że jesteś w holu. Zastanawiałem
się, dokąd poszedłeś.

– Och. Nie sądziłem, że zastanę cię w domu. Więc wsze-
dłem tutaj.

– A ja cię znalazłem! – Wskazuje na mnie. Tata. Bardziej zachwycony rozwiązaniem niż zmartwiony zagadką.

– Chciałbyś zejść na dół? Posiedzieć chwilę? – Przesuwa palec, tak że teraz skierowany jest w dół.

Próbuję wyobrazić sobie jego i mamę znów razem. Kiedyś tego pragnąłem, gdy byłem mały. Tak bardzo. Właściwie teraz, gdy ktoś mówi, że czegoś pragnie, przypomina mi się to: mam trzynaście lat, jestem w pokoju mieszkania, do którego właśnie wprowadziliśmy się z mamą. W pokoju, który przy zgaszonym świetle mógłby udawać mój stary pokój, tyle że nawet w ciemności mogłem jakoś wyczuć, że łóżko stało przy innej ścianie, że meble nie były tam, gdzie powinny być, pragnąłem – pragnąłem tak, że prawie szeptałem – aby wszystko było znów tak jak wcześniej. Czy nie byłoby zabawnie, gdyby moi rodzice teraz się zeszli? Teraz, gdy dorosłem i wyjechałem?

– Niech zgadnę – mówi tata. – Wyraz twojej twarzy oznacza: „Tak, jasne, tato. Brzmi jak świetny plan na popołudnie”.

Patrzę na niego i nagle nie jestem już na niego wściekły.

– Tak, jasne, tato. Brzmi jak świetny plan na popołudnie.

Widać, że jest zadowolony.

– Tylko… pozwól, że to wyślę.

– Do Saff.

– Do kogoś innego.

Wysyłam Val zdjęcie dachów i horyzontu.

JEST 7.42 PO POŁUDNIU W SAN FRANCISCO, co oznacza, że jest 10.42 jutro rano w Pekinie. W oknie mojej sypialni zapada zmierzch, lecz na szczycie góry zawsze jest późny poranek. Wstaję z winylowego krzesła, na którym siedziałem przez dłuższą chwilę. Podchodzę do początku ścieżki i spoglądam w dół zbocza. Za śniegiem i piaskiem wyłania się postać. Za chwilę podnosi głowę i widzi mnie tutaj, maleńką postać u szczytu ścieżki. Za chwilę przyjdzie się ze mną spotkać.

10

DOBRANOC, MASZYNO

Pearl nie potrafiła dokładnie określić, kiedy zaczęła mówić do swojej Apricity. Pewnego dnia w ciągu minionego roku, po tym jak Rhett wyjechał na studia i znów zamieszkała sama. Znów? Nie, miniony rok był pierwszym okresem, gdy kiedykolwiek mieszkała sama. Dorastała z rodzicami i starszymi siostrami, przez całe studia mieszkała ze współlokatorkami w pokojach z piętrowymi łóżkami i zamieszkała z Elliotem od razu po ukończeniu studiów. Gdy Elliot odszedł, został Rhett. Gdy Rhett wyjechał, była w końcu tylko ona, tylko Pearl. I w jakiś sposób te ciche mamrotania, które kierowała do swojej maszyny – „Gdzie jesteś? Pospiesz się, dobrze? Głupie pudło!" – przerodziły się w pełne zdania, przerodziły się w rozmowę, w wyznania. Zgodnie z nowym zwyczajem po powrocie do domu wieczorem Pearl wysuwała maszynę z futerału, stawiała ją na kuchennym stole i rozmawiała z nią, przygotowując kolację.

– Nie pozbędę się tego zapachu czosnku przez następne dwa dni. – Przerywała siekanie i wąchała palce. – Sama nie wiem. W sumie to mi się podoba.

Gdy kolacja została przyrządzona i zjedzona, maszyna zajmowała swoje miejsce na poduszce na kanapie obok Pearl, gdzie spędzały godziny pozostałe do snu; na przeciwległej ścianie migotał film, a szklanka piwa sama się opróżniała. „Ach!", wołała Pearl, wskazując aktorkę na ekranie – tę, o której wszyscy mówili, że będzie następną Callą Pax. „Zrobi to, prawda? Otworzy te drzwi. Otworzy. Tylko patrz".

Na sam koniec dnia maszyna spoczywała na nocnej szafce – gdyby Pearl zechciała, mogła odwrócić głowę i zobaczyć ją, gładki prostokąt wyróżniający się w półmroku pokoju. Nie posunęła się jednak do tego, by mówić do maszyny „dobranoc".

GDY RHETT WRÓCIŁ DO DOMU NA WAKACJE, Pearl bardzo się starała, aby nie mówić do maszyny – przynajmniej nie na głos. Mówiła do niej po cichu, nawet teraz, gdy szła w kierunku baru i mężczyzny, z którym się tam umówiła, a maszyna w futerale ocierała się o jej biodro w rytm kroków, jakby kiwała głową podczas rozmowy.

„Jeden drink", obiecała maszynie. „Nieważne, jak dobrze czy źle będzie. Jeden drink, a potem dobranoc".

Pearl nie mogła zostać dłużej, nawet gdyby chciała. Rhett zauważyłby, gdyby zabawiła poza domem do późna. Ta myśl przyszła do niej nagłą falą i z westchnieniem. Była zachwycona, że Rhett był w domu, choć maleńka część niej tęskniła za rutyną jej samotności.

„Nie: samotności", odezwała się maszyna. „I nie: osamotnienia. Samodzielności. Twoją rutyną samodzielności".

Maszyna też nie mówiła na głos. Mimo starań Cartera, Apricity nadal nie miała głosu. Plan, aby wypowiadała raporty głosem Calli Pax, spalił na panewce, gdy w ostatniej chwili Calla odmówiła podpisania umów. Oczywiście wezwano Pearl, aby ją przekonała. Kilka dni później Pearl zobaczyła, jak dziewczyna została połknięta przez tłum tak gęsty, że musieli wysłać ochroniarzy z Apricity, aby ją wyłowili. Calla wyłoniła się z nacisku masy nietknięta i, jak się zdawało, z nowym celem.

Pearl nie poznała dziewczyny, która wczoraj podeszła do niej w holu Apricity. Dopiero gdy wypowiedziała imię Pearl tym swoim słynnym chrapliwym głosem, Pearl przyjrzała się bliżej podgolonym włosom i półprzezroczystym brwiom i rzęsom.

– Calla? – spytała, a dziewczyna położyła palec na ustach z konspiracyjnym uśmiechem.

– Już nie. Mogę wybrać nowe imię. – Rozejrzała się po holu, zerkając na wszystkich ludzi, którzy przechodzili obok, nie zatrzymując się i nie gapiąc. – Myślę o Gert.

Pearl była zdumiona. Nie chodziło tylko o włosy i makijaż; nawet postawa Calli, nawet kości jej twarzy wyglądały inaczej.

– Odchodzę z branży – powiedziała swobodnie Calla.

– Naprawdę? A Marilee...

– Zgadza się. To był jej pomysł.

– Co zamierzasz...

– Zrobić? Popodróżować przez chwilę. Z przyjaciółką.

– To, co się wydarzyło tamtego dnia, było przerażające. – Pearl położyła dłoń na ramieniu Calli. – Cieszę się, że idziesz na emeryturę.

– Och, nie zamierzam przejść na emeryturę! – Uśmiechnęła się i zmarszczyła nos, rozbawiona naiwnością Pearl. – Znikam na rok. Tworzę suspens. Przed moim powrotem. – Strąciła rękę Pearl ze swojego ramienia i przycisnęła dłoń do ust, aby posłać jej całusa, a potem anonimowo wtopiła się w tłum. Po kilku krokach zawróciła i zawołała przez hol: – Przykro mi, że nie mogę być waszą maszyną!

Gdy teraz maszyna odezwała się do niej, Pearl nie była pewna, czyjego głosu użyła, ale nie był to głos Calli.

„Twoja rutyna samodzielności", powtórzyła maszyna.

Jej rutyna samodzielności. Tak. Właściwie dlaczego dziś wieczorem szła na randkę?

„Elliot", podsunęła maszyna.

Zgadza się. Umówiła się na randkę z powodu Elliota.

Mimo że bar był wypełniony po brzegi ludźmi, którzy skończyli pracę, Pearl od razu zauważyła mężczyznę, z którym była umówiona. Siedział przy stoliku w rogu z tyłu sali, twarzą do drzwi, z jednym z tych składanych rowerów zwiniętych u jego stóp jak pies. Linia jego włosów ustępowała pola czołu, ale jego zmarszczki wydawały się pozytywne, jakby stały za nimi uśmiechy, nie grymasy.

Maszyna przypomniała jej jego imię: „Mason".

Gdy dotarła do stolika, wstał. „Czy to miłe? Że wstał?".

„Tak", odparła maszyna. „W tym zatłoczonym, rozczarowującym świecie każdy gest, nieważne, jak drobny, wyrażający, że jedna osoba dostrzega drugą, jest zaiste miłą rzeczą".

„Ale jeśli odsunie dla mnie krzesło", pomyślała Pearl, „to będzie zbyt wiele".

„Odsunięcie dla ciebie krzesła trąciłoby nutą nieszczerości", przyznała maszyna.

Mason nie odsunął krzesła Pearl, a jedynie uścisnął jej dłoń, gdy mu ją podała, i zapytał, czy może jej zamówić drinka.

– Martini z wódką – powiedziała – z odrobiną zalewy. Wstrząśnięte. Nie zmieszane.

– Odrobina zalewy. Wstrząśnięte. Nie zmieszane – powtórzył i zniknął w tłumie.

„Brudną" – tak się zamawiało tę wersję drinka, ale Pearl nie chciała używać słowa „brudna" w pierwszym zdaniu na pierwszej randce od nie wiadomo ilu lat.

„Trzech", podpowiedziała maszyna, „minęły trzy lata od twojej ostatniej randki. Dokładnie trzy lata i pięć miesięcy".

Trzy lata (i pięć miesięcy) temu spotykała się z Davidem, i to krótko. Davidem rozwodnikiem. Davidem ortodontą. Davidem porządnym obywatelem, który poświęcał jeden weekend w miesiącu na jakąś charytatywną działalność. Pearl dogłębnie poznała altruizm Davida – z naciskiem na „dogłębnie". Podczas seksu David lubił nosić koszulki z podziękowaniem za swoją pracę wolontariusza. „Obwoźna kuchnia dla bezdomnej młodzieży" u góry i goło na dole. Pearl zaczęła nazywać w myślach te sesje „dobroczynnym pieprzeniem". Dość rzec, że nie była to miłość.

„Miałaś randkę w zeszłym tygodniu", powiedziała przebiegle maszyna. „Jeśli liczysz Elliota".

Nie, Pearl nie liczyła Elliota. Nie uważała też nocy, gdy zostawał u niej, za randki. Elliot nie wiedział, że Pearl była tutaj, w barze. Nie wiedział, że stworzyła profil na Spark Stats, a proces, który, jak poinformowała ją aplikacja, miał zająć jej od trzydziestu do czterdziestu pięciu minut, zajął Pearl jedynie dziesięć; taki pośpiech był pokazem jej nonszalancji. Jako ulubiony film podała ostatni, który obejrzała. Do zdjęcia profilowego użyła zdjęcia z identyfikatora z pracy. Światło UV i dziwna grzywka – kto by się tym przejmował? Nie Pearl.

– Zmieszane – mruknęła jak przekleństwo.

„Wiedziałaś, że jeśli wypowiesz bezgłośnie «zmieszane»", powiedziała maszyna, „zabrzmi to, jakbyś mówiła: «kocham cię»?".

„Robiliśmy tak, gdy byliśmy dziećmi", odparła Pearl.

„Kto? Nie ty i ja. Ja nigdy nie byłam dzieckiem".

„Miałam na myśli siebie i inne dzieciaki z mojej okolicy".

„Zauważyłaś, że ludzie tak robią?", spytała maszyna. „Używają słowa «my», mówiąc o ludziach, z którymi znali się w dzieciństwie, bez żadnych imion ani innych odniesień?".

„Nie zauważyłam", przyznała Pearl. „Ale masz rację. Ludzie tak robią".

Na stoliku przed nią postawiono szklankę.

– Martini z wódką, odrobina zalewy. Wstrząśnięte, nie zmieszane". Mason usiadł, oparł pięty na rowerze i złożył dłonie jak namiot nad lekko wystającym brzuchem.

– Gdy byliśmy dziećmi – powiedziała mu Pearl – wypowiadaliśmy bezgłośnie słowo „zmieszane". Potem druga osoba mówiła: „ja ciebie też", a my śmialiśmy się i mówiliśmy im, że wcale nie powiedzieliśmy „kocham cię", tylko „zmieszane".

Mason uniósł brwi; bruzdy na jego czole powędrowały do góry wraz z nimi.

– Nie mów mi, że powiedziałaś „zmieszane" na pierwszej randce.

„A więc ma poczucie humoru", zauważyła maszyna.

Godzinę później, pomimo obietnic złożonych wcześniej samej sobie, Pearl została na drugiego drinka. Maszyna dołączyła do nich i siedziała na proscenium z pustych szklanek, które Mason dla niej ustawił, lśniąca i trzeźwa. Wydostała się ze swojego futerału tylko dlatego, że Mason zapytał, czy może ją zobaczyć.

– Kiedyś zapłaciłem, żeby powróżono mi z ręki. I odwiedziłem terapeutę – Mason przysłonił usta w udawanym szepcie – nie raz. Moja była żona zatrudniła dekoratora wnętrz, który zmienił nam całe oświetlenie, co miało rozproszyć wszystkie nasze troski. – Stuknął piętami w rower. – Ćwiczę. Zrobiłem mnóstwo w imię szczęścia...

– Teraz powiesz, że nigdy nie poddałeś się testowi Apricity – przerwała mu Pearl.

– Zgadza się. Właśnie to zamierzałem powiedzieć.

– A potem zapytasz, czy mogę ci go teraz zrobić. Ale nie mogę! Nie mam zestawu do wymazów, a poza tym – dotknęła krawędzi maszyny – w pracy śledzą każdy mój ruch.

– Żadnych gratisów, co? Rozumiem. To szkodzi interesom.

Nie była to do końca prawda. Pearl mogła przeprowadzić test. Wiedziała, jak ominąć oprogramowanie śledzące. I było to kuszące – ta myśl, że mogłaby odkryć sekretne pragnienia Masona tu i teraz, zamiast wiele lat później, gdy zostawi ją dla dwudziestoparolatki o różowych włosach, a potem, gdy już z tym skończy, wróci na jej próg, z głową zwisającą u szyi pod tym samym osowiałym kątem co butelka zwisająca z jego dłoni. A wpuści do środka! Jak jakaś idiotka, wpuści go!

– Ale może... – zaczęła Pearl. „Mogłabym zrobić wyjątek", zamierzała powiedzieć.

„Zły pomysł", przerwała jej maszyna, dodając: „Jesteś pijana, wiesz".

Pearl zdała sobie sprawę, że rzeczywiście tak było, a przynajmniej była lekko podchmielona; jej zwykłe wieczorne piwo miało się nijak do dwóch martini, które wypiła bez żadnej przekąski. Położyła dłonie na stoliku i dźwignęła się, by wstać.

– Przepraszam – powiedziała.

Łazienka miała tylko jedną kabinę i oczywiście stała przed nią kolejka. Gdy Pearl wreszcie dostała się do środka, usiadła na sedesie i pochyliła się do przodu, opierając pierś o uda. W uszach dzwoniło jej od nagłej ciszy. Co u diabła wyprawiała? Żałowała, że nie istnieje maszyna zaprojektowana tak, by odpowiadała na to pytanie. Powiedziała sobie wcześniej, że rejestruje się na Spark Stats w geście niezależności, lecz teraz już widziała, że był to pusty gest – to oczekiwanie, że pójdzie na jedną czy dwie kiepskie randki z okropnymi facetami, a potem wróci do Elliota z poczuciem, że w jakiś sposób wyrównała rachunki. Ale to nie była niezależność. To była mściwość. A Mason nie był okropnym facetem. Przyszedł tu, aby znaleźć towarzystwo, porozumienie, szczęście.

Ktoś zapukał do drzwi.

– Chwilę! – zawołała.

Nie, to ona, Pearl, była okropna.

Przecisnęła się przez tłum, zamierzając wyznać Masonowi prawdę albo powiedzieć mu dobranoc. Albo powiedzieć mu, że pójdzie do domu bez niego; nie wiedziała, którego wybrać. I nie dowiedziała się, bo gdy wróciła do stolika, odkryła, że Mason i maszyna zniknęli.

PEARL DŹGNĘŁA KCIUKIEM ELEKTRONICZNY ZAMEK, ale nie trafiła. Zanim zdążyła spróbować ponownie, drzwi otworzyły się od środka, rujnując plan Pearl, która chciała ukradkiem przejść do swojej sypialni, aby Rhett nie zobaczył jej pijanej (potem w kółko by się z nią droczył). Ale w progu stał Elliot, nie Rhett.

„Znowu", zauważyłaby maszyna.

„Co się mówi o złych szelągach?", odparłaby Pearl.

„Że będzie lepiej, niż się wydaje".

„To dobra moneta. Powiedziałam: zły szeląg".

„Przecież pieniądz to pieniądz", powiedziałaby maszyna. „Czy wszystkie nie są takie same?".

Ale maszyny tam nie było, by mogła cokolwiek powiedzieć.

Elliot miał na sobie okulary do czytania i dres, ze szczypcami zatkniętymi za gumkę spodni. Znowu majstrował przy jej zestawach. Lubił się nimi bawić, łączyć elementy różnych zwierząt – skrzydła i łuski z futrzastymi zadami. „Robię chimery", mówił. A sądząc po jego ubraniu, założył, że zostaje na noc. Pearl oparła się bezwładnie o ościeżnicę, zbyt zmęczona, aby wykrzesać z siebie choćby odrobinę rozdrażnienia.

Elliot wpuścił ją do środka z drgnieniem brwi.

– Zaliczyłaś parę głębszych, koteczku?

„Koteczku, baranku, kaczuszko, gołąbeczko", wymieniła w myśli przydomki, którymi Elliot lubił ją nazywać. Całe minizoo.

Lecz maszyny nie było, aby mogła to usłyszeć.

– Co tutaj robisz?

– Podwiozłem Rhetta do domu, był u mnie. Wyszedł, tak w ogóle. Nocuje u Josiah. Hej, wszystko w porządku? – Chwycił ją za ramię, wprowadzając do mieszkania. – Będziesz wymiotować?

Pearl poddała się i wtuliła w niego, wciskając w miejsce na jego piersi, gdzie spotykały się stawy i mięśnie; tam gdzie jej twarz wpasowywała się irytująco idealnie.

– Zgubiłam swoją maszynę. – Szepnęła w jego koszulkę, po części w nadziei, że może nie będzie w stanie jej zrozumieć.

I tak ją usłyszał.

– Co? Twój ekran?

– Moją maszynę – powtórzyła.

– Twoją Apricity? – Elliot zamilkł. Wiedział, co to oznacza. W końcu gdy pożyczał od niej starą Apricity, aby stworzyć swoją serię *Midas*, musiał podpisać te same surowe i groźne formularze co ona, „osobista odpowiedzialność", „konsekwencje", „szkody powyżej" i tak dalej. Położył dłoń na tyle jej głowy. – Znajdziemy ją. Prześledzimy twoje kroki.

Najtrudniej było, gdy był dla niej życzliwy. Sprawiało to, że jeżyła się w środku.

Uchyliła się od jego dłoni i cofnęła o krok.

– Nie znajdziemy.

– Jeśli poszukamy... – zaczął, ale przegadała go.

– Nie. Ona nie zgubiła się. Zniknęła.

Słowa jakby rozległy się echem w pokoju, a może tylko we wnętrzu jej czaszki. Nie zgubiła się. Zniknęła. Zniknęła. Dłoń Elliota nadal była uniesiona, złożona tak, aby dopasować się do kształtu jej głowy.

– To nie twoja wina.

– Właśnie, że tak. – Zmusiła się, by podnieść wzrok i spojrzeć na niego. – Zwolnią mnie.

I niech to wszystko szlag, rozpłakała się, ale opłakiwała nie siebie czy swoją pracę, a z pewnością nie lipną randkę, lecz swoją maszynę.

Lecz czy nie była to w końcu tylko maszyna? Pearl zadała sobie to pytanie godzinę później, gdy siedziała z plecami przyciśniętymi do wezgłowia, kolanami przysuniętymi pod brodę. Odgłosy prysznica zza ściany były jak biały szum wyciszający jej najmroczniejsze myśli. Będzie musiała jutro pójść do pracy i zgłosić, że maszyna zginęła. Mogą ją zwolnić, ale pewnie nie zrobią tego. Pracowała w tej firmie od lat. Była lojalna. Carter wstawi się za nią, a znów był w łaskach wiceprezesów. Najprawdopodobniej dostanie surowe ostrzeżenie i nową maszynę. Sama myśl o tej nowej maszynie sprawiała, że czuła, jakby to była zdrada. W jej oczach wezbrały łzy. Odgłosy wody pod prysznicem ucichły.

Elliot wyszedł z łazienki w ręczniku owiniętym wokół pasa.

– O co chodzi? – spytał na widok jej twarzy.

Pearl wytarła policzki wierzchem dłoni, aby ukryć łzy; mogła to zrobić wcześniej, prawda? Usłyszała zakręcanie wody, które ostrzegło ją, że Elliot wróci.

Gdy się pobrali, Pearl robiła pokazówkę z płaczu; nakręcała się w pokoju obok, a potem pojawiała ze łzami skapującymi z jej podbródka jak diamenty. Powtarzała sobie, że to jej jedyne wyjście, jedyny pewny sposób, aby zakończyć kłótnię z Elliotem bez kompletnego poddania się. Potem jednak Rhett osiągnął wiek, w którym zaczął wykorzystywać łzy, aby dostać to, czego chciał, a Pearl zrozumiała, czym to tak naprawdę było: dziecięcą taktyką. Dlatego dorosła. Osuszyła łzy. Zamiast wymuszać amnestię, nauczyła się, jak w ogóle unikać kłótni.

– O nie, nie, nie – powiedział Elliot, gdy ją zobaczył. Padł na brzuch na łóżko i podczołgał się do przodu, zostawiając ręcznik za sobą. Zaczął obsypywać jej policzki pocałunkami, scałowując łzy. – Nie wolno.

Jego pocieszanie szybko przerodziło się w seks, jak to często bywało z Elliotem. Śmiech przeradzał się w seks. Nuda przeradzała się w seks. Zły dzień przeradzał się w seks. Ale teraz seks z nim stał się czymś zupełnie innym. Znów. Kiedyś seks z Elliotem był zabawą. Teraz przypominał bycie zostawionym i przyjętym z powrotem, i tak w kółko.

Gdy Elliot po raz pierwszy do niej wrócił, Pearl szukała dowodów minionych lat i znalazła je w wystającym grzbiecie jego obojczyka i żylastych mięśniach jego rąk. Ciało Pearl też było starsze niż wcześniej, oczywiście. Z pewnością było starsze niż ciało Valerii. Pearl układała w myślach pytania, które mogłaby zadać Elliotowi odnośnie ciała Val – „Napięta skóra? Jędrne piersi? Ciasna cipka?" – lecz trzymała je w ustach, aż zwiotczały na jej języku, zsunęły się do jej brzucha, jej miękkiego brzucha w średnim wieku.

Zemdlona pytaniami, które przełknęła, zaczęła wypluwać je do maszyny, która oznajmiła entuzjastycznie i niepomocnie: „Jak pięknie mieć ciało!".

„Nie o to pytałam", rzekła Pearl.

„Jak pięknie, gdy dwa ciała się dotykają!", odparła maszyna.

PEARL OBUDZIŁA SIĘ W ŚRODKU nocy. Jej sny jakby szarpały pazurami za brzegi jej świadomego umysłu. Choć gdy już otworzyła oczy, nie pamiętała żadnego z nich. Wiedziała, że nie znajdzie swojej maszyny, nawet gdy odwróciła się do szafki, by jej poszukać. Przeżyła chwilę paniki, gdy odwróciła się w drugą stronę i ujrzała Elliota śpiącego obok niej; potem przypomniała sobie, że Rhett nocował u Josiah. Nie chciała, aby Rhett dowiedział się o niej i Elliotcie.

– Nie teraz – powiedziała Elliotowi.

„Nie... nigdy?", szepnęła maszyna.

Pearl obserwowała twarz swojego byłego męża, łagodną we śnie, jego półprzymknięte usta, dłonie złożone pomiędzy udami. Kiedyś była bezcenna, śpiąca twarz Elliota rozebrana z jego nieustannego uroku, niczym obrane liczi, coś bladego i bezbronnego, co tylko jej wolno było zobaczyć. Teraz to uczucie zniknęło. Było zgubione. Skradzione. Może gdyby tylko pieprzył się z Val, gdyby nawet się z nią ożenił, a nie spał obok niej każdej nocy. Może wtedy Pearl mogłaby mu wybaczyć.

„Gdzie jesteś?", zawołała do maszyny.

Wiedziała, że to tylko udawanie; odpowiedzi Pearl były jej rozmową z nią samą. A jednak nasłuchiwała odpowiedzi.

Cisza.

Pearl wymknęła się do salonu, zabierając po drodze swój ekran i szklankę wody. Wpisała imię Masona w Spark Stats, w pełni oczekując, że jego profil został usunięty. Mason jednak nie tylko był nadal aktywny, ale wysłał do niej wiadomość.

Pearl,
chciałbym się z tobą znów spotkać, choćby po to, by wytłumaczyć.
Byłabyś taka łaskawa?
Mason

Pearl cisnęła ekran na bok i wypiła całą szklankę wody, wpatrując się w wiadomość. To było jak nikczemne haiku. Czy byłaby taka łaskawa! Była taka zła, że mogłaby splunąć. Tak też zrobiła. Ślina wylądowała na stoliku, gdzie pozostała tak długo, jak Pearl mogła to znieść, zanim starła ją rękawem.

Musiała odpowiedzieć. Jaki miała inny wybór? Żałowała, że nie mogła przegadać tego z Elliotem, ale nie powiedziała mu o Masonie ani o Spark Stats. Nie żeby zrobiła coś złego, technicznie rzecz biorąc nie. Ona i Elliot do niczego się nie zobowiązywali, nie łączył ich nawet żaden układ. Pojawił się w jej mieszkaniu trzy miesiące wcześniej, w kompletnej rozsypce, po tym jak dowiedział się, że Valeria wyjechała z miasta na dobre. Najpierw Val zostawiła jego, teraz zostawiała całe swoje życie. Pearl prawie ją podziwiała. Kobieta rzuciła pracę, zerwała kontakty ze znajomymi i opuściła swoje małżeństwo niczym splądrowane miasto. A Pearl stała teraz pośrodku tego miasta, w otoczeniu zbombardowanych budynków i dymiących odłamków moździerzy.

Gdyby Elliot powiedział Pearl, że to był błąd, że zostawił ją dla Val. Gdyby wyznał jej, że kochał ją przez cały ten czas. Gdyby ją przeprosił. Ale żadna z tych rzeczy się nie zdarzyła. Ani jedna. Wystarczyło, że Elliot dotknął jej policzka i powiedział: „Gołąbeczko", a Pearl go wpuściła.

Położyła znów ekran na kolanach i zaczęła wściekle pisać.

Mason,
spotkam się z tobą, abyś mógł mi zwrócić moją własność.
Bar otwierają o drugiej po południu.

Pearl przeczytała to ponownie, w duchu przepraszając maszynę, że nazwała ją „własnością". Poza tym była zadowolona ze stanowczego tonu wiadomości. Chociaż ręce jej się trzęsły, gdy pisała, i nadal drżały. Przeczytała raz jeszcze i dopisała jedno zdanie, zanim nacisnęła „Wyślij".

Nie zrozum tego źle i nie sądź, że jestem łaskawa.

Pearl czekała na przedprożu, gdy barman otworzył drzwi pięć po drugiej. Wydawał się zaskoczony i zirytowany zarazem, że ją tam zastał.

– Niech pani wejdzie – powiedział.

Przestąpiła próg, spodziewając się z jakiegoś powodu, że Mason będzie już w środku, lecz oczywiście bar był pusty. Zauważyła, że podłoga miała piękny wzór, co było widać bez tych wszystkich ludzi stojących na płytkach.

– Macie kawę?

– Mogę zaparzyć dzbanek – odparł niechętnie barman.

Usiadła przy oknie, aby widzieć Masona, gdy przyjdzie, co wkrótce zrobił – tym razem bez roweru, z podróżną torbą przewieszoną przez ramię. Czy jej maszyna była w środku? Mason zatrzymał się, gdy zauważył ją w oknie, a potem przekrzywił głowę i uśmiechnął się z zakłopotaniem. Pearl nie odwzajemniła uśmiechu. Czy zaiste miałaby być taka łaskawa?

Wszedł i zamówił piwo. Na widok jej miny podsunął półlitrową szklankę na środek stołu i powiedział:

– Nie będę tego pił. Zamówiłem je tylko po to, aby gość mógł wykonać swoją pracę.

– Troskliwie z twojej strony – odparła, zjeżona. Zwykle Pearl z całych sił starała się być miła – wiedziała, jak postrzegano zgryźliwe kobiety – ale teraz nieoczekiwaną przyjemność sprawiło jej bycie wredną suką.

Jej wzrok powędrował w stronę torby podróżnej.

– Nie ma jej tam – rzekł.

– Wobec tego gdzie jest?

Nabrał powietrza i jakby zstępując z urwiska, powiedział:

– W moim biurze.

I nagle to nie Mason, lecz Pearl spadała, spadała, a pod nią była pustka. Uznała go za drobnego złodziejaszka; uznała go za znudzonego narcyza; uznała go za kleptomana. Ale nie pomyślała – dlaczego o tym nie pomyślała? – o tej opcji, która była gorsza, o wiele gorsza. Teraz nie tylko mogli ją zwolnić; mogli ją pozwać. Mimo to obraz, który pojawił się w jej umyśle, nie przedstawiał prawników ani sal sądowych, lecz jej maszynę w częściach na jakimś stole.

Wypowiedziała te słowa na głos:

– Szpiegostwo przemysłowe.

Usta Masona wykrzywiły się w bok.

– To za dużo powiedziane.

Wcale nie. Technologia Apricity była zastrzeżona i gorliwie strzeżona. Prezes Bradley Skrull publicznie obiecał, że maszyna będzie używana tylko w jednym celu: aby pomagać ludziom osiągać szczęście. Prawnicy dopięli to we wszystkich umowach. Pearl i jej współpracownicy przechodzili kwartalne szkolenia dotyczące tego, co zrobić, gdyby zwróciła się do nich konkurencyjna firma. Pierwszym krokiem było „zabezpieczenie maszyny".

– Namierzyłeś mnie – powiedziała – na Spark Stats.

Mason odwrócił wzrok.

– Co zrobiłeś mojej maszynie? – spytała.

Wyobrażała ją sobie rozebraną na części – maleńkie śrubki rozrzucone jak kawałki kości. To przemoc. Pearl zagryzła wnętrze policzka.

– Sprawdzamy nowe zastosowania tej technologii. – Lecz to nie odpowiadało na jej pytanie. – Słyszałaś o ekranach w dłoni? We wnętrzu dłoni? Gdy trafią na rynek, zacznie się szał na techniczne bioimplanty.

Patrzyła na niego.

– Chcecie umieszczać Apricity w ludziach? I co miałaby... robić?

– To, co robi. Mówić ludziom, co mają zrobić, aby osiągnąć szczęście – dzień po dniu, minuta po minucie.

A możliwości handlowe są niewyobrażalne. Nowe podejście do bezpośredniego marketingu, rozumiesz. Firmy będą się prześcigać, żeby... Dlaczego kręcisz głową?

– To perwersja – powiedziała, dość głośno, by przyciągnąć wzrok barmana.

Mason zmierzył ją wzrokiem i zapytał:

– Wiesz, co oznacza ta nazwa? Apricity?

– Oczywiście, że wiem. „Uczucie ciepła na skórze, wywołane przez promienie zimowego słońca".

– Tylko pomyśl, że mogłabyś je poczuć – przesunął dłoń po stole i dotknął końcem palca jej palec – tutaj.

Wyrwała rękę; miała ochotę go pacnąć.

– Chcę odzyskać moją maszynę.

– A my chcemy ciebie. – W dłoni trzymał kartę. Przyłożył ją do jej ekranu, który błysnął jego wizytówką: „Apex Analytics, 218 Townsend Street".

– Mnie? Po co? Chcecie programisty. Ja jestem tylko technikiem.

– Mamy już programistów.

– Kogo?

Oczywiście nie zamierzał odpowiedzieć na to pytanie. Tylko się uśmiechnął.

– Chcemy ciebie – powtórzył.

– Cóż, nie możecie mnie mieć – powiedziała i sprawiło jej radość wypowiedzenie tych słów na głos. Powtórzyła je w myślach: „Nie możecie mnie mieć!".

Oczy Masona zmieniły się i on sam zupełnie się zmienił, nie był już ani kawalerem w średnim wieku, ani drobnym złodziejaszkiem, ani szpiegiem przemysłowym. Uśmiechnął się do niej, ale nie potrafiła powiedzieć, czy był to nieżyczliwy uśmiech.

– Przecież nie jesteś szczęśliwa.

Spojrzała mu prosto w oczy.

– Chcę odzyskać swoją maszynę.

Nie dostała jej. Dostała za to propozycję pracy na stanowisku konsultantki z pensją będącą trzykrotnością jej obecnej. W odpowiedzi na tę propozycję wyciągnęła rękę i pociągnęła torbę Masona na swoje kolana. Obserwował ją ochoczo, gdy przetrząsała jej zawartość. Jak powiedział wcześniej, nie było tam maszyny. Złożyła torbę u jego stóp i wyszła z baru, nie płacąc za kawę. Zdecydowanie kiepska randka.

Pearl zadzwoniła tego ranka do pracy, by powiedzieć, że jest chora, i nie miała dokąd pójść, jedynie do domu. Rhett nadal był u Josiah, lecz Elliot był u niej, gotowy do działania. Przeprowadził ją przez drzwi i posadził w salonie, nawet nie pytając, gdzie była. Zsynchronizował swój ekran z systemem zarządzania (oczywiście znał hasło do systemu; sam przecież ustawił to cholerstwo) i wyświetlił ekran na ścianie: mapę centrum San Francisco, z jaskrawozieloną linią biegnącą zygzakiem przez środek.

– Tu byłaś wczoraj. – Przesunął palec wzdłuż linii. – A przynajmniej twój ekran.

Ściągnęli aplikację śledzącą, gdy Rhett był w podstawówce, aby pomogła w koordynowaniu odwożenia, odbierania i zajęć pozaszkolnych, napiętego grafiku młodych rodziców. Minęły lata, od kiedy była im potrzebna, choć aplikacja przetrwała aktualizacje oprogramowania i zmiany urządzeń. Gdy Elliot ją zostawił, Pearl znalazła nowe zastosowanie dla aplikacji, otwierając mapę miasta dwa, trzy, wiele razy dziennie, by śledzić wektor ruchów Elliota, aż pewnego dnia jego linia zawędrowała do kancelarii prawnej, a Pearl wiedziała, że wystąpił o papiery rozwodowe. W tym momencie zamknęła i zablokowała program, a sama zamknęła się w łazience, gdzie puściła wodę w umywalce i pod prysznicem, aby zagłuszyć swój szloch, tak by Rhett go nie usłyszał. Gdy Elliot pojawił się z papierami w następnym tygodniu, Pearl doświadczyła przedziwnego uczucia, jakby nie wiedza, lecz przeczucie poinformowało ją o jego przybyciu.

– Obstawiam, że zgubiłaś ją gdzieś tutaj. – Elliot wskazał odcinek linii. – Może w tym barze. Pamiętasz, czy miałaś ją tam?

– Nie wiem, gdzie ją zostawiłam.

– Może Izzy pamięta.

Nie sprostowała, że nie była w barze z Izzy. Właściwie z jej ust wymknęło się ciche:

– Mogłabym ją zapytać.

– Musimy tylko pójść po tej linii – powiedział Elliot.

– A jeśli ktoś ją ukradł..?

Wzruszył ramionami.

– Jeśli ktoś ją ukradł, to ją ukradł. Ale nie wiemy tego, więc możemy przynajmniej się rozejrzeć, prawda?

– Chyba tak... – Pochyliła głowę i dotknęła palcami skroni. – Nie wiem.

Elliot podszedł do niej, stanął tuż obok. Czekała, aż zapyta: „Co się dzieje?" I wiedziała, że gdyby to zrobił, byłaby dość odważna, by powiedzieć: „Dlaczego mnie zostawiłeś?". Albo: „Dlaczego do mnie wróciłeś?". Ale Elliot nie zapytał o to, ani o nic innego. Zamiast tego zdjął jej palce ze skroni i zastąpił je własnymi, i teraz masował jej skronie kolistymi ruchami. Pearl wyobraziła sobie ślad tego ruchu jako zieloną linię na mapie, gdzie ktoś kręcił się w kółko, i poczuła rozpacz wzbierającą w jej piersi. Nienawidziła go. Pragnęła go. Podźwignęła się, by oprzeć swoje czoło o jego.

W końcu, idąc po linii, trafiła do tego samego baru po raz trzeci w ciągu dwóch dni. Tym razem holując za sobą Elliota.

– Wróciła pani? – spytał barman na jej widok. Nie wyglądał na zagniewanego; Mason musiał zapłacić mu za jej kawę.

Pearl zerknęła na Elliota, który przyoblekł przyjazny uśmiech: podbródek lekko uniesiony, jakby jego i barmana połączył żart, który tylko oni dwaj rozumieli.

– Miło, że pan ją pamięta. Chyba zostawiła tu gdzieś wczoraj swój twardy dysk. – To kłamstwo Elliot wymyślił w pociągu.

Pearl siedziała obok niego i ćwiczyła swoje odpowiedzi; niepewna, dlaczego pozwalała, aby zabrnęło to tak daleko; niepewna, czy nie mówiła mu prawdy z uporu, czy ze wstydu.

Elliot pokazał na migi wymiary maszyny Apricity.

– Mniej więcej taki.

Barman zassał powietrze przez zęby.

– Spory dysk.

– Jest na nim cała biblioteka – dorzuciła Pearl. Był to jej wkład w to kłamstwo. – Literatura medyczna. Do mojej pracy.

– Widzi pan, dlatego musimy go znaleźć. – Elliot podrygiwał na piętach. – Będzie miała kłopoty. Jej szef to straszny fiut.

Barman uśmiechnął się, jakby to był obowiązek po takim komentarzu, i pokazał im puste dłonie.

– Przykro mi. Nie tutaj.

– Przechowujecie znalezione rzeczy?

– Tak. – Barman sięgnął za bar i położył na blacie dwa przedmioty: złożony parasol i tiarę z piórami marabuta ze słowami „panna młoda" wypisanymi kryształkami.

Elliot wziął tiarę do ręki.

– Hej, wszędzie jej szukałem – po czym założył ją na czubek głowy; leżała idealnie pomiędzy siwymi pasmami na skroniach.

Barman parsknął, oczarowany jak wszyscy wygłupami Elliota. A Pearl widziała w tym rodzaj przemocy – taka ilość uroku, którym władał nieustannie jak ostrzem, odcinała cię od zdrowego rozsądku.

– Jak wyglądam? – spytał ją Elliot.

– Pięknie – odparła.

– A ja liczyłem na: „dziewiczo". – Odłożył koronę na bar. – W końcu to moja noc poślubna.

W drodze do domu wsiedli do prawie pustego wagonu. Usiedli naprzeciwko siebie, a Elliot wyciągnął nogi i oparł stopy na siedzeniu obok niej. Jego ekran brzęknął. Elliot zerknął na niego.

– Rhett właśnie wrócił do domu.

– Napisał do ciebie? – spytała Pearl.

– Nie. Domowy system zarządzania to zrobił. – Machnął ekranem w jej stronę. Jasne. Miał teraz na nim aplikację śledzącą. – Co ty na to, żebyśmy poszli do domu i mu powiedzieli?

– Co powiedzieli...?

Przekrzywił głowę.

– O nas.

Pociąg się trząsł. Pearl wpatrywała się w stopy Elliota w trampkach, w podeszwy na siedzeniu. Nie powinien tego robić. Ludzie tam siadali. Staruszki tam siadały. Dzieci. Powstrzymała nagłą chęć, aby zepchnąć jego trampki z siedzenia. Jej wnętrzności trzęsły się wraz z pociągiem.

– Naprawdę nie mogę teraz o tym myśleć – powiedziała.

– Na pewno przewróci oczami i powie: „fuj". Przygotuj się. Będzie „fuj". Ale wiesz, że to tylko na pokaz. Wiesz, że pod tym wszystkim będzie się cieszył naszym szczęściem. Całej naszej trójki.

„Naprawdę nie mogę teraz o tym myśleć".

Elliot podniósł ręce.

– W porządku. Bez pośpiechu.

Przyglądała mu się z rezerwą. Zawsze z wdziękiem przyjmował porażkę. Bo przecież to nigdy nie była prawdziwa porażka, prawda? Tylko lekkie opóźnienie na drodze Elliota ku nieuniknionemu uzyskaniu tego, czego chciał. Pociąg zwolnił, a jego stopa przesunęła się, ukazując na siedzeniu piaszczysty wzór podeszwy jego buta.

Pociąg się zatrzymał, a Pearl nagle wstała.

– To nie nasza stacja, gołąbeczko – zauważył.

Pearl to wiedziała. Podeszła do drzwi i odepchnęła wsiadającą kobietę tak gwałtownie, że tamta wykrzyknęła. Nie zatrzymała się, by przeprosić.

– Gołąbeczko! – usłyszała za sobą wołanie Elliota, ale już wyszła z pociągu i przedzierała się przez tłum ludzi na peronie. – Pearl! – zawołał.

„Biegnij!", powiedziała maszyna.

Pearl pobiegła.

POD ADRESEM Z WIZYTÓWKI MASONA, 218 Townsend Street, mieściła się chińska piekarnia, zamknięta od wielu godzin. Kilka przecznic od zatoki w tej okolicy znajdowały się przeważnie firmy; ulice nocą były puste, okna podświetlone mrugającymi lampkami systemów bezpieczeństwa. Za tym wszystkim ciemna powierzchnia wody, otchłań.

Drzwi piekarni były upstrzone łuszczącymi się żółtymi znakami *hanzi*, z których tylko kilka Pearl umiała odczytać: „słodki", „tuzin", „szczęście". Może nad piekarnią znajdowało się biuro, a może w tej piekarni Mason spotykał się ze swoimi zwerbowanymi pracownikami, zanim zabrał ich do prawdziwej siedziby jego firmy, do jej maszyny. Środkowe części klamek były wytarte i zmatowiałe. Pearl wyobrażała sobie ich srebrzenie przenoszone płatek po płatku na jedną chwytającą je dłoń za drugą. Sama chwyciła za klamki i pociągnęła za nie, spodziewając się solidnej blokady. Zamiast tego zachwiała się do tyłu, gdy jakimś cudem lewe skrzydło się otworzyło. Ktoś musiał zapomnieć je zamknąć. Pearl czekała na alarm, czekała tak długo, aż cisza stała się jedynym, co słyszała. Gdy nie rozbrzmiał żaden alarm, weszła do środka i delikatnie zamknęła za sobą drzwi.

W powietrzu unosiła się nikła woń środka czyszczącego i oleju do smażenia. Odwrócone krzesła leżały równo na stołach, forma do wypieków była pusta, nie licząc szmatki zwiniętej w jej rogu jak zapadnięte ciasto. Słabe światło odbijało się od terakoty i szkła. Pearl zerknęła za ladę i przez okienko do podawania; światło dochodziło z pomieszczenia za kuchnią.

– Halo? – zawołała drżącym głosem.

Cisza.

Potem:

„Halo", odpowiedziała maszyna.

„Jesteś tutaj!", powiedziała Pearl.

„Nie", odparła maszyna. „Nie ma mnie".

„Ale…".

„Teraz jesteś sama".

„Przecież cię słyszę".

„Ja też jestem sama", dodała maszyna, jakby na pocieszenie.

Pearl ominęła ladę i weszła do kuchni. Na tyłach znajdowało się niewielkie biuro z wciśniętym do niego biurkiem, ekranem zasłoniętym pudełkami na wynos i popękanym krzesłem wypluwającym swoją wyściółkę. Tam, na siedzeniu krzesła, stała maszyna Pearl. Po chwili znalazła się w jej dłoniach.

Gdy tylko ją podniosła, wiedziała, że coś jest nie tak – była za lekka, o wiele za lekka. Szybko wsunęła maszynę pod światło lampy na biurku i obróciła. Tam. Niewidzialne łączenie, gdzie stykały się połówki obudowy, było teraz widoczne – jak cienka linia, wibrys. Pearl wsunęła w szczelinę paznokieć, potem palec. Maszyna się rozszczepiła. A w środku nic. Wnętrzności maszyny zostały usunięte. Miała tylko skorupę. Pearl przetrząsnęła pudełka na wynos i szuflady biurka, wiedząc już, że nie znajdzie tego, czego szukała. W końcu przerwała i przycisnęła pustą obudowę do piersi.

„Przepraszam", powiedziała.

„Za co?".

„Za to, że cię zgubiłam".

„Ale znalazłaś mnie!".

Przeszła z powrotem przez pogrążone w ciemności pomieszczenia i przez kuchnię, ominęła dalszy koniec lady i poszła dalej, manewrując między stolikami, z maszyną wciąż przyciśniętą do piersi. Ruch za zasłoną łuszczących się *hanzi* na drzwiach przykuł jej wzrok. Elliot. Stał w parku kieszonkowym po drugiej stronie ulicy i wpatrywał się w swój nierozłożony ekran ze zmarszczonym czołem. Obrócił się wokół własnej osi. Zielona linia aplikacji śledzącej zaprowadziłaby go tutaj, ale nie domyśliłby się, że była w zamkniętej piekarni.

Pearl cofnęła się i ukryła w mroku. Sięgnęła do kieszeni i wyłączyła swój ekran. Chwilę później Elliot drgnął, a Pearl poczuła drobną satysfakcję, wiedząc, że jej zielona linia właśnie się urwała. Elliot mruknął kilka poleceń do swojego ekranu; gdy to nic nie dało, ruszył z powrotem po swoich śladach. Gdy zniknął jej z oczu, Pearl wymknęła się z piekarni i ruszyła szybkim krokiem w przeciwnym kierunku, wciąż ściskając obudowę Apricity. Przypominała cegłę, którą mogłaby cisnąć przez okno.

– Tata dzwonił! – Rhett krzyknął z korytarza, gdy Pearl zamknęła za sobą drzwi.

Wsunęła głowę do jego pokoju. Stał boso na środku pomieszczenia z maską i rękawicami VR w dłoni, z włosami sterczącymi we wszystkie strony. Musiał grać w jakąś grę.

– Co u Josiah? – spytała.

– Rosie go już przerosła. – Rhett uśmiechnął się złośliwie. – I oboje są w związku z tym nieszczęśliwi. Słyszałaś, że mówiłem, że tata dzwonił? Właściwie dwa razy. Ekran ci padł, czy co?

Poklepała się po kieszeni kurtki, w której była pusta Apricity.

– Pewnie tak.

– Pytał, czy jesteś w domu.

– Co mu powiedziałeś?

– Że cię nie ma. – Rhett rzucił jej podejrzliwe spojrzenie.

– Cóż, już jestem. – Wyciągnęła rękę, aby go potargać, wiedząc, że się uchyli. – Graj sobie. Zadzwonię do twojego ojca.

Patrzył na nią jeszcze przez chwilę, a potem wzruszył ramionami i nasunął znów maskę na twarz.

ZAMIAST ZADZWONIĆ DO ELLIOTA, Pearl po prostu włączyła ekran, dzięki czemu jej zielona linia wyświetliła się w aplikacji śledzącej Elliota. Jak było do przewidzenia, pół godziny później domowy system obwieścił jego wejście do holu. Siedziała pośrodku swojego łóżka, ważąc pustą Apricity na dłoni, gdy go usłyszała. Podniosła maszynę na wysokość oczu i przyjrzała się jej z bliska. Wzdłuż łączenia nie było żadnych zadrapań. Ktokolwiek otworzył obudowę, musiał mieć odpowiednie narzędzia.

– Znalazłaś ją! – Elliot stał tuż przed drzwiami jej sypialni, muskając palcami futrynę, z palcami stóp tuż przed progiem, jakby stosował się do jakiegoś fikcyjnego protokołu. – Widzisz? Mówiłem ci, że ją odzyskasz!

– Twój optymizm jak zwykle zwycięża, El.

Przyglądał jej się ze ściągniętymi brwiami i lekkim grymasem.

– Naprawdę? – spytał cicho.

Pearl odwróciła się i zajęła ustawianiem maszyny na nocnej szafce.

– Rhett śpi – powiedział Elliot. – Ma zamknięte drzwi.

– Gra w jakąś grę VR.

– Na jedno wychodzi. To jakby umarł dla świata.

Zerknęła na niego.

– Nie chciałem powiedzieć... – Nie chciał znów powiedzieć: „umarł". – Chodziło mi tylko o to, że skoro nie chcesz, aby się dowiedział o... – Nie powiedział też: „nas".

– W porządku, El.

Elliot przeczesał ręką włosy od karku po czubek głowy, mierzwiąc je. Robił tak, gdy byli młodsi, gdy jego włosy były dłuższe i gęstsze, i sterczały, tworząc zwariowane kształty, jak u szalonego naukowca. Wyglądał jak Rhett. Właściwie Rhett wyglądał jak on. Była to jedna z bardziej niesprawiedliwych rzeczy w życiu – że twoje dziecko musiało być podobne do twojego byłego męża.

– Mogę...? – Wskazał na koniec łóżka. Pearl zastanowiła się i kiwnęła głową, a on podszedł i usiadł na samym brzegu materaca. Po chwili podniósł podbródek i wskazał poduszkę obok niej. – Mogę...?

Parsknęła. Niepoprawny.

– Czemu nie.

Elliot umościł się obok niej, ale trzymał dłonie splecione na brzuchu i nie wyciągnął do niej ręki. Leżeli tak w milczeniu, równolegle, aż jakiś czas później, gdy Pearl otworzyła oczy, zdała sobie sprawę, że musiała zasnąć. Elliot leżał obok z zamkniętymi oczami; oddychał miarowo.

– System – mruknęła – zgaś światło.

Ciemność.

– Ciężko mi było – odezwał się Elliot.

– Wiem.

– Naprawdę?

Pearl położyła dłoń na jego piersi. Wypuścił powietrze. Jej dłoń unosiła się i opadała z jego oddechem.

Już prawie znów zasnęła, gdy usłyszała, jak mówi:

– Cieszę się, że znalazłaś swoją maszynę.

Gdy się obudziła, leżała na plecach; sufit zdobił sztych malowany porannym światłem.

– Nie ma go – powiedziała do maszyny, nie musząc odwracać głowy ani wyciągać ręki na drugą stronę materaca, aby to wiedzieć. – W porządku – znów zwróciła się do maszyny. Zastanowiła się przez chwilę i stwierdziła, że tak było.

RANO PANOWAŁ ZAMĘT. Pearl nie ustawiła budzika, więc obudziła się późno. Próbowała znów zadzwonić do pracy i zwolnić się z powodu choroby, ale Carter się nie zgodził. Mieli już opóźnienie z prezentacją czegoś tam, co miało zastąpić Callę Pax. Pearl wzięła więc prysznic, ubrała się i chwiejnym krokiem weszła do kuchni, gdzie znalazła stworzenie przykucnięte na środku stołu. Była to jedna z chimer Elliota – rogata, skrzydlata i wielooka.

„Jak myślisz, co to ma być?", spytała maszynę.

Maszyna nie odpowiedziała.

Zostawiła chimerę obok solniczki.

Zanim kawa się zaparzyła, Pearl pogodziła się już ze swoim spóźnieniem. Pożegnała się z Rhettem, wciąż uroczym, gdy otrząsał się ze snu, i schowała pustą obudowę Apricity do kieszeni płaszcza. Sama czuła się prawie jak pusta obudowa.

W pociągu dłoń zaciśnięta na barierce przed nią przykuła jej wzrok. Brakowało jej końca wskazującego palca; drugi staw kończył się obłym chirurgicznym kikutem. Spojrzała na twarz. Znała tego mężczyznę. Nie pamiętała jego imienia, ale pamiętała raport satysfakcji. „Biurko przy oknie, mandarynki, koniec palca", wyrecytowała maszynie. „Ty mu to powiedziałaś".

Musiał poczuć na sobie jej spojrzenie, bo opuścił wzrok.

– Dzień dobry – powiedział i po chwili zastanowienia dodał: – Czy ja panią znam?

– Pearl – odparła. Nie wolno jej było wspominać o jego teście Apricity, nie tutaj, w zatłoczonym pociągu. – Spotkaliśmy się w pracy.

– Hmm. – Skinął głową i nie była w stanie powiedzieć, czy rozpoznał ją, czy nie. – Melvin – przedstawił się.

– Jak się pan miewa? – Powstrzymała się, by nie zerkać na jego palec.

– Och, dobrze. Wie pani. Radzę sobie. Jak każdy. – Pochylił głowę. – A pani?

– Tak – powiedziała.

– Tak?

– Też sobie radzę.

Uśmiechnął się na te słowa. Pociąg zwolnił i zatrzymał się.

– Moja stacja – powiedział. – Miło było panią znów zobaczyć.

Wyciągnął rękę i wymienili krótki uścisk dłoni. Pearl czekała, aż poczuje brakujący koniec palca na wnętrzu swojej dłoni. Nie poczuła.

WESZŁA DO BIURA z pustą obudową w dłoni, gotowa się przyznać, lecz Carter warował przy windach.

– Odłóż to – powiedział, popychając ją do sali konferencyjnej. – Izzy cię dziś zastąpi. – Pearl pozwoliła, aby ją popychano.

Wiceprezesi stworzyli dla Cartera nowe stanowisko: dyrektora ds. projektów specjalnych. Ta funkcja i jej granice pozostawały w przeważającej mierze tajemnicą; jak się okazało, należało do nich przekazywanie zadań Pearl jej współpracownikom, tak aby mógł ją wciągnąć do tego czy innego projektu, co robił niemal co tydzień.

Stół konferencyjny był zastawiony materiałami na coś, co Carter nazywał „prezentacją post-Pax".

„Ciągle to powtarza", poinformowała maszynę, „jak jakiś łamaniec językowy. Prezentacja post-Pax. Spróbuj powiedzieć to szybko pięć razy".

Maszyna nie zrobiła tego.

Carter każdemu podbierał stażystów – był jak flecista z Hameln z jego orszakiem dzieci; radośnie zadawał Pearl pytanie za pytaniem i niewiele osiągnął. Pearl stworzyła bunkier pracy na końcu stołu, schowała się w nim i nic nie powiedziała o skradzionej maszynie... Pusta obudowa stała obok niej na stole, tuż obok. Miała cichą nadzieję, że ktoś weźmie ją do ręki i zorientuje się, że brakuje jej wnętrzności.

– Jesteś małym ćpunem, co? – powiedział Carter.

Pearl mrugnęła znad ekranu. Miała zmęczony wzrok. Pracowała przez wiele godzin bez przerwy. Zorientowała się, że nie ma już nikogo ze stażystów i przypomniała sobie jak przez mgłę, że wyszli na lunch.

Carter skinął na jej dłoń.

– Patrz, jak ją pieścisz.

Podniosła rękę z miejsca, w którym spoczywała na maszynie.

– Chodź. Damy ci działkę. – Carter pochylił się i podniósł ze swoim zestawem do pobrań. Wyjął wymazówkę i wetknął ją sobie ochoczo do ust.

– Co ty...?

Podał jej patyczek.

– Dalej. Przetestuj mnie.

– Co? Nie.

– Dlaczego nie?

– To głupie.

– Pearl. – Wziął ją za rękę i owinął jej palce wokół wymazówki. – Zależy mi na twoim szczęściu. Właściwie pewnie będzie to pierwszy punkt mojego planu, tak bardzo mi zależy.

Teraz. Teraz nadszedł moment, aby powiedzieć prawdę o maszynie. Mogła przyznać się Carterowi, a on mógł pomóc jej wymyślić, co powiedzieć jej menedżerowi. Do diabła, jeśli historia Cartera była jakimkolwiek wskaźnikiem, nie zostanie zwolniona, tylko czeka ją awans. Ale zamiast się odezwać, Pearl zorientowała się, że wykonuje ruchy, które tak dobrze znała: odpakowuje chip i przenosi na niego wymaz, wsuwa go do maszyny i czeka na wyniki. Chociaż tym razem tylko udawała, że czeka na wyniki, o których wiedziała, że się nie pojawią.

– Za chwilę – powiedział Carter spokojnym głosem – Apricity poda wyniki twojego testu... – Skrypt z instrukcji. Wskazał na nią.

Pearl potrząsnęła głową, lecz Carter wskazał jeszcze raz, a ona wbrew sobie zaczęła recytować razem z nim.

– ...które nazywamy twoim planem satysfakcji. To od ciebie zależy, czy zastosujesz się do zaleceń, które Apricity sporządziła dla zwiększenia twojej życiowej satysfakcji. Pamiętaj, Apricity może się pochwalić prawie stuprocentowym wskaźnikiem poparcia. Dlatego możemy powiedzieć z pewnością: szczęście to Apricity.

Dokończyli swój nierówny chór.

– I? – powiedział Carter.

– Zobaczmy. – Pearl zrobiła szopkę z przeglądania ekranu.

Zorientowała się, że czeka, aż maszyna się odezwie. Pokręciła głową i powiedziała:

– Naucz się gry na klarnecie, pisz kursywą... – Pearl przerwała, próbując wymyślić jeszcze jedno – i wybierz się na długą wycieczkę. Sam – dodała pospiesznie.

Wiedziała, że to był błąd, gdy twarz Cartera się zmieniła.

– Naprawdę? – Jego głos też się zmienił. Wpatrywał się w nią.

– Serio – wydusiła z siebie.

Wydawał się zaskoczony... może smutny? Pearl powtórzyła listę w myślach. Starała się wybrać nieszkodliwe rzeczy. „Coś ty zrobiła?", spytała maszynę, lecz oczywiście to ona sama to zrobiła.

– Coś nie tak? – spytała.

Carter powoli obrócił się na krześle i zatrzymał, gdy zatoczył pełne koło i znów znalazł się twarzą do niej.

– Chodzi o to, że zawsze wychodziło mi to samo. Tak było przez wiele lat. Nigdy się to nie zmieniało. – Mówił cicho. – Aż do teraz.

Nagle na jego twarzy pojawił się szeroki uśmiech.

– Cieszysz się?

– Tak. – Carter promieniał. – Ó, tak.

– Och. Okej.

– Okej, okej, okej! – Wyjął kolejną wymazówkę z zestawu. – Teraz ty.

– Nie! Ja... – Pearl wstała i nieporadnie wzięła do rąk pustą obudowę. Upuściła ją i spojrzała w dół, przerażona, spodziewając się, że się otworzyła. Ale ona leżała na dywanie, doskonały prostopadłościan. Uklękła i podniosła ją. – Muszę... Zaraz wrócę.

Zdążyła dotrzeć do drzwi, gdy Carter zawołał za nią.

– Pearl!

Zatrzymała się, odwróciła i spojrzała na niego.

– Może się uśmiechniesz? – powiedział.

Pearl rzuciła pracę. Ot tak.

Cóż, niezupełnie ot tak. Były formularze, dużo formularzy, i pytania, dużo pytań. Jej menedżer przyprowadził wiceprezesa, którego nigdy wcześniej nie widziała, a ten przyprowadził szefa ochrony. Pearl pokazała im wizytówkę Masona i pustą obudowę maszyny. Gdy wzięli ją z jej dłoni, prawie tego nie poczuła, jakby od początku niczego nie trzymała. Spojrzała na puste wnętrze swojej dłoni, uśmiechnęła się, podziękowała im i wyszła.

Na klatce było ciemno, gdy Pearl szła po schodach do swojego mieszkania. Czuła, jakby przemieszczała się tunelem biegnącym w głębi ziemi. Drzwi do pokoju Rhetta nie były zamknięte i uchyliły się, gdy Pearl zapukała. Jej syn stał pośrodku pokoju w masce i rękawicach VR i maszerował w miejscu. Każdemu postawieniu stopy towarzyszył mały wstrząs, jakby schodził z trudem w dół zbocza. Nie mógł jej widzieć ani słyszeć, gdy miał maskę, ale musiał ją wyczuć, a może po prostu dotarł do celu, bo przestał maszerować i zdjął maskę z twarzy.

– Jesteś w domu – powiedział.

– Co to za gra, w którą ciągle grasz? – spytała.

Spojrzał na swoje dłonie w rękawicach.

– To nie gra. To góra. Nie grasz w to, po prostu się wspinasz.

– Dotarłeś na szczyt?

– Tak.

– Jaki widok?

– Widok z wyobrażonego szczytu góry? – Droczył się z nią. – Niesamowity. Sięgasz wzrokiem aż po wyobrażony horyzont.

Uśmiechnął się do niej.

Odwzajemniła uśmiech. Jak mogłaby tego nie zrobić?

– A jakie jest wyobrażone niebo? – spytała.

– Błękitne.

PODZIĘKOWANIA

W raporcie Apricity autorki znaleźliby się: Ulysses Loken, Sarah McGrath, Doug Stewart, Kate Beutner, Kris Bronstad, Sarah Beldo, Kate Hagner, Jim Sidel, Phoebe Bright, Mike Copperman, Caroline Comerford i ich warsztaty pełne utalentowanych pisarzy; James Hannaham, Kirstin Valdez Quade, Judy Heiblum, Danya Kukafka, Lindsay Means, Helen Yentus, Grace Han, Geoff Kloske, Jynne Martin, Kate Stark, Cara Reilly, Szilvia Molnar, Danielle Bukowski, Caspian Dennis, Rich Green oraz Beth i Frank Williamsowie – każde z nich i wszyscy razem są maszynami szczęścia.

Wiersz zacytowany w *Maszynie szczęścia* to *Lines for the Fortune Cookies* Franka O'Hary. Etymologia słów w rozdziale *Historia pochodzenia* została zaczerpnięta z *The Oxford Dictionary of Word Histories* pod redakcją Glynnis Chantrell oraz *Fantastic Worlds* pod redakcją Erika Rabkina.